Von Felix Lützkendorf

Die schöne Gräfin Wedel

Felix Lützkendorf

Ich
Agnes
eine freie
Amerikanerin

Roman

Schneekluth

CIP-Kurztitelaufnahme der Deutschen Bibliothek

Lützkendorf, Felix
Ich Agnes eine freie Amerikanerin: Roman, 1. Aufl.,
München: Schneekluth, 1976
ISBN 3-7951-0338-x

ISBN 3-7951-0338-x
© 1976 by Franz Schneekluth Verlag KG, München
Gesamtherstellung Mohndruck Reinhard Mohn OHG, Gütersloh
Printed in Germany 1976

Ich höre den Gesang Amerikas,
höre seine mannigfaltigen Hymnen!

Walt Whitman, *Grashalme*

Vorspiel

Sie war noch nicht 17 Jahre alt, als sie im frühen Licht eines Sommermorgens aus dem großen Holztor der Georgia-Farm im grünen Vermont in die Welt hinausritt. In die Welt jenseits der Wälder, dem großen Ziel entgegen, das ihr Mädchenherz erfüllte.

Es hätte jedoch niemand in ihr, wie sie da aufrecht im Sattel saß, das schwarze Haar unter dem breitkrempigen Hut aufgesteckt, vor sich ihr Gewehr, an der Seite Jagdmesser und Pulverhorn, ein junges Mädchen vermutet. Unter der Lederweste waren die kleinen Brüste, fest wie junge Äpfel, nicht zu erkennen. Die knabenhaft schmalen Hüften, die langschenkligen Beine steckten in engen Lederhosen, die über den hochhackigen Stiefeln mit wehenden Fransen besetzt waren.

Ein rotes Wolltuch um den schön gebogenen Hals, die Hände in Stulpenhandschuhen, glich Agnes Elisabeth Winona Leclerq Joy einem jener jungen Männer, die um diese Zeit zu Hunderten und Tausenden aus den Wäldern kamen, um sich bei irgendeinem Regiment einschreiben zu lassen. Denn in diesem Sommer, da noch Rhododendren und Magnolien blühten, hatte der große Krieg begonnen, der grausamste, den Amerika je erleben sollte, der Kampf um alles oder nichts zwischen den Yankees im Norden und den Baronen im Süden, zwischen der Union und den Konföderierten. Agnes wußte nicht, warum der Bürgerkrieg ausgebrochen war, warum sich nicht alle Streitfragen wie bisher durch eine

Abstimmung im Kongreß beilegen ließen. Die einen sagten, das sei die Schuld der Barone, die dort im Süden nicht von der Sklaverei lassen wollten. Vater Abraham Lincoln aber, der Präsident in Washington, sagte, es ginge um die Einheit und Zukunft des einen großen Amerika. Und ihm glaubte sie. Agnes liebte seine traurigen Augen. Sein Bild hing in ihrer kleinen Kammer. Und sie sang ihm entgegen, was der ganze Norden sang, Abertausende junge Männer, die so wie sie seine Soldaten werden wollten:

»We are coming, Father Abraham,
Three hundred thousand men!«

Wie hätte sie, da alles um sie her aufbrach, nur einen Tag lang noch zu Haus hinterm Herd sitzen können?

Dies war nicht ihre erste Flucht von zu Hause. Dreizehnjährig hatte sie schon einmal von einer Stunde zur anderen Wälder und Wiesen ihrer Heimat verlassen, um dem mexikanischen Zirkus, der damals durch Vermont gezogen war, auf ihrem Pony nachzureiten. Agnes konnte sich nicht mehr trennen von den Gitarren und Tänzen der Mexikaner, von Kunstreitern und Kunstschützen, Messerwerfern, Kamelen, Panthern, Löwen, tanzenden Hunden und schön gehenden Pferden. Drei Tage lang folgte sie den grünen Wagen, bis sich Señora Valdez, die Frau des Direktors, ihrer endlich erbarmte und sie kurzerhand in den Wohnwagen ihrer zahlreichen Kinderschar mit hineinstopfte. Notgedrungen lernte Agnes dort soviel Spanisch, daß sie sich bald schon ihrer Haut wehren konnte. Eine Tatsache, die ihrer Zunge noch späterhin, als es um Sein oder Nichtsein ging, die lebensrettende Ausdruckskraft spanischer Flüche und Schimpfworte bewahrte.
Der Jiefe, Señor Valdez, knallte mit der Peitsche über die

Manege hin, lachte, prahlte und fluchte glücklich, als er eines Tages entdeckte, was für eine begnadete Reiterin ihm mit diesem langbeinigen Mädchen zugelaufen war. Pferdeverstand war ihr angeboren, sie hatte den festen Schenkeldruck und jene mit Härte gemischte Zärtlichkeit in den Händen, von der auch das wildeste Pferd sich schließlich lammfromm führen ließ. Señor Valdez brauchte ihr nur noch einige bewährte Vortragstricks beizubringen, ihr ein blaues, goldbetreßtes Reitkostüm anzupassen, und die Galanummer, mit der fortan der zweite Teil seines Programms nach der Pause begann, war geboren: Hohe Schule mit Señorita Agnes auf ihrem Pony Joy. Schon wenn sie unter wilder Marschmusik ihre Begrüßungsrunde ritt, klatschte ihr das Publikum zu. Beifall, der sich über jede Traversade, über jeden anmutigen Galoppwechsel hin bis zur Ovation steigerte, wenn das Pony am Schluß unter Trompetengeschmetter zur Levade aufstieg, während seine Herrin mit dem Federhut in die Menge grüßte.

Als Señor Valdez wenig später erfuhr, daß Agnes eine mindestens so gute Gewehrschützin wie Reiterin sei, entschloß er sich sogleich, sie mit einer zweiten Solonummer im Programm einzusetzen. Dabei sollte sie, während des Rundgalopps im Steigbügel stehend, auf drei in der Arenamitte rotierende Scheiben schießen, die als Bär, Büffel und Löwe gebildet waren. Keine schwere Aufgabe, wie Agnes nach einiger Übung feststellte. »Aber die Leute wird es von den Sitzen reißen«, sagte Señor Valdez siegesgewiß und ließ den Premierenabend weithin durch seine Ausschreier verkünden.

Mit einigem Lampenfieber stieg Agnes am späten Nachmittag in ihr silberbeschlagenes mexikanisches Kostüm. Und sie wollte sich gerade den Sombrero über die schwarzen Zöpfe stülpen, als unversehens der Zelteingang aufgerissen wurde. Mit seinem Gehilfen kam riesig der Sheriff herein.

»Bist du Agnes Elisabeth Winona Leclerq Joy?«

»Ja«, sagte Agnes stolz.

»Well«, sagte der Sheriff. »Fünf Minuten hast du Zeit, dir was Vernünftiges anzuziehen. Ich warte draußen.«

»Warum?«

»Weil ich den Auftrag habe, dich unverzüglich auf die Georgia-Farm zurückzubringen.«

Agnes senkte ein wenig die steile Stirn, mit der sie zeitlebens versuchte, nicht rechts oder links, sondern immer mitten durch die Wand zu gehen. Denn sie war im Zeichen des Steinbocks geboren. »Und wenn ich nicht will?«

»Dein Vater will es, und das Gericht hat es beschlossen. Du bist noch minderjährig«, sagte der Sheriff.

Ihre Falkenaugen blitzten. »Und wenn ich trotzdem nicht will?«

»Dann binden wir dich auf deinem Pony fest und führen dich nach Hause. Also beeil dich«, sagte der Sheriff und ging hinaus, um Señor Valdez, der vor dem Zelt wartete, anzudrohen: »Und du kommst wegen Kindesentführung vor Gericht, alter Gauner, damit du Bescheid weißt.«

»Seid ihr verrückt«, schrie Valdez, »sie ist uns nachgelaufen wie eine verdammte Hündin. Wir haben sie nur aus Mitleid aufgenommen.«

»Das kannst du dem Richter erzählen«, sagte der Sheriff.

Und so stritten sie weiter, während sich Agnes im Zelt mit Zornestränen in den Augen der silberklirrenden mexikanischen Uniform wieder entledigte, als risse sie sich damit Stück um Stück der Haut ihrer Träume vom Leib. Vom Boden klaubte sie ihre Sachen auf, »was Ver-

nünftiges«, wie der Sheriff gesagt hatte, das rote Woll-
hemd, die langen braunen Lederhosen und die sporen-
besetzten hochhackigen Stiefel. Und ging, so wie sie
damals gekommen war, aus dem Zelt auf ihr Pony zu,
das der Gehilfe des Sheriffs schon hergeführt hatte. »Na
also«, sagte der Sheriff.
Während des langen Ritts durch die Green Mountains
versuchte er einige Male mit ihr zu sprechen. Aber sie
würdigte ihn keines Blickes. Stumm stieg sie auf der
Georgia-Farm aus dem Sattel und wich den Umarmungen ihres Vaters William und ihrer Mutter Julia aus. Viel
zu sehr fühlte sich Agnes in ihrem Stolz getroffen, da
man sie wie ein entlaufenes Kalb durch den Sheriff hatte
wieder einfangen lassen.
Wortlos tat sie ihre Arbeit und saß Abend für Abend
sodann im Apfelgarten hinterm Haus. Sah den Wolken
nach und lauschte dem Wind in den Bäumen. Wenn sie
die Augen schloß, sah sie die Lichter der Manege wieder
vor sich, hörte das Geknatter der Peitschen, die Rufe der
Dompteure, Señor Valdez' herrliche Flüche, den Tusch
der Trompeten bei Joys Levade, den Beifall, mit dem ihr
die Zuschauer dankten. In den drei Wochen ihres großen
Abenteuers hatte sie, so schien es ihr jetzt, die Freiheit
der ganzen Welt geatmet. Und sie wußte, daß nichts sie
halten konnte, daß sie bald schon das Schicksalstor abermals aufstoßen würde, daß sie gerade noch einmal vor
ihr hatten schließen können. Doch ließ man sie gewähren. Niemand drang in ihre Gedanken, in ihre Einsamkeit ein. Denn in der Familie Leclerq Joy waren solche
Auf- und Ausbrüche, solche Träume nichts Ungewöhn-
liches.
Schon der Großvater von Agnes war vor langer Zeit
über den Fluß gegangen und nach vielen Jahren erst mit
einem dunklen Mädchen an der Hand aus den Wäldern

zurückgekommen. Mit einer Indianerin mit Falkenaugen, hohen Backenknochen, steiler Stirn und schwarzem langem Haar, so wie dies alles auch Agnes besaß. Eine wilde Reiterin, gewandt und schnellfüßig, soll sie gewesen sein. Aber immer auch erfüllt von unerklärbarem Widerstand gegen die Leute auf der Farm, gegen ihr Wesen, ihr Leben, ihre Sprache sogar. Und das besserte sich auch nicht, als jener Leclerq sie geheiratet und sie ihm drei Kinder geschenkt hatte. Sie lachte wenig, tat schweigend ihre Arbeit. Eine dunkle Blume in fremder Erde. Und es geschah manchmal, daß sie tagelang im Apfelgarten, wo jetzt Agnes träumte, im hohen Gras kauerte und leise mit den Wolken sprach. Niemand wagte dann, sie zu stören, denn sie schien sich, während alle sie noch sahen, langsam selber schon in Wind und Wolke aufzulösen und davonzuschweben. Bis sie eines Tages wirklich verschwunden war.

Jener Großvater Leclerq, der sie niemals vergessen konnte, wartete drei Jahre. Dann nahm er eine andere Frau, weil die Kinder und die Arbeit auf der Farm danach verlangten. Von der aber, die mit den Wolken davongegangen war, kam niemals eine Nachricht zurück. Sie blieb verschwunden, und manche sagten, sie sei eine Hexe gewesen. Agnes hatte nie genug von alldem hören können, was an langen Winterabenden am Kamin im Georgia-Haus von ihr erzählt wurde. Geheimnisvolle Geschichten, die nicht zu erklären waren.

Doch gab es noch einen anderen, höchst geheimnisvollen Anlaß – zusätzlich zu dem vielleicht etwas oberflächlichen Wunsch, ein Soldat Abraham Lincolns zu werden –, der Agnes auf die Straße nach Süden getrieben hatte. Ein Stachel im Fleisch ihres Herzens war das, an dem zu leiden sie niemals zugeben wollte, obwohl sie ihn kannte: dieser unaufhörliche Wettbewerb mit ihrer jüngeren Schwester Hanna Dalilah, von jeher nur Dallah genannt.

Die Fünfzehnjährige hatte ihrer staunenden Sippe in einem Brief aus New York, wo sie sich bei Onkel Henry Willard, dem Bruder ihrer Mutter, aufhielt, triumphierend mitgeteilt, daß sie sich mit einem gewissen Hauptmann Edmond Johnston verheiratet habe. Es wäre Liebe auf den ersten Blick gewesen. Und Onkel Henry, dem die Eltern das Sorgerecht für Dallah übergeben hatten, erklärte in einer Nachschrift dazu: »Die beiden waren nicht mehr zu halten. Ich mußte zustimmen, um Schlimmeres zu verhüten. Ihr braucht Euch trotzdem keine Sorgen zu machen. Dieser Eddy Johnston ist ein feiner Junge. Westpoint-Kadett aus einem guten Jahrgang und mit 22 Jahren schon Kapitän. Trägt, wie man so sagt, den Marschallstab im Tornister.«

Agnes konnte es nicht fassen, daß diese naseweise, um zwei volle Jahre jüngere Dallah schon eine richtige Missis Johnston sein sollte, während sie selber noch in den Grenzen der Georgia-Farm wie ein Kind gehalten wurde.

Und sie las immer wieder und mit wachsendem Zorn die herausfordernden Zeilen, die Dallah auf einem besonderen Blatt an ihre große Schwester gerichtet hatte: »Denk Dir nur, Agnes, wir werden für immer nach Washington gehen. Eddy – ach, er ist süß – wurde ins Kriegsministerium versetzt. Ich packe schon die Koffer. Es soll dort jetzt so aufregend sein. Kannst Du Dir das vorstellen, Deine kleine Schwester als Hausfrau in einem eigenen Haus? Ich bin verrückt vor Glück und Erwartung.« Nein, Agnes konnte sich das nicht vorstellen. Je öfter sie den Brief las, um so weniger. Da bedurfte es keiner Überlegung mehr. Genug der Träume im

Abendlicht, genug der verlorenen Zeit unterm Apfel-
baum. Sie mußte dahin, wo die Tage wie Raketen in den
Himmel stiegen, nach Washington, in das Zentrum der
Welt.
Der Morgen kam, und sie stieg in den Sattel, der Stadt
ihres Schicksals entgegenzureiten.

»Woher kommst du, meine Tochter?«

Ein kühler Morgen zog über Washington herauf. Die Blue-Ridge-Berge in der Ferne schwebten in milchigem Dunst.

Vom Potomac her kroch niedriger Nebel heran, blieb in vergilbenden Gärten, vertrockneten Büschen, im Gespinst silbriger Spinnennetze hängen.

Beinahe lautlos schwebte der leichte Dogcart, in dessen Fond sich drei junge Leute drängten, die lange Ulmenallee herauf, die von Süden her in die Stadt hineinführte.

Das Rollen der Räder, der Hufschlag des trabenden Pferdes wurden von einem Teppich abgefallener Ahornblätter verschluckt, der dick über der Straße lag.

Wie die bunten Kotillonbänder verrieten, die noch in den Rädern, im Geschirr und in der Mähne des Pferdes flatterten, kamen die jungen Leute von einem der zahlreichen Tanzfeste, die Abend für Abend ringsum auf den Landgütern der reichen Familien gefeiert wurden. Immer ausgelassener, seit die Front des Bürgerkrieges so nahe gerückt und Washington selber zur bedrohten Etappenstadt geworden war.

Der rechts außen über den Sitz hängende Armeekapitän hatte den linken Arm um ein junges Mädchen gelegt, das mit geschlossenen Augen an seiner Schulter zu schlafen schien. Links von ihnen führte ein etwas dandyhafter junger Mann Peitsche und Zügel. Er trug gelbe lange Steghosen, eine helle Weste aus Sämischleder und darüber einen blauen enganliegenden Rock mit schimmernden Messingknöpfen. Auf dem geölten Haar einen hohen Zylinder. Ihn von allen dreien hatte die durchtanzte Nacht am wenigsten gezeichnet.

Er ließ seinen Traber jetzt in Schritt fallen und lenkte ihn etwa zweihundert Meter vor der Kreuzung der Pennsylvania Avenue auf die rechte Straßenseite, wo er das Gefährt vor einer Holzvilla, deren rotgestrichene Wände durch hohe Rhododendronbüsche schimmerten, mit sanftem Ruck zum Stehen brachte.

Hauptmann Johnston sprang vom Wagen und hob seine junge Frau vom Sitz. Ohne die Augen zu öffnen, schlief Dallah in seinen Armen, an seiner Schulter weiter. Er hatte Angst, sie auf die kleinen Füße zu stellen, die unter der Krinoline und den Spitzen des Unterrocks so kindlich hilflos hervorsahen. Gewiß wäre sie vor ihm zu Boden gesunken und hätte gleich im trockenen Gras weitergeschlafen.

So hielt er seine Dallah fest in den Armen und verabschiedete sich von Bill Jenkins, der ihm zunickte: »Dank dir, Bill. Komm gut nach Hause. Vielleicht findest du noch ein Auge voll Schlaf.«

»Nicht nötig«, erwiderte Bill lachend und fuhr schnell davon.

Er war Sekretär im Außenministerium und arbeitete seit kurzem erst mit Edmond Johnston in einer Sonderabteilung des Kriegsministeriums zusammen. Dort war es ihre Aufgabe, fremde Militärattachés und ausländische Korrespondenten zu betreuen, die seit Ausbruch des Bürgerkriegs immer zahlreicher und mit den unmöglichsten Wünschen nach Washington kamen. Mal wollten sie so schnell wie möglich zur Front und im nächsten Augenblick noch schneller von dort wieder zurück. Bill und Edmond sollten dabei über Frontverlauf und Angriffspläne mehr wissen als alle Generäle zusam-

men. Manchmal hätten sie die aufdringliche Reporter-
meute mit ihren Pistolen am liebsten aus dem Zimmer
gejagt.
Seufzend dachte Edmond daran, daß er ihnen bei Büro-
beginn in zwei Stunden schon wieder Rede und Antwort
stehen mußte. Da wäre es gut, sich vorher noch eine
Stunde bis zum Frühstück aufs Ohr zu legen.
Mit seiner Dallah in den Armen lief er um den ersten hohen Rhododendronbusch herum und stand höchst erstaunt einem braunen Pony gegenüber, das karges Gras
in seinem Garten rupfte. Nicht weniger verblüfft von
seinem Anblick, warf das Pony den Kopf auf und wie-
herte ihm ein fröhliches Willkommen entgegen. Mit so
hellem Trompetenton, daß Dallah, jäh erwachend, aus
ihres Mannes Armen glitt und mit aufgerissenen Augen
das Pony anstarrte. Lange. Atemlos. Um ihm endlich die
Hand über die Nüstern zu legen. »Sag mal, wo kommst
denn du her?«
»Kennst du das Ding?« sagte Edmond.
»Aber ja!« Und sie deutete auf das Brandzeichen der
Georgia-Farm im braunen Fell. »Das ist Joy, das Pony
meiner Schwester.«
»Von dieser Verrückten, dieser Agnes?«
»Ja, von der.«
»Und wo ist sie?«
»Kann nicht weit sein. Denn wo Joy ist, ist auch
Agnes.«
Edmond schaute zum Haus hinüber. »Der Schaukel-
stuhl auf der Veranda hat schwarze Zöpfe bekommen,
wie mir scheint.«
»Schwarze Zöpfe?« sagte Dallah. »Das könnte sie sein.«
Und sie ging mit Joy am Zügel der Veranda entgegen.
Band das Pony dort am Holzgitter fest, wobei sie dem
Stuhl mit dem Fuß einen kräftigen Stoß gab.

17

»Sie ist es«, sagte sie zu Edmond, der jetzt auch herankam.

Und sie sahen beide auf Agnes hinunter, die mit an-
gezogenen Knien eng zusammengekrümmt in der Tiefe
des heftig schaukelnden Stuhles lag und ungerührt wei-
terschlief. Ihre langen Zöpfe, die rechts und links herun-
terhingen, schwangen dabei über den Holzboden
hin.

»Sieht aus wie eine verhungerte Katze«, sagte Edmond.

»Wahrhaftig, nur Haut und Knochen.« Dallah nickte
und zog an einem der Zöpfe wie an einer Klingel-
schnur.

Agnes fuhr auf. »Ja, was ist?« Und blinzelnd öffnete sie
die Augen. »Da seid ihr ja endlich.«

»Wann bist du gekommen?« fragte Dallah.

»Gestern abend. Spät.«

»Wir sind auf einem Ball gewesen.«

»Ah, ja«, sagte Agnes und sah ihre Schwester vollends
an. »Du siehst hübsch aus.«

Dallah zeigte auf Edmond. »Das ist er. Mein Mann.«

Agnes streifte ihn mit einem Seitenblick. »Hallo,
Eddy.«

»Hallo, Schwägerin.«

»Woher kommst du?« wollte Dallah wissen.

»Von zu Hause.«

»Und wann bist du weg von der Farm?«

»Schon bald nachdem dein Brief gekommen war.«

»Das dachte ich mir«, sagte Dallah. »Und bist die ganze
Strecke ohne Pause geritten?«

»Ja, ohne Pause. Vierzehn Tage lang.«

»Eine gute Leistung«, sagte Edmond.

»Sie übertreibt alles«, sagte Dallah, »und gegessen hast
du wohl auch nichts, so wie du aussiehst?«

»Die Hauptsache war, immer etwas Hafer und Heu für Joy zu bekommen«, sagte Agnes, »mir hat ein Glas Milch und ein Stück Brot bei den Farmern genügt.«

»Das seh ich«, sagte Dallah. »Ich werde uns ein Frühstück machen.«

»Lieber ein Bad und ein Bett«, sagte Agnes. »Ich bin todmüde.«

Sie schlief ohne Unterbrechung zwei Tage und zwei Nächte hindurch, um dann wie neugeboren, mit rosiger Haut und leuchtenden Augen, aus ihrer Kammer wiederaufzutauchen. Und jetzt erst umarmten sie sich. Dallah und Agnes. Sie waren gleich groß und von gleicher zierlicher Statur. Offensichtlich Schwestern für jeden, der sie sah. Und Dallah nur die weißhäutig blonde und blauäugige Variation der dunkleren Agnes.

»Ich weiß, warum du gekommen bist«, sagte Dallah, noch immer die Arme um den Hals der Schwester gelegt, »du wolltest Eddy sehen.«

»Vielleicht«, sagte Agnes.

»Gefällt er dir?«

»Ich kenne ihn noch zu wenig«, sagte Agnes, »aber du brauchst keine Angst zu haben.«

Und beide wußten, was damit gemeint war. Schon der erste Junge, Bob Williams, den die kleine verliebte Dallah damals mit ins Haus gebracht hatte, war sofort zu Agnes übergegangen, obwohl sie sich gar nicht um ihn gekümmert hatte. Und so war es mit allen Männern von da an gewesen, die zu den Schwestern kamen. Sie sahen Agnes an und waren ihr verfallen. Ein blitzender Seitenblick nur ihrer schmalen dunklen Augen, das kräftige Weiß der Perlenzähne unter noch kindlich schwellenden Lippen, der junge Hochmut ihres Wesens, wie sie den Kopf aufwarf, ihr seltsam dunkles Taubenlachen, die

Anmut jeder Bewegung, die widerspenstige Stirn, das trotzige Kinn, ihre aufreizende Unberührbarkeit und plötzlich nachgiebige Sanftheit wieder. Jedes einzelne genug, einen Mann zu verwirren, war alles zusammen Überwältigung. Das wußte diese Hexe und spielte gern das Spiel ihrer Lockungen. Um denjenigen dann, der darauf hereinfiel – und wer war das nicht –, mit einer Fingerbewegung von sich abzuwehren, so wie man Fliegen vom Tisch schnipst.

»Ich würde dir die Augen auskratzen«, sagte Dallah und lächelte ihre Schwester an. Aber die Drohung war ernst.

Agnes küßte ihr die Stirn. »Beruhige dich. Dein Eddy raubt mir nicht den Schlaf.«

»Warum nicht?« fragte Dallah leicht beleidigt.

»Das ist so der nette amerikanische Junge, ohne Geheimnis, den es überall gibt. Ein guter Freund und Kamerad, mit dem man Pferde stehlen kann. Aber zum Lieben zu wenig. Für mich jedenfalls«, sagte Agnes, ließ Dallah los und warf die Arme hoch. »Und nun genug von diesem Unsinn. Ich bin ausgeschlafen. Ich habe Hunger, Dallah, Hunger!«

»Das Frühstück steht schon auf der Veranda«, sagte Dallah.

Sie gingen durch den gelben Sonnenvorhang hinaus, und Agnes schlug vor der Fülle der Schüsseln und Krüge auf dem Tisch freudig die Hände zusammen.

»Mein Gott, das ist ja wie zu Hause.« Sie warf sich in den Stuhl, trank ohne abzusetzen eine große Tasse Milchkaffee aus und löffelte einen Teller mit Maisbrei leer. Dann folgte ein Beefsteak mit süßen Kartoffeln, abermals Kaffee und geeiste Milch und immer wieder dünne runde Buchweizenkuchen, übergossen mit Ahornsirup aus Vermont.

»Herrlich, herrlich!« stöhnte Agnes genießerisch und vergaß auch Eier, Käse, rosigen Schinken und kaltes Hühnerfleisch nicht.

Dallah sah ihr zu. »Drei Cowboys schaffen nicht, was du so vom Tisch räumst.«

Agnes ließ dick den heimatlichen Sirup über eine letzte Buchweizenwaffel laufen. »Ach, ich könnte Amerika verschlingen.«

»Wie müßte der Mann denn aussehen, den du lieben möchtest?« kam Dallah auf das Gespräch über Edmond zurück, das noch immer in ihr nachklang.

»Weiß ich nicht«, sagte Agnes kauend.

»Aber du mußt doch eine Vorstellung haben von ihm. So ungefähr.«

»Hab ich auch«, nickte Agnes. »Ich sehe ihn genau vor mir, wenn ich die Augen schließe. Aber ihn mit Worten beschreiben, nein, das kann ich nicht.«

»Zu Hause haben sie schon immer gesagt, für dich müßte mal ein Prinz vom Himmel fallen.«

»Prinz oder Cowboy oder sonstwas«, sagte Agnes, endlich gesättigt, »es muß einfach ein Mann sein, bei dem mir der Atem wegbleibt, wenn er plötzlich vor mir steht.«

»Das gibt es nicht«, sagte Dallah, »den Atem hat's dir noch nie verschlagen.«

Agnes lachte. »Ich gebe die Hoffnung nicht auf. Und jetzt, mein Schatz, wirst du mir Washington zeigen, die berühmte Stadt.«

»Unmöglich, Agnes, Edmond will mit Gästen kommen. Ich muß das Haus mal in Ordnung bringen.«

»Gut, ich helfe dir.«

»Kommt nicht in Frage. Das mach ich lieber allein. Reite einfach kreuz und quer durch die Straßen. In einer Stunde kennst du unser Dorf.«

»Kommt man ins Weiße Haus hinein?« wollte Agnes wissen.

Dallah nickte. »Sicherlich. Aber nicht in diesen Cowboylederhosen. In Washington mußt du dich schon zu Damensattel und Rock entschließen.«

»Also gut, spielen wir Dame«, rief Agnes übermütig, sprang auf und lief in ihre Kammer, sich umzuziehen. Viel Auswahl hatte sie nicht. Aber der rote weitschwingende Wollrock, unter dem die Silbersporen der braunen Stiefelchen blitzten, dazu die weiße Sonntags-Leinenbluse mit blaubestickten offenen Ärmeln über der nußbraun samtenen Haut gaben ihrer ganzen Erscheinung etwas von strahlendem Daseinsglück. Dazu trug sie die langen Zöpfe wie eine Krone um den Kopf gelegt, mit roten Bändern im Nacken. Im schwarzen Haar eine weiße Kamelienblüte. Auch Joy fühlte sich wohl an diesem Tag und ging willig alle Gangarten mit, die der Übermut seiner jungen Herrin von ihm verlangte. Die Leute auf den Straßen, die Agnes so anmutig damenhaft im Sattel sahen, winkten ihr zu und hatten glückliche Gesichter bei ihrem Anblick.

Washington war um diese Zeit eine merkwürdige Stadt. Auf der großen Insel zwischen den beiden Potomac-Armen für eine Million Einwohner geplant, zählte sie davon erst gerade um die 80 000. Breitangelegte Avenuen, in denen kein Haus stand, in deren Staub Joy nach Herzenslust galoppieren konnte, wechselten ab mit engeren, dichtbesiedelten Straßen, wo Kinderscharen mit grunzenden Schweinen um die Wette im Unrat wühlten. Dann wieder eine Reihe kaum bewohnter Straßen, die aber schon als A, B, C, D, E, F, G Streets bezeichnet waren und irgendwo wieder von numerierten Straßen durchschnitten wurden. So fand sich denn Agnes über F Street und 7th Street unvermittelt im Herzen der

Hauptstadt wieder, in der menschenwimmelnden Pennsylvania Avenue. Sie riß die Augen auf. Ihr Herz schlug schneller. Ja, das war das Leben, von dem sie in der Stille der grünen Vermont-Wälder geträumt hatte. Schöne Mädchen aller Rassen und Hautfarben mit wippenden Krinolinen über hochhackigen Schuhen, rote Federn auf den Hüten. Aber Agnes wußte nicht, daß es Dienerinnen vaterländischer Liebe waren, die den Soldaten, die an die Front gingen, den letzten Sold abnahmen. Elegante Männer dazwischen, denen sie nicht ansehen konnte, daß es Schieber und Spekulanten waren, die am großen Krieg groß verdienen wollten. Junge Offiziere aller möglichen Regimenter, halbe Kinder noch und schon zum Sterben bestimmt. Gruppen singender, betrunkener Rekruten. Breitschultrige Agenten dunkler Auftraggeber, die Pistolen im Gürtel, die hohen Hüte im Genick. Selig trieb Agnes im Lebensstrom dieser wimmelnden, trunkenen, lärmenden Straße dahin. Ritt immer noch zwischen eleganten Equipagen, schweren Lastwagen, Gruppen eiliger Reiter deren ganze Länge ab. Vom Schatzamt hinauf zum Capitol und wieder zurück. An hohen Häusern mit luxuriösen Läden vorüber, neben denen wacklige alte Holzkästen standen, die nur mit Schindeln gedeckt und gerade noch zwei Fenster breit waren.

Schwer nur konnte sich Agnes von den lebhaften Eindrücken der Hauptstraße trennen. Sie empfand weder Hunger noch Durst, immer neue Bilder drängten auf sie ein. Endlich, am Nachmittag aber wollte sie nun doch noch sehen, wo der Präsident wohnte. In schnellem Trab lenkte sie Joy zum Lafayette Square hinüber, wo ganze Pulks von Negerjungen, die dort im Straßenstaub ihre Schweine und Truthähne hüteten, schreiend vor ihr auseinanderstoben. Zwei kurze Sprünge über Rhododendron- und Hibiskus-Büsche hinweg, und sie befand sich unvermittelt vor dem Weißen Haus, das da ganz einfach in einer weiten, etwas vertrockneten Wiese stand. Denn die wenigen Bäume am Rand einen Park zu nennen, wäre Übertreibung gewesen. Sie sprang vom Sattel und band Joy am nächsten Baumstamm an.

Dann ging sie erwartungsvoll durch den Garten auf das einfache zweistöckige Haus des Präsidenten zu. Aus weiß angestrichenem Sandstein gebaut, kam es ihr nicht anders vor als das Wohnhaus eines beliebigen Landbesitzers, wie es Tausende in Amerika gab. Ihre Enttäuschung wuchs, als sie auf die Vorderseite kam, wo ein kümmerlicher Portikus den Eingang bildete.

»Ich hoffe, wir können den Präsidenten sehen«, sagte ein älterer Farmer neben ihr, der aus Illinois kam. »Ich kenne ihn aus seiner Jugendzeit.«

»Kann man ihn einfach so besuchen?« fragte Agnes zweifelnd.

»Aber ja. Er ist im Haus. Die Fahne weht auf dem Dach«, sagte der Alte.

»Aber die Wache wird uns nicht zu ihm lassen.«

Der Farmer lachte. »Da gibt's keine Wache. Wozu auch? Ganz Amerika schützt ihn. Wenn er nicht gerade Geschäfte oder Besucher hat, wird er uns die Hand schütteln.«

»Wirklich?« sagte Agnes ungläubig und blieb an der Seite des alten Mannes, der von offenbaren Wundern wie von der natürlichsten Sache der Welt sprach.

Indes erreichte eine Gruppe junger Männer, die aus der anderen Richtung kamen, schon vor ihnen die Stufen, die zum Portal hinaufführten. Pennsylvanische Rekruten, wie sich bald herausstellte, die, auf dem Weg zur Armee, den Präsidenten sprechen wollten. Zuvor aber sahen sie Agnes, die mit weitschwingendem rotem

Rock, blitzenden Sporen, Blüten im Haar auf sie zukam. Übermütig pfiffen und winkten sie ihr zu. Verstummten aber sogleich, als im selben Augenblick ein junger Mann aus dem Portal kam, der sich als Sekretär des Präsidenten vorstellte und kurz erklärte, daß Abraham Lincoln zu ihnen sprechen werde. Sie schrien: »Hurra!« und warfen ihre Hüte in die Luft.

Da war er schon vor ihnen oben auf den Stufen. Einfach so im Hausrock von seinem Schreibtisch aufgestanden.

Der Mann aus Illinois nahm den Hut ab, während sich Agnes in glücklichem Erschrecken an seinem Arm festhalten mußte, bis sie wieder sicher auf den Füßen stand. Sie hörte nicht, was der Präsident mit seiner warmen, klingenden Stimme zu den Rekruten sagte. Sie sah ihn nur an.

Abraham Lincoln war kein schöner Mann. Sehr groß, mit breiten Schultern und überlangen Armen, die durch die kurzen Ärmel seines zu engen Hausrocks noch länger wirkten. Mit großen Füßen und ebenso großen Händen, die ihm ständig im Wege zu sein schienen, sah er auf den ersten Blick wie eine Karikatur seiner selbst aus. Das gelblich knochige Gesicht mit wirrem bräunlichem Haar, großer Nase, noch größerem Mund, abstehenden Ohren und im Gegensatz dazu recht kleinen Augen erschien als ein ins Groteske verzeichneter Christuskopf. Dennoch ging von seiner Art, zu sprechen, jedem einzelnen, der vor ihm stand, gerade ins Auge zu sehen, etwas schlicht Überwältigendes aus.

Je länger ihn Agnes ansah und ihm zuhörte, um so mehr fühlte sie sich von unerklärbarer Rührung ergriffen. Sie war bewegt von der Tatsache, daß er so einfach war und daß ein jeder von der Straße heraufkommen und ihm die Hand geben konnte. Und gerade seine kleinen Schwächen und Lächerlichkeiten brachten ihn ihr näher,

machten ihn ihr vertrauter, als wenn er ein schöner statt-
licher Mann ohne Fehl und Tadel gewesen wäre. Das
melancholische Lächeln in seinen Mundwinkeln, die ein
wenig verlegen väterliche Geste, mit der er seine Hand
im Sprechen auf den Blondschopf eines Rekruten gelegt
hatte, trieben ihr plötzlich Tränen in die Augen.
Glückstränen über diesen Tag, diese Stunde, diese Begegnung mit ihm. Sie war stolz, ein amerikanisches
Mädchen zu sein.
Indes hatte Lincoln seine kleine Rede beschlossen und
gab jedem der Rekruten zum Abschied die Hand. Und
jedem einige Worte.
Und plötzlich, sie wußte nicht, wie, stand auch Agnes
vor ihm. Vor seinem Lächeln, das hoch über ihr war.
»Woher kommst du, meine Tochter?«
»Aus Vermont, Mister Präsident.«
»Aus den grünen Tälern im Norden, ein schönes Land.«
Er lächelte. »Aber nicht auch als Rekrut wie diese
da.«
»O ja, Soldat würd' ich gern sein, wenn das geht, Mister
Präsident. Ich kann so gut reiten und schießen wie jeder
Junge.«
»Das glaube ich dir« – und er hielt immer noch ihre
schmale Hand in seiner Holzfällerpranke –, »aber noch
haben wir Männer genug für diesen Krieg.«
»Im Süden, hab' ich gehört, dürfen auch Frauen mit-
kämpfen.«
»Gott verhüte das bei uns. Wir haben andere Aufgaben
für unsere Frauen. Andere, bessere, wichtigere. Auch
für dich, meine Tochter.«
Damit nickte er ihr zu und begrüßte den alten Freund
aus Illinois, der noch immer mit dem Hut in der Hand
als letzter in der Reihe der Besucher hinter Agnes
stand.

Sie sah, wie beide Männer die Stufen hinaufstiegen und im Innern des Hauses verschwanden. Und dachte dabei, daß diese erste gewiß nicht auch ihre letzte Begegnung mit dem Präsidenten gewesen sei. Manchmal noch würde er ihre Hand halten, und sie würde das schmerzliche Lächeln seiner Augen vor sich sehen. In entscheidenden Stunden naher Zukunft schon. Das war mehr als Ahnung, war schon Gewißheit in ihr.

Ein Traum wird Wirklichkeit

Noch nicht siebzehn Jahre, da ist die Welt ein immer-
währendes Morgen. Auf Silberflügeln der Hoffnung
fliegt das Herz den Tagen voraus.

Agnes tanzte nur noch. Seit Wochen und Monaten
schon. Den ganzen Winter hindurch in das Jahr 1862
hinein. Abend für Abend auf dem »Hop«, wie die öffentlichen Tanzabende damals hießen. Oder auf privaten Bällen, zu denen sie mit den Johnstons zusammen
eingeladen wurde.

Vergessen der Schicksalsruf, den sie unter den Apfel-
bäumen im fernen Vermont gehört hatte. Der Traum
vom Ruhm, dem sie gefolgt war. Nichts mehr davon. Sie
tanzte nur noch.

Banjomusik. Klirrende Gläser. Rauschende Seide.
Schleifende Füße. Und wieder Banjomusik. Quadrillen.
Polka. Und manchmal sogar ein Walzer. Sündig nahes,
gewagtes Drehen. Die heisere Stimme eines liebesver-
rückten Verehrers im Ohr, den ihr Lachen nur noch ver-
rückter machte. »Wer bist du? Sag es mir.«

Oh, sie sagte es ihm genau: »Ich bin Agnes Leclerq,
Tochter eines kanadischen Generals.«

Und der nächste, noch wilder, noch verliebter: »Wer bist
du? Sag es mir.«

Und sie sagte es ihm noch genauer: »Die Tochter eines
englischen Herzogs bin ich. Mein Vater ist im Golf von
Mexiko mit seiner Jacht untergegangen. Ich wurde als
einzige gerettet.« Dazu ein ernstes Gesicht und einige

spanische Sätze, die das Ganze recht glaubhaft machten.

So erzählte, flunkerte, lachte sie sich von Arm zu Arm und glaubte selber für einen Tanz lang die Märchen ihrer Herkunft. Fand es herrlich, alle Welt um sich her zu verwirren, so wie sie selber wunderbar verwirrt war von den Tollheiten dieser tollen Zeit, in der Moral und Sitte sich aufzulösen schienen. Morgen schon konnte tot sein, den du heute küßtest. Asche schon morgen das Haus, in dem du heute noch wohntest.

Kam dann aber ein junger Offizier, aufgewachsen auf einem Farmhof im Mittelwesten, Agnes zum Tanz zu holen, legte seine festen Hände um ihre Taille, die mit einer Hand nur zu umspannen war, wirbelte sie herum und warf sie hoch dann, daß die Röcke flogen, war sie das übermütige Bauernmädchen wieder aus Vermont. Und sie sangen zusammen, was sie daheim gesungen hatten auf dem festgestampften Scheunenboden:

»Crab your honeys, don't let them fall,
Shake your hoofs, and balance all,
Faster, faster and swing the partners,
Until they kick the ceiling . . . if any.«

Diese wilde Zeit hatte höchst ernsthaft und ehrenwert mit einem Empfang begonnen, den Kapitän Johnston und Attaché Jenkins im Auftrag des Kriegsministers, Mr. Stanton, für Mr. Corvin, den neuangekommenen Kriegskorrespondenten der Londoner »Times«, gegeben hatten. Eine Zeitung, deren Artikel äußerst wichtig waren für die Stellung, die das alte Europa zum amerikanischen Bürgerkrieg künftig einnehmen sollte. Der Engländer war im »Willard«, dem größten Hotel der Hauptstadt, abgestiegen, und sie hatten dort auch das Essen bestellt. Ausdrücklich fünf Gedecke, weil Bill Jenkins der Meinung war, zur Auflockerung einer solchen ersten Begegnung, die leicht in Förmlichkeiten zu ersticken drohte, sollte man die Frauen mitnehmen. Zwei so schöne junge Frauen zumal, wie sie das Haus Johnston aufzuweisen hatte. Zwar mußte sich Agnes dazu eines der schönen Krinolinenkleider ihrer Schwester ausborgen, was aber keine Schwierigkeiten machte, da sie ja beide von gleicher Figur waren.

Nach außenhin gleichmütig, zitterte Agnes vor innerer Aufregung wie nie zuvor, als sie am Arm von Bill Jenkins, Dallah und Edmond folgend, die weitläufige Halle des »Willard« betrat. Vorüber an eleganten Bummlern und Geschäftemachern, die wie immer im Eingang standen und den beiden jungen Frauen bewundernd nachsahen.

Doch war dies nur der Anfang einer Reihe von Überraschungen, von denen sich, wie Feuerwerk, eine an der anderen entzündete. Die Schwestern hatten sich keine besondere Vorstellung von diesem Mister Corvin gemacht. Als er ihnen nun aber von Bill, der ihn im Durcheinander der Halle endlich gefunden hatte, zugeführt wurde, waren sie beide gleichermaßen entzückt. Ein englischer Gentleman wie aus dem Bilderbuch. Mit zurückhaltender Eleganz und nicht in der grellbunten Manier amerikanischer Männer gekleidet. Eine Reiterfigur. Groß und schlank gewachsen. Scharfkantiges schmales Gesicht mit dunklem Haar, blauen Augen, hohen Bakkenknochen. Vielleicht schon etwas zu alt, wie die Teenager-Schwestern feststellten, obwohl man den Fünfzigjährigen für kaum vierzig halten mochte. Gerade darum aber ein Mann von Erfahrung, hoher Kultur, bester Erziehung. Wie er sich zunächst über die Hand von Mrs. Johnston beugte, um dann etwas länger und bedeutsamer noch die Hand von Agnes zu küssen, ließ beide Damen erstarren. So etwas hatten sie noch nie erlebt. Agnes hätte dem »Oberst«, wie er sich von Bill und Edmond anreden ließ, am liebsten gleich noch einmal die Hand hingestreckt. In seinen Augen hatte sie das leise Licht aufblitzen sehen, mit dem ein erfahrener Mann bei der ersten Begegnung schon eine Frau erkennt und bewundert. Er war Frauenkenner genug, hinter der haselnußbraunen Sprödigkeit des schönen Mädchens die angeborene Leidenschaft zu ahnen.

In glücklicher Befangenheit ließ sich Agnes von Oberst Corvin, der ihr den Arm geboten hatte, zum Barraum führen, wo der Tisch schon gedeckt war. Sie fühlte, daß sich Bill Jenkins über diese Vertraulichkeit ärgerte. Aber das war ihr willkommen. Er hatte sich vom ersten Tag an, da sie ihn im Haus der Johnstons als deren Freund kennenlernte, eine Art Beschützerrolle angemaßt, die sie als Fessel empfand. Um so mehr, da ihr seine selbstsichere Eitelkeit von Anfang an unerträglich gewesen war. Zwischen beiden Damen sitzend, präsidierte Oberst Corvin ganz selbstverständlich der kleinen Tischrunde. Erzählte vom Leben in London, von der fröhlichen Stadt, von Mode und Gesellschaft, von den dortigen Theatern. In einem so vorzüglichen Englisch, daß sie ihn mit ihrem breitgekauten Amerikanisch gar nicht zu unterbrechen wagten.

Eine Scheu, die sich allerdings nach dem dritten Glas Champagner in Übermut und Gelächter auflöste. Da wagte endlich auch Agnes ihn nach Herkunft und Familie, Edmond ihn nach kriegerischen Taten zu fragen, die ihm den Rang eines Obersten eingebracht hatten.

Und da erst stellte sich zu ihrer Überraschung heraus, daß dieser so englische Mr. Corvin ein in Ostpreußen aufgewachsener Baron Otto von Corvin war. Erzogen in den Kadettenanstalten des Königs von Preußen, hatte er diesem auch als Offizier gedient. Und er wäre wohl auch längst schon dessen General gewesen, hätte ihn die Langeweile als Ausbildungsoffizier auf der kleinen Festung Saarlouis nicht zum Lesen der falschen Bücher verleitet. Bücher, in denen die revolutionären Ideen des Jahrhunderts, die Rechte der Völker, die Freiheiten des Individuums verherrlicht wurden. Davon beeindruckt, nahm der junge Offizier sofort seinen Abschied, um fortan als freier Schriftsteller zu leben. Eine Entscheidung, die ihn dem Hungertod ziemlich nahe brachte. Glücklicherweise brachen kurz vorher die süddeutschen Volksaufstände aus, und der junge aristokratische Demokrat eilte zu den schwarzrotgoldenen Fahnen. Da er unter den revolutionären Bauern und Bürgern, Arbeitern und Handwerksgesellen der einzige ausgebildete Soldat war, machten sie ihn sogleich zum Stabschef einer Volksdivision, woher er seinen Obersten-Titel herleitete und unbekümmert weiterführte. Das Vertrauen der Revolutionäre dankte er mit Einführung einer Disziplin, die noch härter als die preußische war, wofür sie ihn am liebsten gleich wieder abgesetzt hätten. Immerhin waren seine Kompanien die einzigen, die der Bundesarmee der deutschen Fürsten wirklichen Widerstand entgegensetzten. Hartnäckig verteidigte Corvin mit ihnen die Stadt Mannheim und später die Festung Rastatt bis zur letzten Patrone. Als er sich schließlich seinen ehemaligen Offizierskameraden ergeben mußte, erkannten diese wohl seine Tapferkeit, nicht aber seine demokratischen Beweggründe an. Er wurde von einem Militärgericht zum Tode verurteilt und nach einigem Hin und Her erst zu unbefristeter Festungshaft begnadigt. Kahlgeschoren verbrachte er sieben harte Jahre in Einzelhaft, bis ihn der badische Großherzog amnestierte und des Landes verwies. Doch war der Baron ohnedies entschlossen, die für ihn so unfreundlichen Gefilde seines

Vaterlandes zu verlassen. Wie so viele deutsche Revolutionäre vor ihm ging er zunächst nach London, wo er sich als Korrespondent einiger heimatlicher demokratischer Zeitungen niederließ. Um schließlich von der »Times« als Mitarbeiter in militärischen Fragen verpflichtet zu werden. Und als solcher war er nun in die Staaten gekommen, um über den Bürgerkrieg zu berichten.

Mit wachsender Anteilnahme hatten Edmond Johnston und Bill Jenkins den abenteuerlichen Lebensbericht des Barons mit angehört. Wie alle Amerikaner waren sie besonders von seiner demokratischen Gesinnung und seinem Kampf gegen die Willkür europäischer Fürsten begeistert.

Den Damen indes gefiel mehr noch die humorvolle Art, in der dieser Preuße ganz ohne Eigenlob sein Leben erzählte. Und daß er bei so bewährter demokratischer Gesinnung nicht ein Deut seiner aristokratischen Allüren verloren hatte.

Sie bewunderten, wie er, ohne viel zu fragen, die Speisenfolge auswählte, so als könne er jedem einzelnen die Wünsche an den Augen ablesen. Mit Austernsuppe für alle beginnend, bestellte er für die Damen gefüllten Truthahn mit Preiselbeersauce und herrlichen weißen Rübchen, für die beiden Männer gewaltige Beefsteaks, golden mit Pfirsichen aus New Jersey garniert. Für sich aber blieb er bei Austern, die alle anderen sich schon längst übergegessen hatten.

»Seit ich in diesem Land angekommen bin, esse ich immer nur Austern«, dozierte der Baron. »Diese Chesapeake-Bay-Austern sind einmalig in der Größe und in ihrem Geschmack. Ich war überrascht von den vielen Möglichkeiten ihrer Zubereitung hier in Amerika. Mal die große Schüssel voll roher Austern, die man sich selber mit Pfeffer und Essig wie eine Art Salat anmacht. Köstlich. Belebend. Oder das Ganze in Milch gekocht, was ich barbarisch fand, ehe ich den ersten Bissen davon gekostet hatte. Oder so eine Terrine voll in Dampf gekochter Austern. Oder diese gebackenen Austern, die ich im Augenblick bevorzuge. Jeden Morgen freue ich mich auf eine neue Spezialität dieser Art. Cheerio, meine Freunde, trinken wir auf dieses wundervolle Amerika.«

Die Gläser klangen zusammen, sie tranken den sprühenden Champagner, und Edmond sagte lachend:

»Ich finde es bewundernswert, Oberst, wie Sie über eine Schüssel voller Austern hin zu einem Toast auf Amerika kommen.«

»Das ist weniger bewundernswert als logisch«, erwiderte Corvin, »hier erst hab' ich begriffen, daß die wahre Demokratie sich allein aus dem Überfluß entwickelt. Hier erst in diesem Land, wo die Chancen zum Aufstieg so reichlich wie die Austern auf der Straße herumliegen, zeigt die Demokratie ihre Kraft und Größe: ›Ich höre den Gesang Amerikas, höre seine mannigfachen Hymnen.‹«

Erstaunt sahen sie sich an, weil er unvermittelt in Versen zu reden begann.

Aber er sprach unbeirrt weiter. Verzückt. Begeistert. Hingerissen. Hinreißend. »Amerikaner! Eroberer! Märsche der Menschheit! Vorderste! Jahrhundertmärsche! Libertad! Massen! Für euch ein Programm von Gesängen! Gesänge, die vom Zentrum, von Kansas, ausgehen und von dorther gleichmäßig nach allen Seiten. Gesänge, die in Feuerpulsen zucken, um alles mit Leben zu erfüllen.«

Beinahe hielten sie ihn für betrunken. Aber Agnes, in deren Augen hinein er gesprochen hatte, war wie ent-

34

zündet von seinen Worten. »Was reden Sie da, Oberst?
Sind das Gedichte? Ist es Wahrheit?«
»Ja, Gedichte. Von der Wahrheit Amerikas«, sagte er.
»Und wer hat sie gedichtet?«
»Walt Whitman, ein Kosmos, Manhattans Sohn. Stür-
misch, fleischlich, sinnlich, essend, trinkend und zeu-
gend.« Corvin sah sie der Reihe nach an. »Kennt ihr eu-
ren größten Dichter nicht? Walt Whitman, Sänger
Amerikas und der Demokratie.«
Nein, sie kannten ihn nicht.
»Gibt es ein Buch von ihm? Er redet von Amerika, wie
ich es auch empfinde«, sagte Agnes.
»›Grashalme‹ heißt das Buch seiner Gesänge«, sagte
Corvin. »In London ist es mir irgendwie in die Hände
gefallen. Ich habe es gelesen wie eine neue Sprache und
war begierig, Amerika zu sehen.«
»Das Buch muß ich haben«, sagte Agnes. »Ich will alles
lesen von ihm.«
»Erlauben Sie mir, es Ihnen zu besorgen«, sagte Corvin
lächelnd. »Walt Whitman verdient Ihren Enthusias-
mus.«
»Wissen Sie, wo er lebt? Ich muß ihn sehen, sprechen.
Er muß ein wunderbarer Mann sein.«
»Das denk' ich mir auch. Ich war auf Long Island in seinem Vaterhaus. Aber nicht einmal dort konnten sie mir
sagen, wo er sich gerade aufhält. Er ist eine Art fahrender
Sänger. Überall und nirgends in Amerika zu Hause.«
»Dann werden wir ihn irgendwo in Amerika auch einmal finden«, sagte Agnes.
Corvin nickte. »Ja, auf den Spuren seiner Hymnen.«
Wie hätten sie auch ahnen können, daß ihnen der Dichter ganz nahe war. Vielleicht hatten sie, ohne davon zu
wissen, am gleichen Tag schon in seine Augen gesehen,
seine Stimme gehört, waren neben ihm in der Menge

über die Straße gegangen. So wie auch Präsident Lincoln nicht wußte, daß jener große Mann, der jeden Morgen den Hut vor ihm zog, wenn er mit seiner Begleitung ins Weiße Haus zurückritt, der Dichter des neuen Amerika war, der ihn angerufen hatte:

>Und ein Lied will ich singen für die Ohren des
Präsidenten, ein Lied von der Einheit, die
durch alle für alle erkämpft wird.«

Denn gerade in dieser Zeit war Walt Whitman nach Washington gekommen, um als freiwilliger Sanitäter, ohne Bezahlung, in den Kriegslazaretten zu dienen.

>Bandagen trag ich, Wasser und Schwamm. Ich
schreite und
verweile, beug mich hernieder und behandle die
Verwundeten
mit kundiger Hand. Nicht einen lass' ich aus.
Ich untersuche den von einer Kugel
durchbohrten Nacken
jenes Kavalleristen. Hartröchelnder Atem.
Glasige Augen.
Qualvolles Ringen ums Leben.
Vom Armstumpf ohne Hand heb ich geronnene
Scharpie,
entferne Unrat, wasche Blut und Eiter.
Die Augen sind geschlossen, fahl ist sein Gesicht,
er
wagt nicht auf den blutigen Stumpf zu blicken.
Ich richte die durchbohrte Schulter, den Fuß mit
der
Schußwunde ein. Säubre einen fressenden,
eiternden Brand,
der sich unheimlich vorwärtsfrißt.
Zuverlässig bin ich, nichts entgeht mir: der
zerschmetterte

Schenkel, das Knie, die Wunde im Unterleib.
So sitz ich und wache bei den Zerstörten die
    ganze Nacht,
ohne daß Schlaf in meine Augen käme. Manche
    sind so jung.
Manche leiden so sehr.
O komm, süßer Tod. O hab Erbarmen. Komm
    schnell.«

Noch wußte Agnes nicht, daß sie dem, der so litt und sang inmitten der Sterbenden irgendwo in dieser Stadt, so bald schon im gleichen Samariteramt nachfolgen sollte. Helfend, lächelnd, weinend zwischen Blut, Eiter und jungem Tod. Das war noch vor ihr.

Sie hörte die Musik über sich. Immer lauter in die Verse hinein, die Oberst Corvin sprach. Und sah, als er damit aufgehört hatte, zur Decke des Barraums hinauf, die unter stampfenden Schritten zu schwingen schien.

»Was ist das da oben?« fragte Agnes Bill Jenkins.

»Ein Hop«, sagte er, »jeden Abend tanzen sie da oben.«

»Wer tanzt?«

»Jeder, der kommt und tanzen will. Es sind öffentliche Abende.«

»Ich will tanzen«, sagte sie.

Bill sprang auf und bot ihr den Arm. »Ja, gehen wir.«

Dallah sah ihnen sehnsüchtig nach. Ihr eifersüchtiger Eddy, der sich gerade in diesem Augenblick über die Führung demokratischer Armeen mit Oberst Corvin unterhielt, hätte ihr niemals erlaubt, ohne ihn zum Tanzen zu gehen.

Um so seliger war Agnes. Wie aus sich selber erlöst, flog sie in Bills Armen, der ein vorzüglicher Tänzer war, über den federnden Dielenboden dahin. Und wenn sie später daran zurückdachte, schien es ihr, es hätten allein Walt

Whitmans Hymnen, die mit Oberst Corvins Stimme in ihr nachklangen, den rauschhaften Übermut, die schäumende Lebensgier jener Zeit in ihrem Blut erweckt.

Ihre geringen, so lange gehüteten Ersparnisse, die sie aus Vermont mitgebracht hatte, legte sie restlos in Stoffen an, Seiden und Musselinen, aus denen sie fortan ihre eigenen Ballkleider schneiderte. Denn sie wollte darin endlich von Dallah unabhängig sein.

Unabhängig auch von ihrem Haupttänzer Bill Jenkins, der sie mit Liebeserklärungen zu bedrängen und einzuengen begann. Unterstützt von Dallah und Eddy, der Agnes gar zu gern aus dem Haus und möglichst schon bald als Missis Jenkins gesehen hätte.

»Er ist reich und unabhängig«, sagte Dallah, »er liebt dich.«

Agnes lachte. »Armer Bill. Ich liebe ihn nicht.«

»Du solltest dir das überlegen«, sagte Eddy, »er hat eine große Karriere vor sich.«

»Ich auch«, sagte Agnes und lachte übermütig.

»Du meinst, als Zirkusreiterin«, spottete Eddy.

»Warum nicht«, sagte Agnes, »nicht jede kann das.«

Und sie wagte es, schon bald nach diesem Gespräch, immer häufiger allein zu den Hops ins »Willard« zu gehen, mit wildfremden Männern zu tanzen.

Am Anfang gab sie noch vor, von Oberst Corvin eingeladen zu sein, obwohl es eigentlich unglaubhaft erschien, daß der Baron, dem die Abendeinladungen der großen Gesellschaft nur so zuflogen, ausgerechnet unter der im »Willard« tobenden Jugend mit herumhopsen sollte. Aber die Johnstons hatten keinen Grund, daran zu zweifeln, weil Agnes von Corvin nicht nur mit Blumengebinden, sondern immer wieder auch mit kleinen Geschenken bedacht wurde. Worunter sich auch eine in rotes Leder gebundene Ausgabe der »Grashalme« von

Walt Whitman befand. Mit dessen Dichterwort als Widmung: »Du mußt die sein, die ich suchte – Salut für Agnes und Amerika – Ihr Corvin.«

»Er liebt dich«, sagte Dallah, als Agnes ihr das kleine Buch und die Widmung zeigte.

»Möglich«, meinte Agnes. »Schade, daß er nicht zwanzig Jahre jünger ist. Dann ginge es vielleicht.«

»Einem Jüngeren würdest du doch nur auf der Nase herumtanzen«, sagte Eddy.

Agnes lachte. »Ich tanze auch einem Älteren auf der Nase herum.«

»Die braucht einen, der sie zähmt, wie man Pferde zähmt«, sagte Dallah. »Mit Sporen und Kandare.«

Und Agnes lachte. »Ja, auf den warte ich.«

Und ging wiederum ins »Willard«. Es trieb sie zu Banjos und Gitarren. Zu tanzen, zu tanzen, um nicht schreien zu müssen vor Lebenslust. Und immer die Angst, auch nur einen Tag dieses Lebens zu versäumen, das im Dezember siebzehn runde Jahre erreicht hatte und nun in den Frühling des Jahres 1862 hinein das wilde Blut pulsieren ließ. Wenn sie lachte, brachen die vollen Lippen wie reife Früchte über den weißen Zähnen auf. Schon gierig nach Küssen und spröde zugleich. Die Männer umringten sie. An jedem Finger jeder Hand einen Tänzer, die sie abwehrend und lockend in immer neuem Übermut gegeneinander ausspielte. Ihre dunklen Indianeraugen flogen von einer Seite zur anderen. Blicke, die versprachen, ohne halten zu wollen. Blicke wohin? Wen suchten sie? Bis sie eines Abends in der Dämmerung – die Öllampen vor dem »Willard« brannten noch nicht – plötzlich das so lange erwartete Ziel fand. Die Traumeserfüllung.

Neben einem älteren General, den Agnes nur als Schatten wahrnahm, stieg da ein junger Offizier in den Sattel seines Grauschimmels, eines herrlichen Pferdes. Wie er nun im Sattel saß, den Hals des Grauschimmels tätschelte, dessen Ohren vor ihm spielten, wie er mit einem halben kühlen Blick zu ihr herübersah, ernsten Gesichts, das fuhr ihr mit hellem Erschrecken ins Herz. Als müsse sie sich festhalten in jäher Ohnmacht, riß Agnes die Zügel zurück. Aber Joy, an Gehorsam gewöhnt, mißverstand das Signal und stieg zu einer Levade auf, wie sie vordem noch niemals gelungen war. Während einige Passanten Beifall klatschten, sah der junge Offizier erstaunt herüber. Sah das schlanke Mädchen auf dem Pony, legte grüßend die Hand an sein Käppi und lächelte ihr zu. Was für ein Lächeln! Agnes blieb der Atem weg, das Herz schlug ihr in den Schläfen, vor ihren Augen kreiste der Himmel, die Straße, der Abend.

Doch als sie wieder zu sich kam, auch Joy wieder fest auf der alten Erde stand, war der junge Offizier verschwunden. So als hätte es ihn niemals gegeben.

Agnes stieg nicht ab, ging nicht ins »Willard« zum Tanz, wie es ihre Absicht gewesen war. Sie wendete das Pony und ließ es nach Hause trotten, so wie es wollte. Noch immer sah sie dieses Lächeln vor sich, war noch immer halb gelähmt vom Sekundenblitz des Erkennens. Wie in Trance kam sie zu Hause an, sattelte das Pony ab, trieb es in den Stall. Ging in ihre Kammer, setzte sich still auf ihr Bett und sah in den Abend hinaus. Hinauf zu den hohen Sternen über Virginien. Sie wußte nun, daß es ihn gab, auf den sie gewartet hatte. Vor ihren Augen war er aus dem Traum herausgetreten in die Wirklichkeit.

Wer war er? Wo war er?

Wo sollte sie ihn suchen?

O mein Gott, laß mich ihn finden!

»Willkommen, Mr. Salm«

Unablässig von ihrem Herzen durch die Straßen von Washington getrieben, suchte Agnes den Mann, den sie nicht mehr vergessen konnte. Sein Bild stand klar vor ihren Augen. Unter tausend Männern hätte sie ihn auf den ersten Blick herausgekannt an seinem hellen Haar, an seinem kühlen Lächeln, an der geschmeidigen Kraft jeder seiner Bewegungen.

Sie war davon überzeugt, daß er sich noch immer hier in der Stadt aufhielt, fühlte seine Nähe, als atmete er neben ihr. Erwartete jede Sekunde, ihn hinter der Biegung der nächsten Straße, aus einem Hauseingang heraustreten zu sehen. Ihr entgegen. Auge in Auge. Und kam der Sonnenuntergang abermals ohne ihn, betete sie, daß der neue Morgen ihn zu ihr brächte.

Darum war sie nicht besonders erfreut von Oberst Corvins Einladung, mit ihm, den Johnstons und Bill Jenkins zusammen von der Korrespondententribüne aus die große Parade der 1. Deutschen Freiwilligen-Division vor dem Präsidenten mitzuerleben. Ihre Regimenter waren Anfang April aus den blutigen Kämpfen am Rappahanock herausgenommen und neu aufgefüllt worden, um unter ihrem volkstümlichen General Blenker noch einmal den Schutz der aufs neue gefährdeten Hauptstadt zu übernehmen. Das war auch eine psychologische Maßnahme des Oberkommandos, denn seit der ersten Schlacht von Bullrun im Herbst des vorigen Jahres galt Blenker als Retter Washingtons vor dem Ansturm des

Südens. Von General MacDowell in die Reserve befohlen, hatte der damalige Oberst Blenker keinen Grund für die panische Flucht der MacDowell-Armee erkennen können. Er sah keinen Feind und keine Gefahr, mißachtete den Rückzugsbefehl und blieb mit seinem 8. (deutschen) New Yorker Regiment in gut befestigter Stellung stehen, bis die gefürchteten »Schwarzen Reiter« des Südens vor seinen Linien erschienen. Seine in harter Disziplin erzogenen Männer empfingen den Feind wie auf dem Manöverfeld mit gezieltem Schützenfeuer, ohne nur einen Meter zurückzuweichen. Vor dieser Feuerwand brachen die Attacken der »Schwarzen Reiter« immer wieder zusammen, bis sie sich endlich unter schweren Verlusten zurückzogen und das Schlachtfeld preisgaben. Washington, wo sich der Präsident und seine Regierung mit dem größten Teil der Bürger schon zur Flucht bereitgemacht hatten, war gerettet. Und Oberst Blenker, plötzlich zum Helden geworden, konnte solches Heldentum gar nicht begreifen. »Wir sind nur stehengeblieben, weiter nichts«, war seine Meinung darüber.

»Er ist ein großartiger Mann. Seine Soldaten lieben ihn«, sagte Oberst Corvin auf der Tribüne zu seinen Freunden.

»Sie kennen ihn schon aus Deutschland, Oberst?« fragte Eddy Johnston.

»Sehr gut sogar«, bestätigte Corvin. »Bei Ausbruch der Revolution in Baden im Jahre 48 stellte er in der Rheinpfalz eine Freiheitsbrigade auf, mit der er in Baden einrückte. Dort war ich gerade Stabschef geworden und lernte ihn als tapferen Draufgänger bei vielen gefährlichen Einsätzen kennen. Er ist kein großer Stratege, aber die Zuverlässigkeit in Person. Nach dem unglücklichen Ende der Kämpfe in Baden führte er die Reste der

Volksarmee mit Oberst Sigel zusammen in die Schweiz hinüber.«

»Ist das der jetzige General Sigel, der bei der Potomac-Armee das deutsche Korps führt?« wollte Eddy wissen.

»Genau der«, sagte Corvin. »Sigel und Blenker wanderten aus der Schweiz nach Amerika aus. Aber Blenker war glücklicher in seinen Geschäften. Er kaufte sich bei Rockville im Staate New York eine Farm, mit der er viel Geld im Milchgeschäft und in der Rinderzucht verdiente. Kaum aber brach im vorigen Jahr der Bürgerkrieg aus, übertrug er seiner Frau diese Geschäfte, ließ sich als Oberst reaktivieren und stellte mit all seinem Geld aus deutschen Landsleuten das 8. Regiment auf.«

»Ein großartiges Regiment«, bestätigte Eddy, »und schon eine Division geworden.«

»Was Blenker angreift, hat immer Erfolg«, sagte Corvin.

»Läßt es sich nicht einrichten, daß ich ihn einmal kennenlerne durch Ihre Vermittlung, Oberst?«

»Das macht überhaupt keine Schwierigkeiten, Hauptmann«, sagte Corvin. »Die Offiziere der Division geben heute abend in ihrem Feldlager in Hunters Chapel drüben überm Potomac einen festlichen Empfang für die Washingtoner Gesellschaft. Der Präsident hat auch schon zugesagt. General Blenker hat mir Pleinpouvoir gegeben, alle meine Freunde mitzubringen.« Er wandte sich Dallah und Agnes zu. »Da es immer an Damen fehlt, werden unsere jungen Schönheiten dort besonders willkommen sein.«

Dallah klatschte begeistert in die Hände: »O ja, da machen wir mit. Die deutsche Brigade soll eine großartige Tanzkapelle haben und immer nur Champagner trinken, hab ich gehört.«

Corvin lachte. »Ohne Champagner kein Fest bei Blenker.« Dabei sah er erstaunt auf Agnes, die kaum Freude äußerte über die Einladung. Das war so ungewöhnlich, da sie doch sonst keine Möglichkeit zum Tanzen ausließ, daß er sie offen fragte: »Was ist los, Agnes? Ich kann Ihnen vorzügliche Tänzer versprechen. Aber es scheint Sie gar nicht zu freuen?«

»Aber ja, ich freu' mich«, versicherte sie, obwohl in ihrem offenen Gesicht das Gegenteil zu lesen stand. Alles in ihr sträubte sich plötzlich dagegen, mit fremden Männern zu tanzen, die ihr gleichgültig waren, während ihr Herz doch nur diesen einen suchte, nach dessen Umarmung sie sich verzehrte.

Glücklicherweise rettete sie die Ankunft des Präsidenten vor weiteren Fragen des Obersten. Lincoln kam zu Fuß vom Weißen Haus herüber zu der am Rand des Lafayette Square aufgestellten Tribüne. Er überragte die Männer seiner Begleitung um Haupteslänge und winkte mit langen Armen den Zuschauern beiderseits der Straße und auf den Tribünen zu, die ihn mit Beifall und Zurufen überschütteten.

»Ein wunderbarer Mann«, sagte Corvin. »Vor zwei Tagen war ich zu einem langen Gespräch bei ihm. Bei aller Einfachheit so viel Größe. Ich war überwältigt.«

»Ich bewundere ihn«, sagte Agnes, während sie mit brennenden Augen eine Gruppe hoher Offiziere musterte, die jetzt hinter dem Präsidenten die Tribüne betrat. Aber der, den sie suchte, war nicht darunter.

Wie lange noch? Jeder Tag ohne ihn schien ihr verloren. Wie lange noch, mein Gott?

»Hört ihr?« sagte Eddy. »Sie kommen!«

Und alle lauschten der fernen Marschmusik, die der Wind von der Pennsylvania Avenue herübertrug, wo die Parade ihren Anfang genommen hatte.

»Sie spielen deutsche Märsche«, sagte Corvin mit einem Lächeln der Erinnerung, »das eben ist der ›Hohenfriedberger‹, mit dem ich so manches liebe Mal durch Potsdam marschiert bin.«

Die Musik wurde immer wieder von fernbrausenden Jubelrufen übertönt, mit denen Tausende von Washingtoner Bürgern die Marschkolonnen der ersten intakten, kampfkräftigen Division begrüßten, die sie seit langer Zeit wieder sahen. Denn das ganze Frühjahr hindurch hatte es von allen Fronten her nur Hiobsbotschaften gegeben. Glanzvoll ausgezogene Regimenter kamen als zerlumpte, demoralisierte Haufen zurück. Die Schrecken blutig verlorener Schlachten in den Augen. Endlose Wagenzüge brachten immer mehr Verwundete in die Lazarette, die schon seit Wochen bis unter die Dächer besetzt waren. Noch schlimmer aber war der Eindruck, der von den hochgetürmten Sargtransporten ausging, die mehrmals in der Woche Washington passierten. Bei einem frühen Ausritt waren Corvin und Agnes solch einem Transport begegnet und erschrocken zum Straßenrand ausgewichen. Noch war ihnen nicht klar, um was es sich dabei handelte. Corvin hatte erstaunt die Aufschrift der Wagenplanken gelesen: »Drs. Brown & Alexander Government Embalmers« und Agnes lachend gefragt: »Ist Lincolns Regierung schon so weit, daß sie einbalsamiert werden muß?« Bis ihnen plötzlich klar wurde, daß die Regierungs-Einbalsamierer keine konservierenden Absichten hinsichtlich des Präsidenten und seiner Mitarbeiter hatten, sondern daß ihre Bemühungen lediglich den Familien der Gefallenen galten.

Als guter Reporter hatte sich Corvin daher sogleich um die Einzelheiten gekümmert und der »Times« schließlich einen aufschlußreichen Bericht darüber geschickt:

45

»Dem nüchternen Geschäftssinn der Amerikaner ist es gelungen, auch aus einem Schlachtfeld, das in Europa höchstens zu vaterländischen Gedichten oder düsteren Betrachtungen Anlaß gibt, hohen Gewinn zu ziehen. So haben sich die Doktores Brown und Alexander vom Kriegsministerium die Konzession erkauft, Gefallene, die auf Kosten der Regierung in den Tod gegangen sind, nach einem eigenen Verfahren einzubalsamieren und den Angehörigen gut verpackt vom Schlachtfeld aus zurückzuschicken. Dazu ist nichts weiter nötig, als vorher mit den Doktores einen entsprechenden Vertrag abzuschließen. Ein Gemeiner kostet zwanzig, ein Offizier fünfzig Dollar. Die Firma soll sehr zuverlässig arbeiten. Kaum ist der Kampf vorüber, schwärmen deren entsprechend gekennzeichnete Suchtrupps mit ihren Regimentslisten über das Schlachtfeld aus, lesen dort die gefallenen Vertragskontrahenten auf und bringen sie auf Tragbahren im Eilschritt in die Balsamierungszelte. Ein Verwundeter, der dabei neben einem Vertragstoten gefunden wird, hat keine Chance, mitgenommen zu werden. Denn die Doktores arbeiten vertragsgemäß nur für die Toten. Im Zelt wird der stumme Held mit einer Mischung aus Gips und Wasserglas behandelt und nach kleineren kosmetisch-chirurgischen Eingriffen in eine mit Zink ausgeschlagene Tannenkiste gelegt. Die wird sodann mit entsprechender Aufschrift: ›Leichnam des N. N., Soldat im N. N. Regiment. An Herrn N. N. in N. N., per Adams Expreß‹ wie ein normales Eilpaket behandelt.

Meinem Gefühl steht die europäische Art, gefallene Kameraden Schulter an Schulter, so wie sie gekämpft haben, unter einem einfachen Holzkreuz auf dem Schlachtfeld zu betten, weitaus näher.

Amerikaner aber finden nichts dabei, auch aus dem Tod

ein Geschäft zu machen. Sie bewundern den wachsenden Erfolg der cleveren Doktoren.«

Indes war die Spitze der Parade-Formation schon von der Pennsylvania Avenue her auf den Lafayette Square eingeschwenkt und näherte sich in einer ungeheuren Staubwolke den Tribünen.

Dem Dröhnen der Trommeln, dem Locken der Pfeifen folgte nun mit donnerndem Einsatz der vereinigten Divisionskapellen ein preußischer Marsch nach dem anderen. Eine kriegerische Musik von dunkel aufwühlender Würde. Und endlich, aus dem Staub heraus, an der Spitze der Parade, von zwei jungen blonden Offizieren geleitet, ein riesiger Fahnenträger mit dem Sternenbanner. Ihm folgte ein zweiter mit der ordengeschmückten Fahne des 8. New Yorker Regiments, aus dem die Division hervorgegangen war. Und endlich ein ganzer Fahnenblock von Sternen und Streifen, die hoch im Frühlingswind wehten. Denn die zwanzigtausend Mann, die hinter ihnen marschierten, geboren in allen Gauen deutscher Sprache, fühlten sich nicht mehr als Bayern, Pommern, Schlesier, Schwaben, Sachsen, Hannoveraner, Hessen, Elsässer, Schweizer, Österreicher und Böhmen, sondern nur noch als Amerikaner, die dem Kriegsruf ihres Präsidenten freiwillig gefolgt waren. Auch wenn die Regimenter unter preußischem Reglement, unter deutschen Offizieren und Unteroffizieren deutschen Befehlen gehorchten – sie kämpften allein für die Zukunft und Freiheit eines großen Amerika.

Und nun, in einigem Abstand hinter der Kapelle, groß und kraftvoll im Sattel, General Blenker. Der Mann, den Agnes vor wenigen Tagen erst vor dem »Willard« gesehen hatte. Ihr Herz begann zu schlagen. Sie sprang auf. Wo war er, den sie suchte seit jenem Abend, der junge Offizier, der an seiner Seite gewesen war? Aber im gleichen Augenblick waren auch die anderen Tribünengäste vor ihr aufgesprungen. Begrüßten Blenker, seine Offiziere und den ersten Marschblock der Division mit Hüteschwenken und Hurrarufen. Um besser sehen zu können, stieg Agnes auf die Bank, die Faust auf ihr jagendes Herz gepreßt – und erkannte ihn, den so lange Gesuchten, plötzlich inmitten der Stabsoffiziere, die in einigem Abstand hinter ihrem General jetzt gerade unter ihr vorüberritten. Da war sein Grauschimmel wieder, seine wunderbare freie Haltung im Sattel, das kühle Lächeln, mit dem er jetzt neben seinen Kameraden zu der tobenden Tribüne heraufgrüßte.

»Bitte, Mister Corvin, wer ist der junge Oberst auf dem Grauschimmel da unten, gleich neben General Blenker?« fragte Agnes mit stockender Stimme.

»Das ist Oberst Prinz Salm«, sagte Corvin leichthin, »der neue Stabschef der Division.«

»Von dem hab ich noch nie gehört«, warf Eddy ein.

»Kein Wunder. Er ist erst vor sechs Wochen aus Berlin gekommen«, berichtete Corvin. »Auch einer aus der preußischen Garde. General Blenker lernte ihn beim preußischen Gesandten kennen und machte ihn sofort zu seinem Stabschef. ›Genau der Mann, den ich brauche‹, sagte Blenker zu mir, ›gefiel mir auf den ersten Blick.‹«

Wem könnte er nicht gefallen auf den ersten Blick? dachte Agnes, während immer noch der Name in ihr nachklang, den Corvin genannt hatte: Prinz Salm. Und sie lachte mit, als Corvin fortfuhr:

»Vor wenigen Tagen war ich mit Blenker im Weißen Haus, als der General dem Präsidenten seinen neuen Stabschef vorstellte. ›Wie denn, ein Prinz sind Sie?‹ sagte der Präsident. – ›Es ist nicht zu ändern. Ich bin so geboren, Mister Präsident.‹ – ›Macht nichts‹, erwiderte Lin-

48

coln lachend, ›wenn Ihnen ein Prinzentitel auch nichts nützen kann bei uns, schaden soll er Ihnen gewiß nicht. Uns interessiert nur das eine: Sind Sie ein tüchtiger Offizier?‹ – ›Das ist er‹, versicherte General Blenker. – ›Dann seien Sie uns willkommen, Mister Salm‹, sagte Lincoln und gab ihm die Hand.«

Ach ja, willkommen, willkommen, dachte auch Agnes, ohne ihre Augen von dem jungen Obersten zu lösen, der da unten vor der Tribüne sein schönes Pferd verhielt, Abbild eines vollkommenen Reiters. Und sie sah sein helles Lächeln wieder vor sich, mit dem er sie vor dem »Willard« angesehen hatte. Flüchtig nur. Doch unvergeßlich.

Unvergeßlich auch für ihn? fuhr ihr plötzlicher Zweifel ins Herz. Woher nahm sie die Sicherheit, daß jene Begegnung auch in ihm noch nachklingen mußte? Für einen Mann, dem die Damen der Gesellschaft nachsahen, konnte sie doch nur ein kleines Mädchen am Rande der Straße gewesen sein. Ein Lächeln. Ein Gruß. Schon vorüber und keiner Unruhe wert.

Angstvoll beschwörend sah sie zu ihm hinunter, sammelte die Kraft ihres Herzens auf ihn. Und erkannte, wie er plötzlich den Kopf wandte, für den Bruchteil einer Sekunde zur Tribüne heraufsah. Natürlich glaubte sie nicht, daß er sie mit den Augen gesucht oder gar gesehen habe. Aber daß da etwas war in ihr, Schicksalskraft, die Macht hatte über ihn, daran zweifelte sie nicht mehr, dessen war sie gewiß. Und atmete in glücklicher Erwartung den nächsten Stunden entgegen, die ihr das Wiedersehen mit ihm bringen mußten.

Was für ein Frühling! Was für ein Tag! Wild schlug ihr Herz ihrer Hoffnung voraus. Sie hätte Corvin, die ganze Welt und sogar Bill Jenkins neben sich umarmen können. Ihr jubelnder Sopran stimmte in den Marsch mit

ein, den die Kapelle nun zum Schluß der Parade angestimmt hatte, in das Lied, mit dem die Tausende am
Straßenrand den Präsidenten grüßten:

»Old Abe came out of the wilderness,
out of the wilderness
down in Illinois.«

Felix

Das große Fest der Blenker-Division strebte schon seinem Höhepunkt zu, als Dallah und Eddy Johnston, Agnes und Bill Jenkins nach windumwehter Kutschfahrt über die lange Potomac-Brücke endlich das Lager in Hunters Chapel erreichten. Blenkers großes Generalszelt war durch seine Pioniere nach allein Seiten hin erweitert und phantasievoll ausgeschmückt worden. Große Fahnenwände und malerisch drapierte Laternen in allen Winkeln, blumengeschmückte Tische und behagliche Sessel die Zeltwand entlang. In der Mitte auf hohem Podium die Kapelle, die einen Tanz nach dem anderen herunterriß, denn die jungen Offiziere schwenkten auf schwankenden Bohlen, die einfach über den Wiesenboden gelegt worden waren, unermüdlich die schönsten Mädchen Washingtons herum und gönnten den Musikern kaum eine Pause. Agnes fühlte sich im Rhythmus der Tänze wie vom eigenen Herzschlag empfangen und wäre am liebsten gleich mit Bill Jenkins auf den Tanzboden gesprungen.

Aber da war erst eine Reihe von Ordonnanzen zu passieren, die den Gästen schon am Eingang auf Silbertabletts Blenkerschen Champagner servierten. Agnes und Dallah tranken lachend und prustend Schluck um Schluck ihre Gläser aus, aber zum Tanzen kamen sie damit noch immer nicht.

Denn Oberst Corvin, der sie schon erwartet hatte, nahm sie gleich bei den Händen und führte sie General Blenker zu, der nah vor ihnen mit General MacClellan zusammenstand und beiden mädchenhaften Schwestern mit offener Neugier entgegensah. Corvin schien ihn entsprechend vorbereitet zu haben. Denn Blenker ließ mit beinahe brüsker Wendung seinen Oberbefehlshaber allein stehen und stürmte, groß, breitschultrig in der knappen blauen Uniform, trotz seiner fünfzig Jahre beinahe jünglingshaft den Schwestern entgegen, sie mit einem Schwall unverständlicher Komplimente und formvollendeter Handküsse zu begrüßen. Ein Frontalangriff, der Agnes und Dallah sichtlich in Verlegenheit setzte.

Aber Blenker hatte sich schon Corvin zugewandt und sagte anerkennend, während er die Hände der Mädchen noch festhielt: »Wie machen Sie das nur, Corvin? Kaum in einer Stadt angekommen, haben Sie auch schon die schönsten Frauen entdeckt.«

»Das ist angeboren, General. Reporter müssen so sein.«

Blenker drohte ihm mit dem Finger und riß seine beiden Schönheiten unversehens mit sich fort, dem Präsidenten entgegen, der sich im Hintergrund mit einer Gruppe von Senatoren unterhielt, während seine Frau Mary von deren Frauen umringt war.

Blenker sprengte in jähem Angriff die Wand der Senatoren und zeigte auf Dallah und Agnes, die vor dem Präsidenten tief knicksend zusammengesunken waren. »Mister Präsident, darf ich Ihnen zwei der Überraschungen vorstellen, die ich Ihnen für heute abend angekündigt habe. Sie müssen zugeben, ich habe Ihnen nicht zuviel versprochen.«

Lincolns Augen verschwanden im Lächeln. »Im Gegenteil, zu wenig, lieber Blenker. Vor solchen Gegnern verzeih' ich jede Kapitulation.«

Er streckte den Mädchen seine breiten Holzfällerhände entgegen, hob sie auf und sagte überrascht zu Agnes: »Kennen wir uns nicht, meine Tochter?«

Anges lachte. »Ja, Mister Präsident – ich war mit den Rekruten aus Pennsylvania bei Ihnen vor dem Weißen Haus.«

»Richtig«, sagte er und wandte sich zu seiner Frau um. »Mary, da ist sie, diese Jeanne d'Arc aus Vermont, von der ich dir erzählt habe. Sprich mal mit ihr.«

»Aber da ist noch was Wichtiges, Mister Präsident«, sagte Agnes und hielt nun ihrerseits seine Hand fest. »Das da ist meine Schwester Dallah, und wir wollten Ihnen sagen, daß wir verwandt sind mit Ihnen.«

»Wirklich?« Lincoln lachte. »Seit ich dieses Amt habe, wird meine Verwandtschaft immer größer. Aber heute macht's mir zum erstenmal Spaß.«

»Uns auch«, sagte Agnes, und alle Senatoren um sie her stimmten in Lincolns Lachen mit ein.

»Woher kommt denn unsere Verwandtschaft?« sagte der Präsident. »Darf ich das mal erfahren?«

Agnes nickte. »Aber ja, Mister Präsident. Wir haben nämlich in der Zeitung gelesen, daß Ihre Urgroßmutter eine Olive Kilby-Lincoln gewesen ist. Und das ist genau unsre Ur-Ur-Ur-Großtante.«

»Fabelhaft!« Lincoln schmunzelte. »Auf so nahe Verwandtschaft war ich wirklich nicht gefaßt.« Und abermals wandte er sich seiner Frau zu. »Mary, ich bitte dich, kümmre dich um meine Nichten.«

Auf diese Weise kam Miß Agnes Leclerq, angebliche Tochter eines kanadischen Obersten, als Nichte des Präsidenten zu ihrer ersten Erwähnung in den Gesellschaftsspalten der Washingtoner Zeitungen. Die erste übermütige Auskunft über ihre Person hatte sich dabei durchgesetzt. Ohne es eigentlich zu wollen, hatte sie ihren Familiennamen Joy und ihre Herkunft verloren. Aber es war ihr recht so. Sie fühlte sich, als finge sie in neuem Land ihr wahres eigenes Leben an. Und nur Dallah hatte zuerst gemurrt: »Du spinnst ja wohl mit deinem kanadischen Obersten Leclerq«, hatte sich dann aber damit zufriedengegeben.

Mary Lincoln hatte die Schwestern zu einem kurzen leisen Gespräch mit beiden Händen zu sich herangeholt. Über ihr sonst so mürrisch teigiges Gesicht flog ein beinahe herzliches Lächeln. Zwischen der elfenhaften Leichtigkeit der beiden Mädchen in hellblauen und rosa Krinolinenkleidern wirkte sie dick, plump, kurzhalsig, breit. Sie atmete schwer beim Sprechen, während die hektische Röte der beginnenden Wechseljahre immer wieder ihr Gesicht überflammte. Agnes, die ein wenig größer war, erkannte in ihren Augen die Tränen vieler durchweinter Nächte. Denn Mary Lincoln hatte vor wenigen Monaten ihren jüngsten Sohn nach kurzer schwerer Krankheit verloren. Diese noch fühlbare Trauer war es, die Agnes so bewegte, daß sie die unglückliche Frau am liebsten umarmt hätte. Unglücklich darum vor allem, weil Mary unter der Labilität eines Charakters litt, der zwischen aggressiver Hysterie und dumpfer Lethargie keine Mitte fand. Sich dazu auch vom gehässigen Klatsch einer Gesellschaft verfolgt fühlte, die den kleinsten Streit im Weißen Haus zur Familientragödie aufbauschte, aus ihr die Xanthippe machte, die dem so geduldigen Vater Abraham keifend im Nacken saß. Agnes und Dallah schworen sich, daß sie Mary Lincoln von nun an gegen jedermann verteidigen wollten, nachdem sie sie so liebevoll ausgezeichnet hatte.

Von ihr entlassen, da sich Mary Lincoln wieder den Senatorenfrauen zuwenden mußte, standen die Schwestern für einen Augenblick allein und etwas ratlos inmitten der plaudernden Gäste, als Agnes plötzlich Oberst Corvin neben sich sah. Er beugte sich zu ihr herunter und flüsterte ihr ins Ohr:

»Da ist jemand, ein Freund von mir, der mich gebeten hat, Ihnen vorgestellt zu werden, Agnes.«

Ohne zu fragen, wußte sie, daß dies die Entscheidung war, auf die sie so lange gewartet hatte. Eine Ewigkeit der Hoffnung und innigster Wünsche. Und nun die Erfüllung?

Sie nickte nur und folgte Corvin, der sie an der Hand führte, mit geschlossenen Augen. Plötzlich blieb er stehen, und sie hörte ihn sagen, beinahe feierlich:

»Felix, Prinz zu Salm-Salm, Oberst und Stabschef der Division, erbittet das Vergnügen Ihrer Bekanntschaft, Agnes.«

Sie öffnete die Augen und hob ihm langsam das Gesicht entgegen, denn er war einen Kopf größer als sie. Ihr Blick traf den seinen. Magische Vereinigung, die ihr den Atem nahm. Wenig Weiß, viel Iris leuchtete im Dunkelblau seiner Augen. Abendschattenblau. Und ganz im Hintergrund das Licht des Wiedererkennens, das ihr sagte: Wir sahen uns. Wir haben aufeinander gewartet.

Er besaß ein klares Gesicht mit hoher Stirn, gerader kräftiger Nase, eigenwilligem Kinn, volles braunblondes Haar, einen kleinen, etwas helleren Bart über dem männlich sinnlichen Mund. Mit breiten Schultern und schmalen Hüften hatte seine Gestalt bei klassischen Proportionen etwas Sympathisch-Jünglinghaftes. Obwohl der ernstere Ausdruck seiner Augen auf einen etwa Dreißigjährigen schließen ließ.

Da Agnes, die noch immer wie gelähmt stand, keine Anstalten machte, ihm die Hand zu geben, nahm er sie sich selbst und führte sie mit zärtlicher Bewegung an seine Lippen. Deren Berührung, dieser leiseste Hauch, ging ihr wie Feuer ins Blut. Er fühlte, wie sie zitterte, und sah ihr über den Handrücken hin lächelnd in die braunen Augen. Sie glaubte, sich an seine Brust lehnen zu müssen, um nicht einfach umzufallen.

Er wollte zur ihr sprechen, sie sah es seinen Lippen an, als General MacClellans Adjutant, der immer etwas grobschlächtige Oberst Colburn, herankam, Felix am Arm zupfte und zu irgendwelchen Auskünften zu Blenker und MacClellan hinüberholte.

Agnes sah ihm nach. Sein gleitend sinnlicher Gang, dies beinah arrogante Selbstbewußtsein in jeder seiner Bewegungen erregten bis dahin unbekannte Empfindungen in ihr. Er schien ihren Blick zu fühlen und stellte sich neben MacClellan so auf, daß ihre Augen einander nicht mehr ausweichen konnten. Zwischen der gröberen Robustheit der beiden Generale wirkte er in seiner schlanken Eleganz wie aus einer anderen Welt gekommen, wie aus anderem Stoff gemacht.

Sein blauer Uniformrock war nach preußischem Muster eng auf Figur gearbeitet, und die Hosen schienen gar wie eine zweite Haut über die langen gutgeformten Beine gezogen zu sein. Eine Hülle, die seine Männlichkeit mehr noch heraushob als verbarg, und es war zum erstenmal in ihrem Leben, daß Agnes ein solches Merkmal mit Bewußtsein erkannte. Denn ihre Begegnungen mit jungen Männern bisher, auch ihre Tanzereien, waren noch immer nur flüchtiger Flirt, noch beinahe kindliches Spiel gewesen. Nun aber – sie erschrak vor sich selber, schlug die Augen nieder und kehrte dennoch zu ihm zurück mit ihrem suchenden Blick, der langsam von unten nach oben an ihm heraufstieg, bis er dem selbstsicheren Lächeln seiner Augen begegnete. Wußte er, was sie dachte, gesehen, erkannt hatte? Sie errötete und wandte sich ab.

Fühlte sich aber in der nächsten Sekunde schon von einer Woge bis dahin unbekannter Seligkeit aufgehoben und, an bewundernden Männerblicken vorüber, durch das halbdunkle Zelt getragen, an dessen Wänden und Dekken die Laternen wie ferne Sterne leuchteten. Die Kapelle begann einen der damals so beliebten Contretänze, und schon war Dallah mit Eddy und Bill neben ihr: »Komm tanzen, Agnes!«

»Ja!« jubelte sie und lief Hand in Hand mit den Freunden zur Tanzfläche hinüber, wo schon die ersten Paare über die Bohlen wirbelten. Die vergangenen Washingtoner Monate hindurch hatte sich Agnes noch immer wie ein junger Vogel gefühlt, der flatternd seine Flügel erprobte. Jedesmal ein wenig weiter, ein wenig kühner.

Heute aber, von diesem Abend, dieser Stunde an erkannte sie, wie zu sich selber erweckt, die ihr angeborene Herzens- und Willenskraft, ahnte, noch wie durch Nebel hindurch, Zauber, Reiz und Anmut ihres Wesens. Ausgelöst dies alles vom Licht dieses einzigen Ja!, das sie in der Tiefe seiner Augen gesehen hatte, stummes Bekenntnis, beredter als jedes, auch das zärtlichste Wort.

Wie es die Figuren des Tanzes erforderten, flog sie aus Eddys in Bills Arme und nach einem Zwischenwirbel mit Dallah dahin wieder zurück. Ein Glücksstrom ging von ihr aus, der nicht nur ihre Partner, sondern auch die Zuschauer ergriff, die sich immer zahlreicher um die Tanzfläche versammelten. Sie alle sahen nur Agnes an, die schwerelos zu schweben schien. Elfenleichte Anmut, gelöstes Glück. Unter der blauen Krinoline leuchteten die hellblauen Spitzen des Unterrocks hervor, der bei jedem Wirbel und Sprung die zierlichen Füße sehen ließ, die in schwarzen Satinsandalen steckten, kreuzweis über den Knöcheln mit schwarzen Bändern gebunden. Und manchmal bis zum Knie hinauf auch die langen schönen Beine in buntbestickten weißen Strümpfen.

Mit einem schnellen Seitenblick hatte Agnes längst schon erkannt, daß auch Felix sich inzwischen von den Generalen gelöst und wie unabsichtlich der Tanzfläche genähert hatte. Etwas abseits blieb er unter der Fahnendrapierung an einer Zeltstange stehen und schaute mit über der Brust verschränkten Armen, sehr distanziert, wie es ihr schien, den tanzenden Paaren nach. Aber sie fühlte schon bald, daß sein Blick allein bei ihr war, unablässig ihre Augen suchte. Mit äußerster Anstrengung, ihrem Gefühl, ihren Wünschen entgegen, zwang sie sich, den Kopf immer in die andere Richtung zu wenden, niemals ihm entgegen. Das war keine Überlegung, nur so ein Instinkt in ihr. Er sollte, er mußte rasend werden. Und sie glaubte durch die Haut zu spüren, wenn sie mit abgewandtem Gesicht an ihm vorüberflog, daß er es schon war.

Indes endete der Contretanz. Die erschöpften Tänzer geleiteten ihre Damen zu Tischen und Stühlen und kühlem Champagner zurück.

Agnes allein blieb auf der Tanzfläche stehen. Den Rükken sehr entschieden Salm zugewandt. Sie hatte noch lange nicht genug getanzt. Bill Jenkins, der ihr vergeblich den Arm bot, sah sie unschlüssig an. Im gleichen Augenblick intonierte die Kapelle einen Walzer. Agnes breitete die Arme aus, ließ ihren Kopf mit dem schweren dunklen Haarknoten tief in den Nacken fallen und tanzte, wie von den Geigentönen getragen, ganz allein über den Tanzboden davon.

Bill wollte ihr nach. Aber zu spät. Mit zwei, drei Schritten war Felix bei ihr. Agnes schlug die Augen auf. Sah nichts, nur ihn. Ganz ohne Erschrecken, ohne Erstaunen. Sie streckten einander die Arme entgegen. Ein Schritt noch. Faßten sich. Fühlten sich. Endlich, endlich. Herzjagender Schauder erster Nähe, erster Erfüllung, in dem die Welt versank. Nur noch sein Lächeln, seine Augen vor ihr. Dazu die zärtliche Kraft seiner Arme, deren sicherer Führung sie sich rückhaltlos hingab.

Dachte der Prinz an den Glanz der Wiener Hofbälle zurück, bei denen er als bester Walzertänzer gegolten hatte, begehrt von Fürstinnen, Gräfinnen, von den adligen Schönheiten Österreichs? Nein, er war ganz nur dem Augenblick hingegeben. Hingerissen vom Zauber dieses Landmädchens aus Vermont, vom Licht dieser Jugend, die so ganz noch Keuschheit und Erwartung, scheue Angst und offene Hingabe in einem war.

In sich versunken, wußten sie nicht, daß sie allein noch über die Tanzfläche schwebten, die von den anderen Paaren längst verlassen worden war. Sie standen in Gruppen an der Zeltwand und sahen schweigend, lächelnd, staunend diesem Tanz zu, der mehr als Tanz war. Ergriffen, ohne daß sie es wußten oder hätten sagen können, von der magischen Erhöhung dieses Augenblicks, in dem zwei Herzen einander erkannten. Schicksalsruf, Einklang aller Träume, für den Bruchteil einer Sekunde die Mitte der Welt in zwei Augenpaaren, einem blauen und einem braunen.

Einzig Bill Jenkins, der sich von Agnes verraten fühlte, verweigerte sich dem allgemeinen Gefühl, verlor nicht den dunklen Ausdruck von Zorn, Enttäuschung und Eifersucht aus seinem starren Gesicht.

Der Tanz war zu Ende, aber sie hielten sich noch immer an den Händen. Agnes hätte sich am liebsten, seinem Lächeln entgegen, an seine Brust gelehnt, stand zitternd, schwankend. Felix fühlte es, sein Griff wurde fester. Sie sah, wie seine Lippen sich bewegten. Hörte unbekannte

Worte. Er sprach mit voller, dunkler Stimme, die ihr wie Wein ins Blut ging, deutsch mit ihr. Sie schüttelte lächelnd den Kopf.

»I am so sorry«, bedauerte er, mühsam die Worte suchend, »ich bin erst so kurz in Amerika. Aber von heute abend an will ich mir noch mehr Mühe geben, Ihre Sprache zu lernen. Es wird jeden Tag besser werden mit mir. Ich versprech' es Ihnen.«

Sie nickte, sah stumm in seine Augen hinein, nur immer in seine Augen, nicht auf seinen Mund, dies zärtlich-sinnliche Lächeln. Angst, Glück, Verwirrung. Und immer noch ihre Hand in der seinen.

»Vielleicht sprechen Mademoiselle französisch?« fragte er im elegantesten Pariserisch.

»French, no, sorry«, schüttelte sie den Kopf. Sah ihn noch immer an. Wozu sprechen, da uns die Augen doch mehr als Worte sagen? Er schien der gleichen Meinung zu sein, versuchte dennoch ein drittes: »Habla usted español, Señorita?«

»Lo comprendo un poco, Señor«, jubelte Agnes auf. Und dachte glücklich an die Manege des Zirkus Valdez zurück. An deren Licht und Flitter, an den Pferde- und Wildgeruch, an die Flüche des Señor Valdez und den Wohnwagen der Señora, wo ihr in den Liedern und ewigen Klagen der Kinder und aller Kollegen dies herrlich bildkräftige mexikanische Spanisch zugeflogen war, das nun wieder in ihr erwachte. Alles, was einmal Irrweg, Umweg, Flucht gewesen zu sein schien, erhöhte sich plötzlich zu neuem Sinn.

Sie verstand jedes Wort der männlich heißen Huldigungen, die nur Spanier für eine Frau erfinden können, die Felix leise über ihr Haar, ihr Gesicht, ihre Augen hin sagte. Glücklich, endlich zu ihr reden zu können. In diesem harten, klaren Katalanisch, das er in früher Jugend

60

schon bei Ferienbesuchen auf den Schlössern seiner fürstlichen Verwandten gelernt hatte. Agnes hörte zu, nickte, lächelte und bat plötzlich, in Erinnerung an die fahrende Zeltwelt des Zirkus:

»Ich möchte das Lager sehen, die Zelte, die Pferde, die Wagen, alles. Oder darf man das nicht?«

»Mit mir dürfen Sie alles«, lachte er, nahm ihre Hand und führte sie schnell aus dem Zelt in den Abend hinaus. Alle sahen ihnen nach, aber sie merkten es gar nicht, wußten, fühlten nur sich allein.

Und was für eine Welt, in der sie neben ihm nun dahinging. Auf schmalen Bohlenwegen die Zeltgassen entlang. Da und dort noch ein sehnsüchtiges Lied aus den Mannschaftszelten heraus. Holzgeruch der offenen Feuer, die auf Rundplätzen an jedem Ende der Gassen loderten. Darüber wurden die riesigen Kessel gereinigt, in denen vorher die Rindssuppe gekocht worden war, deren würziger Duft noch zwischen den Zeltwänden hing. Dazu der scharfe Geruch von Waffenöl, Pferdeurin, Hafersäcken, irgendwo gestapeltem Brot. Geklirr von Waffen der aufziehenden Wachen. Kommandorufe, die schrillen Pfeifen der Unteroffiziere. Herabsinkende Fahnen im Flackern der Feuer und aufsteigend im Abendhimmel die klagend getragenen Töne des Zapfenstreichs.

Eine kriegerisch-sinnliche Männerwelt dies alles, in der sich Agnes auf unerklärliche Weise zu Hause und geborgen fühlte. Sein kräftig federnder Schritt neben ihr. Der männliche Duft seiner Haut, seines Haars. Manchmal im Nebeneinandergehen die flüchtig streifende Berührung seiner Hand, seiner muskelharten Schenkel. Und jedesmal durch sie hindurch Ströme bis dahin unbekannter Erregung, Sehnsucht, Begierde.

Sie gingen hinter dem letzten Zelt, aus dem das dunkle

Raunen der Männerstimmen hervordrang, Gelächter, Sehnsuchtsklang einer Gitarre, zu den Koppeln der Pferde hinüber. Vertrauter Geruch ihrer warmen Leiber, leises Wiehern und Schnauben. Agnes streckte die Hand aus, in die Dunkelheit hinein, über das Gatter hinweg. Fühlt auf der einen Seite warme, weichzitternde Nüstern, die ihr entgegendrängen. Auf der anderen hat Salm schon ihre Hand genommen, zieht sie an sich. Näher, näher. Sie sträubt sich nicht. Drängt ihm entgegen. Sein Arm um ihren Leib. Glück seiner Nähe. Feuerströme der Lust, von den Knien her aufsteigend über ihren Schoß, ihre kleinen Brüste dahin, und die halb offenen Lippen schreien ohne Schrei.

Über ihr sein Gesicht, der Schimmer seiner Augen, so nah, blau, groß wie der virginische Himmel da oben. Und seine dunkle, samtene Stimme: »Agnes, o mein Gott.« Und nun seine Lippen auf ihren Lippen. Kein Sturm, kein Erschrecken. Zärtliches Ineinanderströmen. Ein Herzschlag und Atemhauch.

Und sie wirft ihre Arme um seinen Hals.

Dieser wunderbare Wahnsinn

Agnes wußte nicht mehr, wie sie nach Hause gekommen war, wie sie sich überhaupt von ihm hatte lösen können, dem all ihr Denken und Fühlen gehörte. Sie wußte nur, daß sie ihn liebte. Mit der ganzen Kraft und Unbedingtheit ihres siebzehnjährigen Herzens. Und daß der Gang ihres jungen Lebens, Wochen, Monate, Jahre, alle Träume, alle Sehnsucht, alles Verlangen nur auf ihn gerichtet gewesen war. Nur auf ihn, auf diese Begegnung, mit der nun erst wahrhaft ihr Leben begonnen hatte. Wahrspruch des Schicksals, vor dem es kein Ausweichen gab, selbst wenn sie gewollt hätte. Aber wie denn hätte sie sich wehren können gegen ihr Herz, gegen ihr Blut, gegen das mystische Zeichen gar, das von den Sternen gesetzt worden war?

Sie dachte an den Augenblick der vergangenen Nacht zurück, da sie ihn – sie saßen an der Bar, hielten sich an den Händen – über das Champagnerglas hinweg nach seinem Geburtstag gefragt hatte.

»Ach, ich bin in einem störrischen Zeichen geboren«, sagte er lächelnd, »hart, starr und widerspenstig – ich bin ein Steinbock. Nicht zu empfehlen.«

»Ich auch«, jubelte Agnes. »Steinbock zu Steinbock. Wie ist das möglich? An welchem Tag?«

»Ein Weihnachtskind. Am 25. Dezember.«

»Ich auch«, stammelte sie fassungslos. »Am 25. Dezember.«

»Siebzehn Jahre nach mir am gleichen Tag. Das ist freilich ein Zeichen«, sagte er nachdenklich mit seinen zärtlichen Lippen, nach deren Küssen sie schon wieder verlangte. »Dann bist du genauso alt, wie ich älter bin als du.«

»Ja, du hast siebzehn Jahre auf mich warten müssen«, sagte Agnes und lachte. »War es schwer?«

»Entsetzlich«, sagte er so ernsthaft wie vorher. »Aber nun ist die Zeit erfüllt, und alles hat einen Sinn.« Und sie hatte auf seine Lippen gesehen und gedacht: Warum umarmen, warum halten, warum küssen wir uns nicht? Warum nehmen wir Rücksicht auf all die anderen, die Fremden um uns her, die uns anstarren, als wären wir Wesen von einem anderen Stern? Und leben denn Liebende nicht wirklich in anderen Welten?

Agnes dachte es auch jetzt noch, während sie in den blonden Morgen hinausträumte, der so duftete wie seine Haut, der so leuchtete wie seine Augen.

Fieber der Sehnsucht in ihren Adern, die schmerzten, als wollten sie zerspringen. Warum war sie nicht bei ihm? Jede Minute, jede Sekunde ohne ihn so sinnlos, wie tot.

Da stürmte Dallah ins Zimmer, einen riesigen Rosenstrauß in beiden Armen. »Sieh dir das an! Ein Morgengruß von deinem verrückten Prinzen. Ein Soldat hat ihn eben gebracht.«

Agnes drückte ihr Gesicht in den milden Atem der Rosen. Grüße, Küsse von ihm. Sie sah sein Lächeln vor sich.

»Sag mal, du hast dich ja gestern unmöglich benommen«, begann Dallah eine Art Verhör. Mit junger, strenger Stimme.

»Unmöglich, wieso?«

»Eddy und Bill meinen das auch.«

»Das glaub ich. Bill besonders, nicht wahr? Und was war so unmöglich?«

»Du hast nur noch ihn gesehen, diesen verrückten Prinzen«, fuhr Dallah vorwurfsvoll fort. »Alle anderen waren Luft für dich. Wir auch.«

»Ja, ich habe nur ihn gesehen, nur ihn«, sagte Agnes in die Rosen hinein.

»Mitten in der Nacht erst, drei Stunden nach uns, hat er dich endlich nach Hause gebracht.«

»Ah, wirklich, ich weiß nichts mehr«, flüsterte Agnes, Rosenlicht vor den Augen.

»Und dann habt ihr noch stundenlang in seinem Dogcart gesessen, euch an den Händen gehalten und aufeinander eingesprochen. Ich hab's durch die Gardine gesehen.«

»Stunden?« staunte Agnes. »Es waren Minuten.«

»Mindestens zwei Stunden«, beharrte Dallah. »Was habt ihr euch bloß so lange erzählt?«

»Daß wir uns lieben.«

»Nur das?« spottete Dallah.

»Nur das.« Agnes nickte mit geschlossenen Augen. »Ich kann es nicht genug hören. Von seiner Stimme. Ach, Dallah, ja, ich liebe ihn.«

»Du bist verrückt«, sagte Dallah trocken. »Du hast ihn doch erst einmal gesehen.«

»Nein, schon zweimal. Und man weiß es beim erstenmal oder nie.«

Kopfschüttelnd sah Dallah ihre Schwester an. »Wie du das wieder sagst. Agnes, bleib doch nüchtern. Komm auf die Erde zurück.«

»Wir sind am gleichen Tag geboren, und wir haben unser Leben lang aufeinander gewartet«, sagte Agnes, als hätte sie ihre Schwester gar nicht gehört.

Dallah schlug mit der Hand auf den Tisch. »Mein Gott, Agnes, so wach doch mal auf. Laß das Schicksal endlich beiseite und sieh die Dinge, wie sie sind. Der Mann ist so viel älter als du . . .«

»Ja, siebzehn Jahre auf den Tag.«

»Das ist ja noch schlimmer, als ich dachte. Und Eddy sagt auch, ich sollte dir den Kopf zurechtsetzen, ehe es zu spät ist. Er meint, und da hat er bestimmt recht, daß der Prinz so ein europäischer Don Juan ist, dem es nichts ausmacht, jede Frau zu verführen, die ihm in den Weg kommt. Siebzehn Jahre älter, überleg dir das mal, da hat er bestimmt mehr Frauen gehabt, als du an beiden Händen abzählen kannst. Und andere Frauen, als du es bist. Wirkliche Frauen. Eddy meint auch, für den bist du nur ein kleines Mädchen, mit dem er aus Zeitvertreib spielt, bis er genug davon hat.«

Agnes hob langsam ihr Gesicht auf und sah über die Rosen hinweg, die sie fest in der Hand hielt, in die Ferne. Mit diesem Blick, den Dallah an ihr kannte, von dem sie zu Hause sagten, er sei das Erbe ihrer indianischen Vorfahren. Augen, die über die Prärie hin gingen bis zum Horizont, mit denen auch jene geheimnisvolle Großmutter durch alle Gegenwart hindurch Zukünftiges gesehen und gedeutet haben sollte. Und sie sagte leise: »Wenn das ein Spiel ist – dann ist es ein Spiel auf Leben und Tod.«

Da wußte Dallah, daß sie verloren hatte und daß mit Worten hier nichts mehr auszurichten war. Und sie ging still hinaus.

Wenig später verließ auch Agnes das Haus, sattelte ihr Pony und ritt Felix entgegen, denn sie fühlte, daß er irgendwo in der Nähe auf sie wartete. Sie fand ihn in der Pennsylvania Avenue, wo er seit einer Stunde schon zwischen Weißem Haus und Soldiers Home auf und ab geritten war.

Kaum sah er sie zwischen den Alleebäumen auftauchen, galoppierte er ihr entgegen, parierte hart vor ihr. »Endlich! Ich warte schon eine Ewigkeit auf dich.«

Glücklich sah sie zu ihm auf. »Ja, ich weiß. Warum bist du nicht gekommen, mich zu holen?«

»Ich wollte, daß du es selbst fühlst. Es war eine Beschwörung.«

Sie sah ihn an aus schmalen Augen. »Ich habe nur an dich gedacht. Nichts an mir brauchst du zu beschwören. Warum haben wir uns überhaupt getrennt, heute nacht?«

»Ja, warum? Ich begreife es auch nicht«, sagte er, »aber vielleicht war es besser so.«

Sie schüttelte den Kopf. »Gut ist alles nur, wenn ich bei dir bin, wenn ich dich sehe.«

Erstaunt sah er sie an. Sie sagte, was er selber empfand. Seine souveräne Sicherheit war dahin. Nichts mehr vom Abstand der 17 Jahre, die ihn von ihr trennten. Ein bisher unbekanntes Gefühl leidenschaftlicher Hingabe erfüllte ihn, das in nichts mit den Flirts, Erlebnissen, Abenteuern seiner Vergangenheit vergleichbar war. Er fühlte sich so glücklich und hilflos vor diesem kleinen Mädchen an seiner Seite wie Agnes hilflos und glücklich vor ihm.

So ritten sie am Ufer des Potomac dahin, weiter, immer weiter in das stille Land hinein. Über den Blue-Ridge-Bergen türmte der Westwind dunkel drohende Wolkenwände auf, und ferner Geschützdonner erinnerte daran, daß es bald Abschiednehmen hieß, wenn seine Division den Marschbefehl bekam. Sie sagten sich Worte, die sie kaum hörten, weil sie einander in den Augen unersättlich nur immer das Geständnis ihrer Liebe lasen. Irgendwo zwischen roter Bougainvillea und wuchernder Sykomore verhielt er plötzlich, sprang vom Pferd, hob sie aus dem Sattel, daß sie wie Haut an Haut an ihm herunterglitt. Und sie küßten sich, atemlos, in hungriger Gier, unersättlich.

Und so Tag für Tag von nun an, wann immer sein Dienst es ihm erlaubte. Am frühen Morgen schon und in den Abend hinein. Lagen im Gras am Weg, stammelten Aug in Aug ihre Namen, lachten, küßten sich, schlugen einander die Moskitos von der Haut, lachten und küßten sich abermals.

Und bei jeder neuen Begegnung entdeckte sie eine neue überwältigende Eigenschaft an ihm. Seine schmalen, kräftig-zärtlichen Hände. Das wechselnde Licht seiner Augen. Seine breiten Schultern, die schmalen Hüften. Wie seine langen muskulösen Schenkel das Pferd preßten und lenkten. Sein klares Gesicht, sein jungenhaftes Lachen. Wie er den schöngeformten Kopf auf dem schmalen Hals trug. Seine so sichere Höflichkeit, die immer noch seine offene Leidenschaft zügelte.

»Die Dichter sagen, daß Liebe ein wunderbarer Wahnsinn sei. Und ich glaube, sie sind damit nicht weit von der Wahrheit entfernt. Man wünscht und tut Dinge in diesem Zustand, die man hinterher kaum zu begreifen vermag«, schrieb sie in diesen Tagen in ihr noch so kindlich-mädchenhaftes Tagebuch.

Manchmal, wenn sie im Gras lagen und der Fluß rauschte unter ihren Küssen hin, hatte sie das Gefühl, sich sogleich die Kleider vom Leibe reißen zu müssen, nur um ihm ganz zu gehören. Ihr Blut, ihr Schoß, jeder Herzschlag drängten ihm entgegen, wollten ihn empfangen, verlangten nach ihm. Und sie fühlte durch die Kleider hindurch seine atemlose Begierde. Aber dann, wenn sie sich schon verloren glaubte, erwachte jedesmal eine Art Warnung in ihr, ein Instinkt der Selbstbewahrung, eine Sperre, über die sie nicht hinwegkam. Entschieden löste sie sich aus seinen Armen. Dann sah er sie nur an und sagte kein Wort.

Am gefährlichsten war jener Tag, an dem er sie bei Soldiers Home mit zwei Pferden erwartete. An der einen Hand seinen Grauschimmel, an der anderen einen Rapphengst von außerordentlichem Feuer. Das Tier stand nicht eine Sekunde ruhig, versuchte ständig den Kopf aufzuwerfen, tänzelte schnaubend von einer Seite zur anderen.

»Du kommst mit zwei Pferden?« rief Agnes erstaunt, während sie von ihrem Pony sprang und ihm entgegenlief. »Wer begleitet uns?«

»Niemand, mein Engel« – er lächelte, denn er hatte ihren Namen schon längst in ein englisches »Angel« umgewandelt –, »du wirst heute diesen Rappen reiten. Dein Pony hat Pause und darf nur so zum Vergnügen mitlaufen.«

»Das ist ein Wilder, scheint mir«, sagte Agnes, nahm Felix die Zügel aus der Hand und sah sich den Rappen von allen Seiten an. »Ein schöner Wilder.«

»Ja, schön und wild«, sagte Felix.

Agnes stand minutenlang ganz ruhig, Auge in Auge mit dem Tier. Klopfte ihm dann den Hals, blies ihm sanft in die Nüstern und sagte ihm leise und langsam die zärtlichsten Namen. Der Rappe stellte die Ohren auf und blieb, ohne jedes Tänzeln, endlich in ruhiger Gespanntheit vor ihr stehen.

»Ich sehe, ihr gefallt euch«, sagte Felix.

»Nein, wir verstehen uns. Das ist viel mehr.«

»Ich wußte es«, sagte er und hob sie unter Küssen hoch in den Sattel. »Ich denke, wir können es wagen.«

»Warum denn nicht? Glaubst du ich habe Angst?«

Er lachte, während er in den Sattel stieg. »Natürlich nicht. Wann und wovor hättest du je Angst gehabt?«

»Vielleicht vor dir, aber nie vor Pferden«, sagte sie übermütig und klopfte dem Tier zärtlich den Hals. Sie fühlte, wie es zitterte, nein, erschauerte unter der magischen

Berührung ihrer Hand und beinahe demütig den Kopf in die Zügel legte.

»Also vorwärts«, befahl Felix, das Pony am langen Halfter hinter sich.

»Nicht so schnell, mein Prinz«, widersprach Agnes. »Sag mir erst, was das Ganze soll? Dahinter steckt doch ein Geheimnis.«

»Eine Überraschung vielleicht.« Er lachte und ritt an. »Du wirst es bald erfahren.«

Immer wieder sah er Agnes staunend von der Seite an, da sie den Rappen mit leichter Hand in allen Gangarten ritt. Das Tier folgte ihren Hilfen und Befehlen so willig, als sei sie seit undenklichen Zeiten schon seine Reiterin. Endlich, nach einigen Kilometern scharfen Galopps am Fluß entlang, hielt Felix an, glitt aus dem Sattel und hob Agnes vom Rappen. Trug sie auf beiden Armen in den Wiesengrund hinein, unter dem der Fluß in großer Biegung nach Westen auswich, und küßte sie. »Du hast die Prüfung bestanden.«

»Welche Prüfung?« fragte Agnes erstaunt.

»Einen Augenblick, du wirst es gleich erfahren«, rief er lachend, sprang auf und pflockte die Pferde an, die dem Steilufer zustrebten, um dort zu trinken.

Und wiederum diese wunderbare Erregung, ihm nur nachzusehen. Wie er davonging, wie er die Tiere einfing, sich zu ihren Fesseln niederbeugte und nun zurückkam. Dieser verhalten sinnliche Gang in der engen Uniform, die jeden Muskel mehr zu zeigen als zu verhüllen schien. Er warf sich neben sie ins Gras und zog sie an sich.

»Welche Prüfung?« wiederholte sie ungeduldig.

»Ich wollte wissen, wie du mit dem Rappen fertig wirst.«

»Aber hör mal, das ist doch keine Schwierigkeit. Er geht lammfromm, nah an der Hand.«

70

Felix lachte. »Ja, an deiner Hand, du Hexe. Aber du hättest ihn bei uns sehen sollen. Er kam vor zwei Tagen mit den neuen Remonten für die Division. Alle schrien: ›Was für ein schönes Tier!‹ Jeder wollte ihn haben, und jeden hat er abgeworfen.«

»Das hätte ich sehen mögen«, sagte Agnes vergnügt.

»Wir haben uns gebogen vor Lachen.«

»Nichts gegen deine Herren Kameraden«, sagte Agnes, »aber reiten können die alle nicht. Schade um so ein Pferd.«

Felix nickte verschmitzt. »Das hab' ich mir auch gedacht. Darum hab' ich es dem Quartiermeister abgekauft. Für dich. Ich schenk es dir.«

Fassungslos sah sie ihn an. »Du schenkst es mir?«

»Ja, es geht nicht mehr länger, daß du auf deinem Pony immer eine Etage tiefer neben mir herreitest. Dazu bist du eine viel zu gute Reiterin. Du und der Rappe, ihr beide gehört zusammen. Das hab ich schon vorher gewußt.«

Noch immer starrte sie ihn an und warf ihm endlich mit einem Jubelruf die Arme um den Hals. »O Felix, das ist das schönste Geschenk, das ich je bekommen habe.« Und bedeckte ihn mit Küssen. Am liebsten hätte sie Bluse und Rock von sich gerissen, ihn ganz zu fühlen, ihm ganz zu gehören. Mit jedem Blutstropfen, jeder Faser ihres Herzens. In ihr war kein Widerstand mehr.

Daß er diese Bereitschaft zur Hingabe, die er fühlte, sie wußte es, nicht ausnützte in diesem Augenblick, vertiefte nur noch ihre Liebe, ihre Bindung an ihn.

Nach einer Weile fuhr sie auf aus seinen Armen: »Jetzt hab' ich zwei Pferde. Was mach ich nun mit Joy?«

»Das Pony schenkst du deiner Schwester. Damit sie in die Stadt reiten kann. Dazu gibt es nichts Besseres als ein Pony. Braucht kaum Futter und wenig Pflege.«

Agnes schlug die Hände zusammen. »Ja, das ist wahr. Dallah freut sich, und Joy bleibt in der Familie.«

Aber Dallah zeigte kaum Freude, als Agnes hoch auf ihrem Rappen, das Pony am langen Zügel hinter sich, zu Haus wieder ankam, sondern sagte spöttisch und betroffen: »Was ist denn mit dir los? Bist du wieder beim Zirkus gelandet?«

Agnes überhörte den Spott. »Ist er nicht schön?« sagte sie, den Rappen tätschelnd. »Felix hat ihn mir geschenkt.«

Dallah schüttelte den Kopf. »Und das hast du angenommen?«

»Warum denn nicht?« sagte Agnes arglos. »Freust du dich etwa nicht, wenn ich dir nun Joy schenken kann?«

Dallahs Augen leuchteten. »Natürlich freu' ich mich.« Und verdunkelten sich wieder. »Aber du bist schließlich meine Schwester.« Und es lag nicht nur Vorwurf, sondern eine Art von Drohung in ihrer Stimme, die Agnes für einen Augenblick stutzig werden ließ.

Doch vergaß sie den kleinen Vorfall – Dallah war oft mißgestimmt, wenn sie Streit mit Eddy gehabt hatte – über ihrer Freude an dem Rapphengst bald wieder, den sie im Stall absattelte, abrieb, tränkte und fütterte, um ihn dann lange zu liebkosen, als hätte sie Felix selber im Arm.

»*Du wirst sie nicht heiraten!*«

Wie alle Liebenden, die in ihrem euphorischen Zustand eines nüchternen Urteils nicht mehr fähig sind, waren auch Felix und Agnes der Meinung, außer den nächsten Freunden wisse niemand vom Geheimnis ihrer Liebe.

Indes bildeten sie seit Wochen das beliebteste Gesprächsthema der Washingtoner Gesellschaft, die sich durch solche Affären nur allzu gern von der katastrophalen Lage an den Fronten des Bürgerkriegs abzulenken suchte. Wohlwollende sprachen lächelnd von den »Liebenden vom Potomac«, denn man hatte sie oft genug am Fluß hinreiten sehen. Hämischer schon hieß es: »Der Prinz und die Zirkusprinzessin«, wobei unerklärlich blieb, wie die Kunde von Agnes' kleiner Manegenvergangenheit überhaupt nach Washington gelangt sein konnte. Die boshaft Mißgünstigen jedoch, und das waren die meisten, nannten das Paar nur noch: »Der Prinz und die Squaw.« Eine besondere Gemeinheit, wenn man bedenkt, daß indianische Herkunft damals mehr als nur ein Makel war. Schon fast eine Schande, schlimmer als Negerblut.

Felix war erstaunt, als er am Abend nach der Rückkehr vom Potomac, wo er sich aufs zärtlichste von Agnes verabschiedet hatte, zu recht ungewöhnlicher Stunde also, in seiner kleinen Wohnung in Hunters Chapel Oberst Corvin vorfand. Vor einigen Wochen schon hatte er, um sich etwas freier zu fühlen, in der Nähe des Divisions-

Hauptquartiers auf der Farm der Witwe Perkins drei
Zimmer gemietet, die von Hinrich Kruse, seiner Ordonnanz, einem gebürtigen hannoverschen Bauernjun-
gen, einigermaßen in Ordnung gehalten wurden.

Corvin, der schon länger gewartet und die dementspre-
chende Menge Whisky konsumiert hatte, empfing den
Prinzen, den er manchmal wie einen etwas mißratenen
Lieblingssohn zu behandeln pflegte, grußlos und recht
aggressiv. »Da kommst du ja endlich. Mal wieder auf
Liebespfaden gewandelt, nicht wahr?«

»Was ist denn mit dir los?« sagte Felix erstaunt, während
er Mütze, Degen und Pistole ablegte, um sich mit geöff-
netem Waffenrock zu Corvin zu setzen, der im gleichen
Ton fortfuhr: »Mehr im Dienst bei der Kleinen als in der
Division, scheint mir.«

Felix füllte sich ein Glas mit Whisky und hob es Corvin
entgegen: »Cheerio – sag mal, solange der alte Blenker
mit mir zufrieden ist, ist es doch allein meine Sache, was
ich außerdienstlich mache.«

»Aber doch wohl auch die Sache des Mädchens?«

»Richtig, unsere Sache allein, und die geht niemand etwas an.«

»Das denkst du, mein Junge«, sagte Corvin. »Aber die
Leute denken anders darüber. Du und Agnes, ihr seid
schon seit Wochen das Hauptgespräch der Washingtoner Salons.«

»Man spricht über uns?« sagte Felix fassungslos.

»Sehr interessiert, sehr amüsant und pikant.«

»Pikant!« fuhr der Prinz auf. »Nenn mir sofort die
Leute, die das wagen. Von denen werd' ich Rechenschaft
fordern, von jedem einzelnen. Auf ein Duell mehr oder
weniger soll es mir nicht ankommen.« Das war keine
Aufschneiderei bei ihm. Als einer der besten Fechter und
Pistolenschützen der preußischen Armee war er in

Deutschland und Österreich als Duellgegner gefürchtet gewesen.

»Nun mal langsam«, beschwichtigte ihn Corvin. »Tratsch- und Klatschweiber kannst du nicht vor die Pistole holen, und soweit es Männer betrifft, würden sie dich mit deinen Aristokratenallüren nur auslachen. Schließlich dienst du hier nicht in einem preußischen Garderegiment, sondern in einer verdammt demokratischen Armee.«

»Du meinst, in einem Sauhaufen, der irgendwann mal 'ne Armee werden will.«

»Jawohl, das noch dazu. Die Leute haben andere Sorgen, als dumme Duelle auszufechten. Wenn du hier so wie in Europa herumwüten willst, kannst du gleich wieder deine Koffer packen . . .«

»An mich denk ich ja gar nicht«, unterbrach ihn Felix. »Aber ich kann Agnes doch nicht von jedem Spießer beleidigen lassen.«

»So beleidigend meinen die das gar nicht. Amerikaner haben Humor, gutmütigen Humor. Sie lachen ein bißchen über euch und halten Agnes für deine Geliebte.«

Felix trommelte jähzornig mit den Fäusten auf dem Tisch herum. »Meine Geliebte! Da sagst du es ja – und ich weiß, was sie dabei denken – und darum werd' ich ihnen den Schnabel stopfen, jedem einzelnen. Corvin, ich verlange die Namen von dir.«

Kopfschüttelnd sah der Oberst den prinzlichen Hitzkopf an. »Namen – Genugtuung – Duell – weiter fällt dir nichts ein. Willst du nicht erst einmal darüber nachdenken, wer schuld ist an der ganzen Affäre?«

»Wer denn? Wir doch nicht.«

»Nein, Agnes natürlich nicht. Aber du, du allein mit deinem grenzenlosen Egoismus hast sie in diese Lage gebracht. Seit Wochen schon reitest du Tag für Tag mit ihr in Wald und Wiesen hinaus. Und wenn ihr irgendwo eingeladen seid, hältst du sie an der Hand, schaust nur sie an, redest nur mit ihr, läßt niemand mit ihr tanzen und . . .«

»Agnes will mit niemand tanzen und sprechen.«

»Dann darfst du eben auch nirgendwo hingehen mit ihr. Du bist der ältere, du müßtest auch Agnes klarmachen können, daß die Gesellschaft Rechte hat an euch und ihr entsprechende Pflichten. Na, kurz und gut, nach alledem wunderst du dich dann noch, daß jedermann sie für deine Geliebte hält – spielst gar den Beleidigten.«

»Ja, weil ich genau weiß, was die Klatschweiber und Dreckskerle darunter verstehen, wenn sie das sagen. Aber es ist, weißt du, es ist ganz anders. Ich liebe Agnes.«

Corvin hob die Hände zum Himmel. »Mein Gott, wenn ich das schon höre – ›ich liebe‹ – ausgerechnet von dir. Ich kenne die wirkliche Anzahl deiner Affären in Europa nicht. Prinzessinen, Gräfinnen, Ehefrauen, Sängerinnen, Tänzerinnen und so weiter. Die aber, von denen ich genau weiß, lassen sich an den Fingern beider Hände schon gar nicht mehr abzählen.«

»Das ist hinter mir, Corvin, längst vergessen«, sagte Felix leise, schwieg eine Weile und fuhr dann fort, eindringlich beschwörend: »Diesmal ist alles anders. Ich liebe Agnes. Ich liebe zum erstenmal.«

»Und Agnes?«

»Liebt mich. Was soll da anders sein? Wir gehören zusammen.«

»Bist du der erste Mann in ihrem Leben?«

»Ja, sicher. Wir haben nie darüber gesprochen. Aber so etwas fühlt man. Es ist der reine Anfang – für uns beide.«

»Hätt' ich das arme Ding doch bloß nicht zu eurem Divisionsfest eingeladen!« Corvin stand seufzend auf und ging mit großen Schritten in der Stube hin und her.

»Das war das Beste, was du je für mich getan hast«, sagte Felix. »Außerdem hätt' ich Agnes auch so getroffen. So etwas ist Bestimmung.«

»Nun bleib mir bloß mit dem Schicksal vom Leibe, dieser großen Ausrede für jede große Dummheit«, schimpfte Corvin, setzte sich wieder auf seinen Stuhl, nahm einen Schluck Whisky und fragte herausfordernd: »Und haben sich Durchlaucht vielleicht auch schon Gedanken gemacht, wie das Ganze weitergehen soll?«

Felix zuckte die Schultern. »Agnes nimmt natürlich an, daß ich sie heiraten werde. Bald schon.«

»Und du?«

»Ich bin mir nur noch nicht über den Zeitpunkt im klaren. Alles hängt davon ab, wann unser Marschbefehl kommt. Darum bin ich ihr immer noch ausgewichen bei diesem Thema. Aber heiraten werd' ich sie bestimmt.«

Corvin warf sich weit über den Tisch und schrie Felix an: »Du wirst sie nicht heiraten.«

»Warum nicht?« sagte Felix erstaunt.

»Weil ich nicht will, daß sie an deiner Seite unglücklich wird.«

»Warum soll sie unglücklich werden?«

»Hast du noch immer die Absicht, nach Deutschland zurückzukehren, wenn dieser Kieg vorüber ist?« fragte Corvin etwas ruhiger.

»Aber ja. Gesetzt, ich überlebe ihn.«

»Und Agnes?«

»Kommt mit mir als meine Frau. Das ist doch klar.«

»Und ebenso klar ist, daß dich dein fürstlicher Bruder rauswerfen wird, wenn du ihm diesen Wildwuchs aus Amerika ins Haus bringst, dem man zudem die indianische Großmutter an der Nasenspitze ansieht.«

»Das ist doch das Schönste an ihr«, sagte Felix leichthin. »Das ist ihr Charme und Zauber.«

»Ich kenne deinen Bruder«, warnte Corvin, »der sieht nicht ihren Zauber, sondern nur die Indianerhäuptlinge in ihrem Stammbaum.«

»Soll er doch. Was kümmert das mich. Bei uns in der Familie ist auch nicht alles ganz astrein. Meine Mutter ist wohl eine Prinzessin aus Frankreich. Aber doch nur, weil sie vom Prinzen Jerome Napoleon schon als Kind adoptiert wurde. In Wahrheit kommt sie aus einer ganz einfachen bürgerlichen Familie. Wenn du am Gotha ein bißchen herumkratzt, sieht alles ganz anders aus.«

»Darum geht es doch gar nicht«, ereiferte sich Corvin aufs neue, »sondern es handelt sich darum, daß dir dein Bruder wegen einer Mißheirat keine Apanage mehr zahlen wird. Er ist auch gar nicht verpflichtet dazu, nachdem du das horrende Vermögen, das dir dein Vater hinterließ, mit deinen Weibergeschichten so sinnlos schon verpulvert hast.«

»Sinnlos war es nicht, im Gegenteil, eine schöne Zeit, und ich bereue nichts«, sagte Felix, der langsam seine Sicherheit wiedergewann. »Und sollte mein Bruder mir wirklich nichts mehr zahlen, nehm' ich einen neuen Dienst an, wenn dieser Krieg hier mal vorüber sein sollte. Soldaten werden immer gebraucht, und Kriege wird es immer geben auf dieser schönsten aller Welten. Das ist das einzige, was ich sicher weiß.«

»Ein Landsknechtleben also. Und das willst du diesem Mädchen zumuten, die noch ein Kind ist, die das gar nicht übersehen kann?«

»Agnes ist kein Kind mehr, Corvin. Sie weiß genau, wofür sie sich entschieden hat. Und das einzige, was ich ihr nicht zumuten kann, ist, sich von mir zu trennen. Sie würde sterben daran.«

»Du bist sehr überheblich, mein Junge.«

»Das klingt nur so, Corvin. Erst seit heute abend, seit wir darüber sprechen, weiß ich, daß es mir genauso ginge. Eine Trennung von ihr wäre mein Ende.« Er hatte es ganz leise gesagt. Aber mit diesem Ton innerster Überzeugung in der Stimme, an der kein Zweifel möglich war.

Corvin sah ihn an, trank langsam sein Glas aus und stand auf. »Gut, Felix. Ich bin auch am Ende. Was zu sagen war, ist gesagt. Da du nicht selbst verzichten willst, was das beste und einzig mögliche wäre nach meiner Auffassung, erkläre ich dir, daß ich alles tun werde, eine Ehe zwischen euch zu verhindern. Du kannst nicht von mir verlangen, daß ich offenen Auges meine Freunde in ihr Unglück rennen lasse. Gute Nacht.« Er wandte sich auf dem Absatz um und ging sporenklirrend aus der Tür.

Am gleichen Abend, etwa um die gleiche Zeit, kam Eddy Johnston in das Zimmer von Agnes, die dort gerade in ihrem Tagebuch schrieb. »Dallah und ich, wir möchten dich einmal sprechen, Agnes. Bitte, komm zu uns ins Wohnzimmer.«

»Du machst so ein dunkles Gesicht, Eddy. Ist es etwas Ernstes?«

»Ja, ernst und wichtig für uns alle.«

Sie wandte sich wieder ihrem Tagebuch zu. »Gut, Eddy, ich komme sofort. Ich will das nur noch zu Ende schreiben.« Und schrieb eifrig, die Zunge zwischen den Zähnen, in ihrer eckigen Mädchenschrift: »Das war ein wunderbarer Tag. Felix hat mir heute ein Pferd geschenkt. Einen Rapphengst, wie ich noch keinen gesehen habe. Das schönste Tier auf der Welt. Ich will es wider Joy nennen, weil ich mein Pony nun an Dallah verschenkt habe. Leicht ist mir das nicht gefallen, dafür haben wir viel zuviel zusammen erlebt, das Pony und ich. Aber bei Dallah wird es in guten Händen sein. Was werd ich wohl nun mit dem neuen Joy erleben? Und mit Felix?

Ach, ich liebe ihn, ich liebe ihn so sehr, daß ich jedesmal zu zerspringen glaube vor Glück, wenn wir uns treffen, wenn er mir entgegenkommt. Und jeden neuen Tag möcht' ich niederknien und Gott danken, daß er ihn mir geschickt hat.«

Als Agnes in die Stube kam, saßen Dallah und Eddy schon mit verschlossenen Gesichtern am Tisch unter der Hängelampe. »Wie seht ihr denn aus? Ist das hier ein Begräbnis oder ein Gerichtshof?«

»Setz dich und hör zu«, sagte Eddy. »Ich muß dir ein paar Fragen stellen.«

»Bitte«, sagte Agnes, setzte sich, stützte trotzig ihr Kinn in die Fäuste.

»Mister Salm hat sich heute erlaubt, dir ein Pferd zu schenken?«

»Allerdings. Ich hoffe, du hast es dir angesehen. Ein wunderbares Tier.«

»Ich habe vor allem gesehen, daß es ein sehr teures Tier ist.«

»Mag sein, Eddy. Aber ich habe ihn nicht nach dem Preis gefragt«, trotzte Agnes. »Bei einem Geschenk – du machst ja keine – kommt es nicht auf den Preis, sondern auf das Wesen an. Ich habe Dallah nun mein Pony geschenkt, und sie hat sich sehr darüber gefreut.«

»Ja, das stimmt«, begann Dallah. »Aber . . .«

»Aber das ist doch etwas ganz anderes«, unterbrach er sie eifernd. »Sie ist deine Schwester, der du alles schenken kannst. Er aber beschenkt dich so, daß du in der ganzen Stadt als seine Geliebte giltst. Zwei Kleider aus dem teuersten Salon – alle wissen es – und . . .«

»Zwei herrliche Kleider und sogar die Hüte dazu«, trumpfte Agnes auf.

»Und wenn sie jetzt noch hören und sehen, daß er dir dieses Pferd geschenkt hat, für einen horrenden Preis, dann werden sie dich nicht nur seine Geliebte nennen, sondern seine Maitresse, die er sich gekauft hat.«

»Was redest du für Blödsinn, Eddy? Ich liebe Felix. Er braucht mich nicht zu kaufen. Ich hungre mit ihm, wenn es sein muß. Ich tue für ihn alles, was er verlangt von mir. Ich liebe ihn, ich liebe ihn. Und er liebt mich. Begreifst du das nicht? Aber du kannst ja gar nicht lieben.« Sie wandte sich ihrer Schwester zu: »Dallah, liebt er dich wirklich? Weiß er überhaupt, wovon er redet?«

Dallah zuckte verlegen die Schultern. »Er sorgt sich um dich.«

»Jawohl, um dich und deine Familie, an die du überhaupt nicht denkst«, begann Eddy aufs neue. »Oder willst du mir mal sagen, wie das alles weitergehen soll mit dir, mit euch beiden?«

»Ganz einfach – wir werden heiraten«, sagte Agnes ohne den geringsten Zweifel in der Stimme.

»Hat er dir das gesagt?«

»Nein, aber . . .« ,

»Wie naiv bist du eigentlich?« höhnte Eddy weiter. »Wach doch endlich mal auf aus deiner Vermonter Traumwelt. Dieser Mister Salm ist kein Mann für dich. Das ist so ein europäischer Don Juan und Frauenverführer, der nichts ernst meint. Der dich eines Tages verlassen wird, so wie er auch die vielen Frauen verlassen hat, die vor dir waren. Und das waren andere Frauen, Fürstinnen, Gräfinnen, was weiß ich, und nicht so ein Gänseliesel aus Vermont wie du.«

Agnes hatte Mühe, nicht in Tränen auszubrechen, und irgendwie fühlte sie eine Art schmerzhaften Riß in der

Brust. Unwillkürlich legte sie die Hand auf ihr Herz und sagte tapfer: »Vielleicht braucht er eben keine Fürstin oder Gräfin, sondern nur ein Gänseliesel aus Vermont für sein Leben.«

Eddy sah sie kopfschüttelnd an. »Ich wußte, daß du mir nicht glauben wirst, daß man dir Beweise bringen muß.« Er schob ihr einen Packen Zeitungsausschnitte zu, die vor ihm auf dem Tisch lagen. »Hier, das hab' ich dir besorgt. Das sind Berichte, die von den Hafenreportern über deinen geliebten Prinzen geschrieben wurden, als er in New York an Land ging. Alles Tatsachen, keine Gerüchte. Da kannst du nachlesen, wieviel Schulden, Affären, Duelle und betrogene Frauen er hinter sich gelassen hat, als er Europa verließ. Ich glaube, nicht nur seine Familie, sondern die ganze Alte Welt hat drei Kreuze hinter ihm her geschlagen, als er endlich außer Sichtweite war.«

»Das hast du alles für mich besorgt? Wie aufmerksam«, sagte Agnes, ohne die Ausschnitte anzurühren.

»Besorgen lassen«, verbesserte er sich.

»Von wem?«

»Das tut doch nichts zur Sache.«

»Bill Jenkins hat das Zeug besorgt, nicht wahr?«

»Ja, Bill. Aber das ändert doch nichts an den Tatsachen.«

»Nichts an den Tatsachen, aber an ihrem Wert für mich. Bill kocht vor Eifersucht auf Felix. Ich sehe ihn vor mir, mit welcher Freude er das alles zusammengetragen hat.« Sie schob die Ausschnitte über den Tisch zurück. »Keine Zeile les' ich von diesem Zeug.«

»Wie du willst«, schimpfte Eddy, »aber sag später nicht, wenn alles zu spät ist, wir hätten dich nicht gewarnt.«

»Ich werde niemand beschuldigen außer mich selbst.« Wütend stopfte Eddy die Zeitungen in seine große

Packtasche zurück. »Jedenfalls gehört er mit zu dem adligen Abschaum aus Europa, den der gute alte Blenker um sich versammelt hat, ohne in seiner Naivität zu merken, wie er von diesen Burschen ausgenützt wird.«

»Außer dir scheint es hier nur Naive und Dummköpfe zu geben«, fuhr Agnes auf, die nicht gewillt war, ihren Felix auch nur im geringsten beschimpfen zu lassen. »Ohne diesen adligen Abschaum könntet ihr hier doch gar keine Armee aufbauen. Die Burschen haben wenigstens ihr Handwerk gelernt und wissen, wie man ein Regiment im Angriff und in der Verteidigung einsetzt, wie man Nachschub heranführt, erobertes Gelände sichert und . . .«

»Leute, die das können, haben wir auch«, unterbrach er sie zornig.

»Ja, zum Beispiel deinen West-Point-Jahrgang«, reizte sie ihn noch mehr. »Die Hälfte davon ist zu den Konföderierten übergegangen, und die andere Hälfte, wozu du gehörst, ist im Kriegsministerium untergekrochen und läßt den europäischen Abschaum für Vater Lincoln kämpfen.«

Er ballte die Fäuste. »Agnes, ich warne dich. Hör auf, in diesem Ton mit mir zu reden.«

»Es ist der Ton, in dem du begonnen hast, Eddy«, gab sie kühl zurück.

»Du weißt genau, wie unsre Soldaten kämpfen und sich opfern«, begann er wieder. »Und . . .«

Und wiederum unterbrach sie ihn: »Oder geopfert werden, meinst du? Von unseren sogenannten Generälen.«

»Die sind mindestens so gut wie diese selbsternannten Obersten und Generäle, die drüben in Europa mal einen Bauernhaufen geführt haben.«

»Da meinst du besonders unsern fabelhaften General Prentis, nicht wahr?«

»Das ist ein ganz anderer Fall. Der gehört gar nicht hierher«, fuhr er sie an.

»Da bin ich aber anderer Meinung. Prentis ist sogar ein Paradebeispiel für unsre Armee.«

»Was ist denn los mit dem?« fragte Dallah. »Den Namen hab' ich noch nie gehört.«

»Aber Dallah, alle Zeitungen sind voll davon. Hat dir Eddy noch niemals von diesem großen Strategen erzählt?«

»Warum denn? Was geht das Dallah an?« trotzte Eddy.

»Na gut, dann werd' ich es dir erzählen«, wandte sich Agnes, die das alles auch erst von Felix gehört hatte, sehr wichtig ihrer Schwester zu. »Über so etwas muß man einfach Bescheid wissen. Und es tut mir leid, daß auch Vater Lincoln darin eine gewisse Rolle spielt. Als er Präsident geworden war, kamen seine alten Freunde aus Springfield nach Washington, um sich irgendeinen einträglichen Gesandten- oder Konsul-Posten von ihm zu holen. Ganz zuletzt kam auch sein alter Kamerad Prentis.

›Well‹, sagte Lincoln, ›du kommst ziemlich spät, Prentis, was Gutes ist nicht mehr frei. Die Gesandtenposten sind weg.‹

›Gitb's nicht was andres?‹ fragte Prentis enttäuscht.

›Well, ich könnte dich zum General machen‹, sagte der Präsident nach einigem Überlegen.

›Wieviel bringt das im Jahr?‹ wollte Prentis wissen. Lincoln sagte es ihm, und Prentis war zufrieden damit. Kaufte sich eine schöne Uniform und wurde Grants Armee am Mississippi zugeteilt, um dort eine Brigade zu übernehmen. Und dies, obwohl er keine Ahnung von Truppenführung hatte. Woher auch? Nicht mal einen Kindergarten hätte er heil über die Straße bringen können. So aber befehligte er die Avantgarde, als die

Schlacht bei Shiloh begann. Zog 24 Stunden lang in der Gegend umher, ohne den Feind zu bemerken, der ihn schon längst umstellt hatte. Im Morgengrauen wurde sein fast ungesichertes Lager von den Konföderierten unter General Johnston überfallen. Ohne Gegenwehr wurden seine überrumpelten Soldaten in den Zelten niedergemacht, und Prentis wurde gefangengenommen. Und das ist wohl das einzig Gute an der Sache, daß der große Stratege Prentis nun kein Unheil mehr bei uns anrichten kann.«

»Stimmt das, Eddy?« rief Dallah erstaunt.

»Nun ja, in etwa«, wich er aus. »Aber sie übertreibt natürlich alles.«

»Ich denke nur an die Toten«, sagte Agnes, »an die Brüder und Söhne, die da so sinnlos fallen mußten.«

»Ja, das ist schlimm. Bestreit' ich ja gar nicht«, gab Eddy zu. »Aber was hat das alles mit unsrer Sache zu tun, von der wir ausgegangen sind?«

Agnes sah ihn an. »Das kann ich dir genau sagen, Eddy. Wenn du Felix angreifst, gerecht oder ungerecht, werd' ich ihn verteidigen. Mit allen Mitteln, die ich habe. Merk dir das.«

»Das heißt also, daß du nichts gelernt hast aus unserm Gespräch, daß du seine Geliebte bleiben willst, daß du –«

»Seine Geliebte oder sonstwas, was er aus mir machen will«, fauchte sie ihn an. »Ich gehöre zu ihm, nur noch zu ihm und zu niemand sonst mehr in der Welt.«

»Well«, sagte er und legte seine Hände ineinander. »Dann wird es dir ja auch nicht schwerfallen, mein Haus zu verlassen. Ich habe nämlich keine Lust und auch keine Kraft mehr, die Verrücktheiten meiner Schwägerin gegen meine eigene Überzeugung vor jedermann verteidigen zu müssen.«

Agnes sprang auf. »Nein, Eddy, das sollst du wirklich nicht. Ich will weder deinem Ruf noch deiner Karriere schaden. Ich gehe.«

Dallah hob beide Hände auf, Tränen in den Augen. »Das ist unmöglich, Eddy. Wohin soll sie denn gehen?«

»Nach Hause natürlich, wo sie hingehört. Dort hat sie Zeit genug, zu warten, bis ein richtiger amerikanischer Junge kommt, der sie heiratet und zu ihr paßt. Mit siebzehn fängt das Leben doch erst an.«

»Mach dir keine Sorgen um mich«, rief Agnes von der Schwelle her ihrer Schwester zu. »Die Welt ist groß. Ich finde schon meinen Weg.«

Und lief aus dem Zimmer in ihre Kammer hinüber, wo sie die Tür abschloß und sich langhin auf ihr Bett warf. Nur mit Mühe hatte sie sich Eddy gegenüber aufrecht halten können. Nun aber riß ihre Schwäche sie von den Füßen. Und abermals fühlte sie diesen seltsamen Riß in ihrem Herzen. Ein stetig drängender Schmerz, wie sie ihn noch nie zuvor empfunden hatte, der ihr den Atem nahm.

Nicht daß sie zweifelte an Felix oder ihm gar Vorwürfe machte. Aber ein Körnchen Wahrheit lag eben doch in dem Spießbürgergewäsch, das Eddy da von sich gegeben hatte. Und das ärgerte sie. Warum hatte ihr Felix denn nicht wirklich einmal gesagt, wo das alles hingehen sollte, wie er sich die Zukunft dachte, wann er sie heiraten wollte? Oder hätte sie ihn das fragen sollen? Nein, lieber sich die Zunge abbeißen. Warum überhaupt war er nicht bei ihr? Warum ließ er sie allein? Warum war sie nicht bei ihm?

Da klopfte Dallah an die Tür: »Agnes, mach auf. Ich muß mit dir sprechen.«

»Nein, ich kann nicht. Laß mich allein.«

Bei diesem Ton in der Stimme wußte Dallah, daß nichts zu machen war gegen den Starrsinn ihrer Schwester, und sie ging langsam wieder davon. Agnes lauschte ihren verhallenden Schritten nach und begann zu weinen. Lösende Tränen, denen sie sich ohne Widerstand hingab, bis der Ring um ihre Brust sich ein wenig lockerte und sie langsam wieder zu sich selber fand.

Endlich, sie wußte nicht, wie lange sie so gelegen hatte, stand sie auf, wischte sich mit beiden Händen die Tränen aus den Augen, zündete die kleine Öllampe an und riß energisch ihre Sachen aus dem Eckschrank, um einzupacken. Sie staunte, als alles vor ihr auf dem Tisch lag. Mit wie wenig war sie damals von zu Hause gekommen, und nun mußte sie wahrhaftig überlegen, wie sie all ihre Habe in den beiden Packtaschen unterbringen sollte, die ihr allein zur Verfügung standen. Aber wiederum gab es gar nichts zu überlegen. Wenn sie alles mitnahm, was ihr allein Felix inzwischen geschenkt hatte – zwei Kleider und die Hüte dazu, goldene Tanzsandalen und einen breiten goldenen Gürtel, die kleinen Reitstiefeletten, die Perlenhals- und Armbänder und anderen Schmuck –, waren die Taschen schon fast gefüllt, und alles andere mußte zurückbleiben. Mochte Dallah damit anfangen, was sie wollte.

Schließlich war sie so müde von den Aufregungen dieses Tages, daß sie sich, wie sie ging und stand, auf ihr Bett warf und sofort einschlief.

Als sie wieder erwachte, wehte der Frühlingsmorgen schon in das offene Fenster herein. Erfüllt vom Atem des Gartens vorm Haus, in dem sich Nelken und Rosen geöffnet hatten. Und hoch über allem der blanke, blaue Himmel der Hoffnung. Der Riß im Herzen schmerzte nicht mehr. Alle Trauer war von ihr abgefallen. Agnes

goß kaltes Wasser aus dem Krug in die breite Rosen-
schüssel, wusch sich von Kopf bis Fuß und zog sich an.
Die langen Lederhosen, das gefranste Lederwams dazu
und die engen hohen Reitstiefel. Band mit zwei roten
Seidenbändern ihr Haar im Nacken zusammen und
stülpte den breiten Lederhut darüber. Genauso wie sie
damals von Vermont her in diesem Haus hier angekommen war, wollte sie es wieder verlassen.

Sie sah sich um. Nichts Wichtiges war vergessen. Hob
die Packtaschen durch das Fenster in den Garten hinaus
und ging auf Zehenspitzen zur Tür. Lauschte kurz in das
morgenstille Haus hinein. Drehte den Schlüssel um,
stieß die Tür auf – und fand sich Dallah gegenüber, die
da klein und verweint im langen Nachthemd vor ihr im
Hausflur stand.

»Agnes, du darfst nicht gehn.«

»Ich muß, Dallah. Dein Mann will mich nicht mehr dulden in seinem Haus.«

»Ich werde noch einmal mit Eddy sprechen. Bestimmt
wird er einsehen, daß er gestern abend zu weit gegangen
ist.«

»Du kennst ihn doch, Dallah. Er wird nichts einsehen.
Und warum auch? Von seinem Standpunkt aus hat er
recht. Er wird mich nie verstehen. Und ich ihn auch
nicht.« Sie umarmte Dallah. »Leb wohl und weine nicht
mehr. Es muß sein.«

»Aber wohin willst du denn jetzt gehen? Zu ihm?«

»Nein.«

»Aber er wird dich doch suchen. Vielleicht kommt er
und fragt mich. Was soll ich ihm denn sagen?«

»Wenn er mich sucht, wird er mich auch finden.«

»Und wenn er dich nicht findet?«

»Dann, dann . . .«, Agnes schluckte trotzig, »dann soll
es eben so sein«, und ging aus dem Haus.

Dallah blieb verwirrt zurück, lief aber dann schnell auf die Veranda hinaus.

Wenig später schon trabte der Rapphengst an ihr vorüber dem offenen Hoftor entgegen. Agnes, die prallgefüllten Packtaschen links und rechts neben sich, saß im Sattel wie ein junger Ritter, der das Schicksal selber zum Kampf herausgefordert hatte.

»Agnes!« rief Dallah und streckte die Arme aus.

Aber die Angerufene, entschlossen-verschlossenen Gesichts, hob kurz nur die Hand und ritt, ohne sich noch einmal umzusehen, auf die Straße hinaus.

Dallah verstand die Welt nicht mehr.

Sie liebte Eddy, und sie liebte Agnes. Warum nur, dachte sie dem in der Ferne verhallenden Hufschlag nach, warum verstehen die beiden sich nicht?

Sie war sicher, Agnes niemals wiederzusehen.

Die Entführung

Felix ritt im Galopp den Sandweg entlang, der sich am hohen Ufer des Potomac hinschlängelte. Unter den Hufen seines Schimmels stoben die Steine. Aus den Schilfbuchten schreckten die Wildenten auf, brachten sich kreischend über das Wasser hin in Sicherheit. Mit jedem Meter, den er sich weiter von der Stadt entfernte, wuchs seine Angst um Agnes.

Längst hatte er den äußersten Punkt dieses Weges, den sie jemals gemeinsam erreicht hatten, hinter sich gelassen. Aber von Agnes noch immer keine Spur.

Wo immer es das Gelände möglich machte, auf jeder kleinen Erhebung, bei jeder neuen Biegung des Weges, verhielt er den Schimmel, stellte sich hoch in die Steigbügel und schaute weit über das Land hin. Nach links über das mückenschwirrende Moor, dessen Einsamkeit ihn zu ersticken drohte. Nach rechts über buschbestandenes Wiesenufer und das windbewegte Wasser dahinter, dessen flirrende Unruhe seine Angst steigerte. Nicht daß er fürchtete, Agnes habe sich etwas angetan – solche Art Flucht entsprach nicht ihrem Charakter –, aber Angst läßt sich von Vernunft nicht zügeln.

Der Sandweg verengte sich zum schmalen Pfad, nahe am abbröckelnden hohen Ufer dahin. Seine Zweifel, daß Agnes hier geritten sein könnte, wurden immer stärker. Er hielt an und sprang aus dem Sattel, weil er glaubte, im Sand frische Hufspuren zu sehen. Was er fand und niederkniend untersuchte, gab ihm kaum Aufschluß.

Spuren, die nach beiden Richtungen führten und wahrscheinlich von den Jägern stammten, die hier draußen Enten und Moorhühner schossen. Manchmal waren sie ihnen entgegengekommen, ihre Beute am Sattel, wenn er mit Agnes nahe der Stadt zum Fluß hinuntergeritten war.

Er stieg wieder auf, wollte umkehren, weil er nun fast sicher war, in der falschen Richtung unterwegs zu sein, während Agnes indes vielleicht nach Norden ritt, Vermont entgegen. Machte seinen Entschluß aber von der nächsten kleinen Anhöhe abhängig, die etwa hundert Meter voraus lag. Sollte auch von dort aus wieder nur Moor, Wasser und Himmel zu sehen sein, wollte er aufgeben, in anderen Richtungen suchen. Obwohl noch ratlos, wohin und wie.

Die kleine Anhöhe war bald erreicht. Er drehte den Schimmel im Kreis, spähte nach allen Seiten. Nichts. Nichts. Unendliche Weite, die sich über dem Fluß im Frühdunst vor den Blue-Ridge-Bergen verlor. Enttäuscht, nein, angstvoll verzweifelt schon, wollte er endgültig umkehren, als er mit einem letzten Blick weit voraus in den Uferwiesen hinter hohen Büschen ein Pferd hervorkommen sah. Nur undeutlich erst zu erkennen.

Er ließ dem Schimmel die Zügel frei, der nun, als wüßte er, worum es ging, im gestreckten Galopp seine ganze Schnelligkeit ausspielte.

Näher, immer näher. Und nun kein Zweifel mehr. Das war ihr Rappe. Mit leerem Sattel. Wo war Agnes?

Er riß das Pferd vom Sandweg den Abhang hinunter. Trommelnder Hufschlag über den Wiesengrund hin. Und aus der Brust ausbrechend ein einziger Angstschrei, langhin hallend: »Agnes!«

Weiter Sprung noch über einen Wassergraben, und dann sah er sie plötzlich vor sich. Ein in braunes Leder gehülltes Etwas. Vor den Büschen in einer Mulde im hohen Gras. Lag da wie leblos, hob nicht den Kopf, nicht die Hand.

Im vollen Galopp noch sprang er aus dem Sattel, ließ den Schimmel weiterjagen, lief zu ihr hin, warf sich neben sie ins Gras. »Agnes!«

Hob mit beiden Händen ihr schmales Gesicht auf, sah in ihre verweinten Augen. »Mein Gott, Agnes, daß ich dich wiederhabe.«

Sie sah ihn nur an.

Er küßte ihre steile Steinbockstirn, ihre Augen, die kleine Nase, den kindlich-schwellenden Mädchenmund, ihr trotziges Kinn. Streichelte über ihr Haar hin, drückte sie an sich. »Diese Angst, diese furchtbare Angst! Ich hab' gewartet auf dich, wie immer bei Soldiers Home. Vergeblich. Bin endlich zu deiner Schwester geritten. Sie weinte nur. Stammelte unverständliches Zeug. Daß es Streit gegeben habe. Daß du weggeritten seist, niemals wiederkämst. Wohin? Sie wußte es nicht. Da bin ich losgejagt. Immer unsern Weg entlang. Nur da könntest du sein, dacht' ich. Aber ich sah dich nicht. Ich fand dich nicht. Beinahe wäre ich wieder umgekehrt.«

Und sie sah ihn noch immer nur an.

»Warum bist du nur so weit geritten? Viel weiter, als wir jemals waren. Du weißt doch, daß dieser Weg weit draußen im Moor endet. Im Nichts. Im Nirgendwo.«

»Vielleicht wollt' ich dahin«, sagte sie leise und warf ihm plötzlich die Arme um den Hals. »Felix, laß mich nie allein. Nie wieder.«

»Nie wieder«, sagte er, drückte sie fest an sich und küßte ihr die wieder rinnenden Tränen aus den Augen. »Was ist denn eigentlich los gewesen bei euch? Ich versteh' das alles gar nicht. Aus deiner Schwester war nichts herauszukriegen.«

»Eddy hat mir sein Haus verboten. Das ist alles.«

»Verboten? Warum denn?«

»Weil ich deine Geliebte bin, wie er sich ausdrückt. Weil die Leute über uns reden. Weil er sich solche Gerüchte nicht leisten könne bei seiner Stellung im Ministerium.«

»Ach, du mein Gott«, sagte Felix. »Fast die gleichen Vorwürfe hab' ich gestern abend auch anhören müssen.«

»Von wem?«

»Von Corvin. Mein ganzes leichtsinniges Leben hat er vor mir wieder mal an die Wand gemalt. Und hat mich gewarnt, nein, hat mir verboten, dich da mit hineinzuziehen.«

Agnes drängte sich in seine Arme. »Endlich einer, der mich vor dir beschützt. Ich selber könnte es gar nicht.«

»Armer Engel«, sagte er in ihre Augen hinein, die schon wieder lächeln konnten. »Und was hat er außerdem noch an mir zu rühmen gewußt, dein kluger Schwager?«

»Daß du ein Schuldenmacher und Händelsucher bist, ein Tunichtgut, der Schrecken deiner Familie, adliger Abschaum aus Europa und ein Don Juan dazu, der schon tausend Frauen unglücklich gemacht habe, und ich sei die nächste. Und wenn ich etwa glauben sollte, daß du mich jemals heiraten würdest, könne er nur meine hinterwäldlerische Naivität bestaunen.«

»Große Worte, das muß ich sagen. Ich hoffe, du hast ihm die nächstbeste Blumenvase an den Kopf geworfen.«

Agnes fuhr aus seinen Armen auf. »Wie konnt' ich das denn? Hat er nicht recht? Hast du jemals mit mir darüber gesprochen, wie es mit uns weitergehen soll? Was deine Pläne sind, wenn du überhaupt welche hast? Und bin ich vielleicht doch nur ein Spielzeug für . . . ?«

Er riß sie an sich, verschloß ihren Mund mit einem endlosen Kuß, bis sie sich losriß. »Mein Gott, ich ersticke.«

»Ja, das sollst du, wenn du nur ein solches Wort noch sagst.«

»So machst du es immer, wenn ich dich etwas frage«, sagte sie mit dunklen Augen, »aber Küsse sind keine Argumente.«

»Argumente nicht, Antworten auf jeden Fall«, meinte er und wurde ernst. »Ja, ich bekenne mich schuldig. Ich hätte dir längst schon erklären müssen, wie ich mir alles denke mit unsrer Zukunft.«

»Hast du wirklich etwas gedacht?« fuhr es ihr heraus.

»Nicht so!« Er drohte ihr mit dem Finger und fuhr sachlich fort: »Meine Zukunft war verdammt ungewiß. Da wollt' ich dich nicht einfach so hineinreißen. Mein Oberstenpatent kam nicht. Es gab da gewisse, nicht faßbare Widerstände im Ministerium. Bis Blenker selbst hingefahren ist und die Sache nun endlich geregelt ist. Was hätt' ich dir also schon sagen sollen in dieser ungewissen Zeit?«

»Daß du mich liebst und mich nie verlassen wirst.«

»Aber das hab' ich doch jeden Tag wiederholt. Morgens und abends.«

Sie schüttelte den Kopf. »Stimmt. Und trotzdem noch zu wenig. Nichts anderes hatte ich doch, woran ich mich halten konnte. Auch meiner Familie gegenüber.«

»Das war es ja, Liebling. Mit deiner Familie wollt' ich erst sprechen, wenn ich festen Boden unter den Füßen fühlte. Jetzt ist es soweit, und . . .«

»Über unsere Zukunft brauchst du nur mit mir zu sprechen«, unterbrach sie ihn. »Meine Familie kann mir da nicht helfen, und es geht sie auch nichts an.«

Er nahm ihre Hand. »Ja, mein Trotzkopf. Die ganze Welt geht uns nichts an. Also hör zu . . .«

94

Da lachte sie schon wieder. »Ein Glück, daß wenigstens der gute Corvin auf meiner Seite steht. Daß er dir mal die Meinung gesagt hat. Ach, ich hätte ihm zuhören mögen.«

»Ja, er steht so sehr auf deiner Seite, daß er mir verboten hat, dich zu heiraten.«

Ungläubig starrte sie ihn an. »Verboten? Warum denn?«

»Er behauptet, daß ich dich unglücklich machen würde.«

Mit beiden Armen umschloß sie ihre Knie, stützte ihr Kinn darauf, dachte lange vor sich hin und sah ihn endlich an mit einem dieser schmalen Blicke, vor denen er verging. »Nein, Corvin hat nicht recht. Wir werden sehr glücklich sein.«

»Ja, sehr glücklich«, wiederholte er leise.

»Das Unglück gehört zum Glück«, fuhr sie fort in ihrer kleinen Weisheit. »Wenn es kommt, müssen wir uns eben noch fester halten als sonst, niemals allein lassen.«

Sie sahen sich an und fielen einander in die Arme. Küßten sich, stammelten taumelnde Worte und küßten sich abermals. Lagen Kopf an Kopf nebeneinander, über sie hin der warme Atem des Sommers, sahen in den großen Himmel hinauf und waren die Mitte der Welt.

Nach langer Stille erst begann Agnes wieder: »So, nun sag mir also, was du dir gedacht hast und wie das alles weitergehen soll.«

»Ganz einfach. Ich werde dich entführen.«

»Entführen?«

»Deine Familie hat dich ausgestoßen, wie du sagst. Du bist ein heimatloses Mädchen. Was liegt näher?«

»Als mich zu entführen? Richtig. Klingt sehr logisch. Und, bitte, wohin?«

»In meine Wohnung nach Hunters Chapel. Ganz einfach. Dort werd' ich dich erst mal verstecken. Hinrich Kruse und die Witwe Perkins werden durch Ehrenwort zum Schweigen verpflichtet.«

»Und wie lange soll das dauern, dieses Verstecken?«

»Bis ich alles zu unsrer Trauung vorbereitet habe.«

»Unsre Trauung, ach, wie das klingt«, jubelte sie auf, küßte ihn wieder und wieder. »Ach, Felix, ich liebe dich, ich liebe dich . . .«

Er nahm sie so fest in die Arme, daß sie sich nicht mehr rühren konnte. »So, jetzt hör mir erst mal zu. Ich muß Blenker einweihen . . .«

»Muß das sein?«

»Ja, er ist mein Vorgesetzter. Ich muß zweitens einen Priester besorgen.«

Sie nickte. »Richtig, einen Priester.« Sie löste sich plötzlich aus seinen Armen und sah ihn mißtrauisch an. »Was für einen Priester?«

»Einen katholischen natürlich.«

»Wieso natürlich? Ich bin ein puritanisches Mädchen aus Vermont, da, wo es am puritanischsten ist. Weißt du das nicht?«

»Nein, Liebling, keine Ahnung. Ist das so schlimm?«

»Schlimmer geht es gar nicht. Eine Puritanerin und ein Katholik, das ist die ewige Verdammnis. Das ist, als würde ich den Teufel selber heiraten.«

In seiner leichtsinnigen Art zog er sie lachend an sich. »Komm in die Arme deines Teufels, meine kleine Hexe. Findest du wirklich, daß es ein Problem sein sollte für uns?«

Entschieden rückte sie ab von ihm, richtete sich auf, sah ihn an, krause Falten auf der Stirn. »O ja, es ist ein Problem. Nicht so einfach, wie du denkst.«

»Ein Problem wird es nur, wenn man es dazu machen will«, warf er ungeduldig ein.

»Das will ich wirklich nicht«, sagte sie langsam. »Ich denke nur daran, wie lange wir uns schon kennen, und niemals ist mir aufgefallen, daß du katholisch bist. So wichtig scheinst du deine Religion also gar nicht zu nehmen?«

»Nein, es ist mehr Gewohnheit und Erziehung«, gab er zu. »Zur Messe geh' ich vielleicht einmal im Jahr. Wie es der Zufall so will.«

»Dann verstehe ich nicht, warum es gerade ein katholischer Priester sein muß, der uns traut.«

»Das ist ganz einfach. Ich denke dabei an deine künftige Sicherheit und die unsrer Kinder, die wir bekommen werden. Meine Familie ist stockkatholisch, seit 1000 Jahren schon, und wird dich nur anerkennen, wenn wir katholisch getraut sind. Schließlich bin ich Soldat, und das bedeutet, daß du von heute auf morgen wieder allein sein könntest.«

»Nein«, wehrte sie erschrocken ab.

»Soldatenleben ist nun einmal ein Risiko. Man muß das klar sehen und bedenken«, sagte er eindringlich. »Und da will ich nicht, daß dir nur wegen eines falschen Trauscheins wichtige Rechte bestritten werden. Rechte, die dir dann zustehen, denn ich habe ein beträchtliches Erbe zu erwarten. Siehst du das ein?«

Agnes nickte. »Ich versuche es.«

»Mit so ernstem Gesicht?« Er lächelte. »Eigentlich ist es doch nur eine Formsache. Du bleibst eine brave Christin, und niemand verlangt von dir, deine Überzeugung zu verraten.«

Sie saß regungslos mit geschlossenen Augen und kaute auf ihrer Unterlippe.

Er sah sie an. »Was denkst du so schwer?«

»Wenn wir zu Haus ein Problem hatten, fragten wir die Bibel um Rat, die immer auf dem Tisch lag«, sagte sie.

»Und du meinst, sie könnte auch für uns eine Antwort haben?«

Agnes nickte stumm.

»Schade, daß wir sie nicht zur Hand haben.«

Agnes öffnete die Augen. »Man kann sie auch im Kopf haben. Und ich glaube, sie hat auch eine Antwort für mich. Da heißt es: ›Dein Gott sei mein Gott‹, und: ›Wo du hingehst, da will auch ich hingehen.‹«

»Ja, wirklich«, rief er und strahlte. »Das Problem ist gelöst.«

»Nicht ganz. Aber es ist leichter geworden«, sagte sie und seufzte.

Er nahm sie in den Arm, küßte ihre ernsten Augen. »Was hab' ich für ein kluges Mädchen, und was für ein kluges Buch ist die Bibel«, sprang auf und zog Agnes mit einem Ruck auf die Füße. »Folg nun dahin, wo ich hingehe. Ohne Widerspruch.«

»Ohne Widerspruch!« Sie lachte und lief ihm voraus, die Pferde einzufangen.

Nach einem ausgiebigen Friedens- und Freudenmahl im »Willard« – denn Agnes hatte nach den Aufregungen der letzten Nacht und ihrer Flucht einen Bärenhunger – langten sie endlich wieder in Hunters Chapel an. Wo es bei beginnender Dämmerung keine Schwierigkeiten machte, die so willig entführte Braut ungesehen in die Farm der Witwe Perkins einzubringen.

Hinrich Kruse, seinem Prinzen treu ergeben, schwor bedingungslose Verschwiegenheit. Desgleichen die Witwe Perkins, deren anfänglich moralische Bedenken sich mit einer Handvoll Dollars leicht beschwichtigen ließen.

Und es begann jene Zeit, die Agnes späterhin zur glücklichsten ihres Lebens zählte und, ohne sich in Einzelheiten zu verlieren, in ihrem Tagebuch unter dem einzigen lapidaren Ausruf zusammenfaßt: »Ach, diese wunderbaren Tage!« Zeit der Erfüllung für eine Siebzehnjährige, in der alles zitternde Erwartung gewesen war. Felix nutzte jede Minute, die ihm der Dienst ließ, vom nahen Stabsquartier der Division zu ihr herüberzukommen. Und in den Nächten ließen sie einander kaum aus den Armen. Seine Erfahrung hatte Felix zu einem zärtlich-geduldigen Liebhaber gemacht, unter dessen wissenden Lippen und Händen, in dessen Küssen und Umarmungen Agnes immer aufs neue in rauschhafter Hingabe verging. Glücksgewißheit, die sie tagsüber oft noch als sanften Schmerz empfand, wenn sie auf der Veranda in der Sonne saß, ihn zu erwarten. Manchmal fand er sie dann in Tränen aufgelöst, riß sie besorgt in seine Arme. »Agnes, Engel, worüber weinst du?«

Dann hing sie lächelnd an seiner Brust. »Ach, nur darüber, daß wir so glücklich sein dürfen.«

Indes kümmerte er sich sehr entschieden, ganz im Gegensatz zu seiner sonstigen Lässigkeit, um die gesetzlichen Vorbedingungen der Eheschließung. Um in Washington damit kein Aufsehen zu machen, ließ er sie mit den erforderlichen Daten beim Friedensrichter in Fairfax registrieren. Mit Daten allerdings, die, was Agnes betraf, reine Fälschungen waren. Um als Minderjährige nicht noch einmal Schwierigkeiten zu haben, hatte sie sich um zwei Jahre älter gemacht, den Familiennamen Joy endgültig aufgegeben und sich sehr wohlklingend nur noch Agnes Winona Leclerq genannt. Ihren biederen Farmersvater William Leclerq Joy zum kanadischen Obersten befördert und Baltimore als Geburtsstadt angegeben. Vor allem wollte sie damit verhindern, daß sie zu Hause auf der Georgia-Farm, auch nicht durch einen Zufall etwa, von ihrer Minderjährigenehe erfahren könnten. Und es nahm auch niemand Anstoß an ihren Verwandlungen.

Viel schwieriger war es für Felix, einen katholischen Priester zu finden, der bereit war, einer sogenannten konfessionellen Mischehe seinen Segen zu geben. Nach vielen Absagen erst stieß er auf Pater Walter, einen jungen, liberal denkenden irischen Jesuiten. Um kein Aufsehen zu erregen, kam Felix mit ihm überein, die Trauung in der neben der St.-Patricks-Kirche gelegenen kleinen Wohnung des Priesters stattfinden zu lassen. Pater Walter bestand lediglich darauf, daß die gesetzlichen Vorschriften vorher erledigt sein und zwei ehrenwerte Zeugen mitgebracht werden müßten. Das konnte Felix leichthin versprechen.

Sodann war es an der Zeit, General Blenker, der sich offen überrascht zeigte, in sein Geheimnis einzuweihen.

»Was denn, Salm, diese kleine Agnes Leclerq?«

»Jawohl, General, die kleine Leclerq.«

»Haben Sie sich das auch gründlich überlegt?«

»Da gab es nicht viel zu überlegen, General. Wir lieben uns.«

Blenker kniff seine blauen Augen zusammen. »Liebe ist freilich ein Grund. Aber auch nur einer. Und Stella Bowman, diese New Yorker Brauerstochter da, ist also nicht mehr im Rennen?«

»War nie im Rennen, General, wenn es überhaupt eins gab.«

»Deren Mutter, meine Landsmännin, hat mich vor zwei Tagen bestürmt, ein Wort für ihre Stella bei Ihnen einzulegen. Hat wohl nun keinen Sinn mehr?«

»Nein, General, nichts zu machen.«

»Tut mir leid für die Dame. Sie hätte ihre Tochter gern als Prinzessin gesehen.«

»Aus diesem Grund hätt’ ich schon viele Töchter heiraten können, General.«

Blenker lachte. »Kann ich mir denken. Aber der alte Bowman will einige von seinen Biermillionen springen lassen dafür. Das Angebot ist sehr präzise: eine Million Dollar als Mitgift. Dazu ein Landhaus mit Dienerschaft auf Long Island, dessen gesamte Kosten er übernimmt. Außerdem zahlt er Ihre in Europa zurückgelassenen Schulden.«

»Der Arme hat keine Ahnung, was ihm da blühen würde«, sagte Salm vergnügt.

»Also abgelehnt?«

»Jawohl, abgelehnt, General. Ich hab’ diese Stella ja nur einmal gesehen. Damals nach meiner Ankunft in New York. Und das hat mir genügt. Diese rosige Haut, die schwitzenden Patschhändchen, dieses exaltierte Gekicher und dazu noch diese vielleicht 150 Pfund, die sie mit sich herumschleppt.«

»Ja, das Gewicht könnte stimmen.«

»Nichts für mich, General. Unmöglich.«

»Also lieber Agnes ohne Millionen als Stella mit?«

»Agnes ohne. Da gibt’s gar keinen Zweifel, General.«

Blenker streckte ihm die Hand hin. »Glückwunsch, Salm. Ich hätt’ mich genauso entschieden. Diese Agnes ist ein Prachtmädchen. Meine Verehrung, und geben Sie ihr einen Kuß von mir.«

»Wohin, General?«

»Sie sind großzügig, Prinz. Darf es der Mund sein?«

Felix nickte übermütig. »Befehl wird ausgeführt, General.«

»Das ist kein Befehl. Nur eines alten Mannes Wunsch«, sagte Blenker wehmütig. »Werdet glücklich, ihr beiden.«

Nun blieb allein noch die Aufgabe, die beiden Zeugen für die Trauung zu bestellen. Der erste war leicht gefunden in Major von François, einem gleichaltrigen Kameraden, den Felix aus Potsdamer Kadettentagen kannte. François fühlte sich geehrt und versprach emphatisch, sich am folgenden Morgen zur festgesetzten Zeit in der Wohnung des Paters Walter an der St.-Patricks-Kirche einfinden zu wollen.

Schwieriger war es mit dem zweiten Zeugen – Agnes hatte sich Corvin in den Kopf gesetzt. Felix, obwohl er den strengen Freund auch gern um diesen Dienst gebeten hätte, versuchte ihr das auszureden. Er dachte mit Schrecken noch an die letzte Unterredung zurück, seit der er den Oberst nicht mehr gesehen hatte. Aber Agnes bestand darauf. Zeigte zum erstenmal, daß sie, wie auch im späteren Leben, nicht bereit war, vor Schwierigkeiten zurückzuweichen.

So machte sich Felix denn auf den schweren Weg in die Siebente Straße, wo Corvin eine hübsche kleine Wohnung bezogen hatte, nachdem ihm das »Willard« zu laut geworden war. Der Oberst empfing ihn aufs freundlichste, hörte sich bereitwillig die Geschichte der Entführung an, die Felix wie eine einzige Entschuldigung vorbrachte, und antwortete endlich mit einem klaren »Nein!« Nach wie vor lehnte er es ab, die Dummheit dieser Heirat zu unterstützen, mit der zwei sehr geliebte Freunde sich seiner Meinung nach ins Unglück, wenn nicht gar in ihren Untergang stürzen würden. Kein Handschlag dazu. Schluß.

Sehr betreten langte Felix in Hunters Chapel wieder an, wo Agnes gespannt schon auf das Ergebnis der Unterredung wartete.

Er mußte ihr haarklein Stimmung und Benehmen, jede Antwort, jeden Einwand des Obersten berichten.

Wie sie so vor ihm saß und aufmerksam zuhörte, war sie von seltsam rührender Schönheit. Wie von innen leuchtend. Diese Liebestage hatten aus der Siebzehnjährigen nicht nur eine bezaubernde junge Frau gemacht, sondern auch die guten Anlagen ihres Herzens voll aufblühen lassen. Bis zur Nasenspitze in ihren Felix verliebt, in einer Art keuscher Sinnlichkeit glühend, bewahrte sie sich in entscheidenden Situationen dennoch einen klaren Kopf. Im Gegensatz zu ihm, der in seinem Jähzorn zumeist die falschen Entscheidungen traf, keine Menschenkenntnis besaß und auf jeden Scharlatan und Schmeichler erst mal hereinfiel, waren ihr Lebensklugheit und Menschenahnung angeboren. Eine gewisse Witterung für Situationen und Gefahren, die in ihrem wilden Blut mitzuströmen schien. Und es hätte sich Felix fortan manch bittere Stunde seines Lebens ersparen können, wäre er vertrauender ihrem Urteil gefolgt.

»Nun, das ist alles nicht so schlimm«, sagte Agnes mit krauser Stirn, nachdem Felix seinen Bericht beendet hatte. »Wir werden Corvin morgen rechtzeitig zur Trauung in seiner Wohnung abholen.«

»Aber Agnes, Liebling, wie stellst du dir das vor? Er wird uns gar nicht empfangen oder gleich wieder rauswerfen.«

»Weder das eine noch das andere«, beharrte Agnes lächelnd, »er wird unser Zeuge sein.«

»Ich wette, nein.«

»Ich wette, ja!«

Prinzessin Agnes Salm

Besser, als es Corvin in seinen Erinnerungen getan hat, ist die Trauung des jungen Paares mit all ihren Schwierigkeiten und unvorhergesehenen Zwischenfällen nicht zu beschreiben. Und es sei darum erlaubt, seinen Bericht als den des unmittelbarsten Augenzeugen, nur um weniges gekürzt und modifiziert, hier einzufügen.

»Die Zeit zu meinem üblichen Morgenritt war gekommen, und ich schickte mich, gestiefelt und gespornt, gerade an, meine Wohnung in der 7th Street zu verlassen, als im gleichen Augenblick das junge Paar mein Zimmer betrat. Er trug die neue Oberstenuniform, die ihm vortrefflich stand, während sie, in einem weißen Musselinkleid, das nur von einem breiten goldenen Gürtel in der Taille gehalten wurde, wie eine Wolke von Licht hereinwehte.

Mit einer gewissen Verlegenheit, da er mein Erstaunen bemerkte, aber dennoch sehr bestimmt, erklärte der Prinz, daß wir in ziemlicher Eile zur St.-Patricks-Kirche aufbrechen müßten, wo der Priester schon zur Trauung bereitstünde.

Ich glaubte nicht recht zu hören, hatte ich ihm doch am Abend zuvor erst sehr entschieden begründet, warum ich sein Zeuge nicht sein könnte. Obwohl ich ihn gern hatte – war er doch, ohne brillante Talente zu haben und ohne ein großer Charakter zu sein, eine der offensten, kindlich-herzlichsten Naturen, die ich kannte –, sagte ich ihm mit recht harten Worten ins Gesicht hinein meine ungeschminkte Meinung. Und es kam mir nicht ungelegen, daß dabei auch die hübschen Ohren der Braut diese Wahrheiten mit anhören mußten.

Indes schien ihr mein Zorn keinen sonderlichen Eindruck zu machen. Im Gegenteil, je überzeugender ich zu sprechen glaubte, um so mehr lächelte sie – ein leises Licht, das tief in ihren Augenwinkeln saß. Davon ein wenig aus dem Konzept gebracht, schloß ich, ihr zugewandt, sehr betont: ›Ich bin froh, daß ich die Gründe meiner Weigerung, die ich Felix schon einmal auseinandergesetzt habe, nun auch Ihnen noch einmal sagen konnte, Agnes!‹

›Sehr vernünftige und überzeugende Gründe, Oberst, die nicht zu bestreiten sind‹, stimmte sie zu, immer mit diesem Lächeln in den Augen. ›Aber die Sache ist nun einmal die, daß wir uns lieben und darum heiraten werden, was immer daraus werden mag‹, trat auf mich zu, tat einen Fußfall, so anmutig, als schwebe eine Schneeflocke zur Erde, und fuhr fort mit ihrer innigen, ein wenig singenden Stimme: ›Oberst, Sie sind unser einziger Freund und werden unser Zeuge sein, nicht wahr?‹

Wie hätte ich ihr widerstehen können? Wer überhaupt? Wie sie da vor mir kniete in ihrer jungen Schönheit, mich nun mit der vollen Bezauberung ihres Lächelns anstrahlend. Ihr Haar tiefschwarz, die Haut elfenbeinfarben, sanft wie die Haut schöner Spanierinnen. Dazu die ausdrucksvollen braunen Augen, schön gezeichnete dichte Brauen, eine reine, hoch gestellte Stirn, kleine, hübsche Nase und einen etwas größeren reizvollen Mund, dessen volle frische Lippen sich im Atem der Jugend öffneten. Unter dem Rocksaum hervor die schlanken Fesseln, von buntbestickten weißen Strümpfen bekleidet, diese tanzfreudigen kleinen Füße, die später einmal von kaiserlichen Augen bewundert werden sollten.

Ich hatte Agnes lange nicht mehr gesehen. Aus dem damals noch etwas scheuen Mädchen war eine bezaubernde junge Frau geworden. Dieses Wunder der Verwandlung, die nur Liebe bewirkt.

Kurz, ich hob sie auf und erklärte meine Niederlage, die sie ihrerseits als selbstverständlichen Sieg zu betrachten schien. Warum sollte ich auch, da diese Ehe nun einmal nicht mehr zu verhindern war, bloße Prinzipien und bessere Einsichten über die Freundschaft stellen?

In der Equipage, mit der das junge Paar gekommen war, fuhren wir im Galopp zur St.-Patricks-Kirche hinüber, hinter der wir Pater Walter, schon längst zur Amtshandlung bereit, im Halbdunkel einer recht unaufgeräumten muffigen Wohnung fanden.

Nicht vorhanden war indes Major von François. Eine Überraschung, die Salm, nachdem die Sache doch mit Handschlag besiegelt worden war, gar nicht fassen konnte. Um so mehr, als der Major ein Schreiben hatte abgeben lassen, in dem er mitteilte, es seien ihm über Nacht starke Bedenken gekommen, an einer Ehe mitzuwirken, die so gar nicht dem Hausgesetz der Fürsten Salm entspräche. Da er die Absicht habe, nach dem Ende des Bürgerkriegs nach Deutschland zurückzukehren, wolle er sich nicht den Zorn eines regierenden Hauses zuziehen. Mit einem Fluch, den wir ihm aus ganzem Herzen nachempfanden, warf Salm den Brief in die Ecke und sah fragend Pater Walter an, der so gar nichts Priesterliches an sich hatte und eher einem Roué und Weltmann glich.

Und mit weltmännischer Ruhe auch öffnete er die Tür, um als Vertretung für den Major seine irische Köchin hereinzurufen. Ein von Zwiebelduft umhauchtes, ungeheuer schmutziges Weib von etwa zwei Zentner Gewicht und gleich starker Gemütskraft. Angesichts der strahlenden Braut brach sie in Tränen aus und erklärte emphatisch, noch nie ein schöneres Paar gesehen zu haben. Indes hatte Pater Walter inmitten der Unordnung seines Arbeitstisches zwei ungleich lange Kerzenstummel angezündet, warf nun das weiße Chorhemd über seinen eleganten Gehrock und die gestickte Stola in der Eile verkehrt um den Hals. Schon die Eingangsgebete murmelnd, schloß er das Fenster und haspelte die ganze Zeremonie – ich sah nach der Uhr – in etwas mehr als anderthalb Minuten herunter. Riß sich die Stola wieder vom Hals und küßte die Braut ausdrucksvoll auf die schöne Stirn. Agnes, sichtlich verdutzt über die Schnelligkeit, mit der sie zur Prinzessin gemacht worden war, fragte mich halblaut: ›Is that all?‹ Und noch ehe ich ihr antworten konnte, sagte Pater Walter, der die Bemerkung gehört hatte, lächelnd zu ihr: ›Die Zeremonie ist kurz, allein sie bindet für ein ganzes Leben genauso, als ob sie eine Stunde gedauert hätte.‹ Wozu ich noch bemerken muß, daß merkwürdigerweise allein Salm Ernst und Bedeutung dieses Schrittes ganz zu begreifen schien. Niemals wieder habe ich ihn so tief ergriffen und in sich gesammelt erlebt wie damals, in der dunklen Hinterstube des jungen Priesters.«

»Is that all?« fragte sich Agnes abermals, als der Alltag des Soldatendaseins, dem sie sich genauso wie Salm zu fügen hatte, nun wieder ihr Leben bestimmte. Nicht daß Salm etwa weniger aufmerksam, weniger liebevoll zu ihr gewesen wäre. Im Gegenteil, noch erfüllte Flitterwochenglück ihre Tage und Nächte. Was aber hatte sie davon, dachte sie immer wieder, wenn sie so am Fenster saß und auf ihn wartete, eine legitime Prinzessin zu sein, ohne daß die Welt davon wußte? Nachdem die Ehe nun gültig geschlossen war, fürchtete sie weder ihren Schwager noch mögliche Reaktionen ihrer Leute auf der Georgia-Farm. Hätte ihnen vielmehr gar zu gern gezeigt, was aus ihr geworden war. Ganz diskret natürlich, aber auch eindrucksvoll. Mit einem gemäßigten Paukenschlag gewissermaßen, wenn es so etwas geben sollte. Die verrücktesten Möglichkeiten wirbelten ihr durch das siebzehnjährige Köpfchen. Nachdenklich auf der Unterlippe kauend, verwarf sie alle wieder, weil sie einsehen mußte, daß hier nur etwas ganz Besonderes, Einmaliges, Widerspruchsloses in Frage kommen konnte. Etwas, vor dem auch Felix, der solche Überlegungen gern ins Lächerliche zog, zuletzt die Waffen strecken mußte. Das aber konnte nur der Zufall bringen, ein großer Zufall, ein Wunder.

Und das Wunder kam, rechtzeitig fügten sich die Dinge ihrem Willen, denn sie war eine Hexe.

»The Washington Post« brachte die Nachricht, daß der Präsident in den nächsten Tagen schon für den Herzog von Chartres und seinen Bruder, den Grafen von Paris, zwei königliche Prinzen aus Frankreich, im Weißen Haus einen Staatsempfang vorbereiten ließe. Obwohl von den Fronten nur Hiobsbotschaften eintrafen, die meisten Schlachten gegen den Süden unter ungeheuren Opfern verloren wurden, glaubten der Präsident und seine Minister eine solche Veranstaltung verantworten zu können. Angesichts der Tatsache, daß die englische Politik sich immer mehr dem Süden zuneigte, wollte man Österreich, Frankreich, Preußen, die wichtigeren europäischen Staaten also, nicht auch diesen Weg gehen lassen. Ihrem Wunsch gemäß sollten die jungen Prinzen, nach diesem Empfang beim Präsidenten, der Armeegruppe MacClellan zugeteilt werden.

Agnes las die Nachricht einmal, zweimal und wußte dann, was sie zu tun hatte. Unter dem Vorwand, in der

Stadt einkaufen zu müssen, ließ sie sich ins Weiße Haus fahren und bei Mary Lincoln zu einem dringenden Empfang melden. Mr. Stoddard, dritter Sekretär des Präsidenten, war angesichts der jungen Anmut der Bittstellerin von der Dringlichkeit dieses Wunsches so überzeugt, daß sie sich Minuten später schon der ersten Lady der Staaten gegenüberfand.

»Prinzessin?« fragte Mary Lincoln erstaunt, als sie Agnes mit ausgestreckten Händen entgegenkam.

Bescheiden errötend gestand Agnes, daß sie wahrhaftig in aller Stille inzwischen den Prinzen Salm geheiratet habe und nun das tiefe Bedürfnis fühle, die ihr so mütterlich zugewandte Missis Präsident als erste von dieser Tatsache zu unterrichten. Mary, der das frische junge Ding schon von der ersten Begegnung an gefallen hatte, war gerührt. Küsse. Umarmungen. Die üblichen Fragen nach der nächsten Zukunft. Nun, die würde bei einem Soldaten schon der jeweilige Verlauf des Krieges bestimmen.

Wie von selbst glitt das Gespräch auf die Vorbereitungen für den Empfang der französischen Prinzen über. Man sprach von Pariser Mode und Geschmack, und Mary äußerte die nicht unrichtige Meinung, daß doch wohl alle europäischen Fürsten miteinander verwandt seien. O ja, bestätigte Agnes, so sei Salms Mutter zum Beispiel eine französische Prinzessin aus königlichem Hause, und dementsprechend spräche er Französisch wie seine Muttersprache. Mary Lincoln zeigte sich wie elektrisiert von dieser Mitteilung. Selbstverständlich müsse das Prinzenpaar Salm an diesem Empfang teilnehmen. Nicht nur des Ranges wegen, sondern auch angesichts der Tatsache, daß es in der Umgebung des Präsidenten bedauerlicherweise an Männern mangle, die fähig wären, sich mit den prinzlichen Gästen in deren

Muttersprache zu unterhalten. Agnes brachte einige bescheidene Einwände vor, die Mary Lincoln jedoch mit großer Geste vom Tisch wischte. Sie klingelte Sekretär Stoddard herein und trug ihm auf, Prinz und Prinzessin Salm-Salm als Ehrengäste zum Staatsempfang für die französischen Prinzen dringend einzuladen.

Agnes konnte mit ihrem Erfolg zufrieden sein. Alles entwickelte sich beinahe unheimlich plangemäß. Indes fühlte sie sich doch ein wenig bedrückt, als sie wieder nach Hunters Chapel zurückfuhr. Wie sollte sie Felix ihren spontanen Besuch bei Mary Lincoln erklären? Und würde er überhaupt einverstanden sein mit einem so nachdrücklichen öffentlichen Auftritt in der Gesellschaft, wie sie sich das hinter ihrer krausen Stirn ausgedacht hatte? Mit schlechtem Gewissen, darum aber um so liebevoller, empfing sie ihn, als er am Abend vom Stabsquartier nach Hause kam. Den Kopf voller Sorgen wegen noch fehlender Ausrüstung für die mit neuen Mannschaften aufgefüllten Regimenter und zum erstenmal einen nahen Termin nennend, an dem die Division wahrscheinlich ausrücken sollte. Agnes erschrak, als sie an den Abschied dachte, und fühlte sich noch weniger zu einem Geständnis gedrängt. Erst mal die Sache in seinen Armen überschlafen, dachte sie. Vielleicht bot sich bald schon eine günstigere Gelegenheit zur Beichte an. Aber das Wunder, einmal geweckt, wirkte weiter nach eigenem Gesetz.

Am nächsten Tag kam er in aufgeräumter Stimmung schon am frühen Nachmittag nach Hause. Küßte ihr die Überraschung von den fragenden Lippen und legte mit bedeutsamem Augenzwinkern ein doppelt gefaltetes großes Pergament vor ihr auf den Tisch hin: »Sieh dir das mal an!«

Unter dem Wappen des Präsidenten las sie, was sie

längst schon wußte – und zeigte sich aufs höchste überrascht.

»Wurde heute mittag von einem Sonderboten aus dem Weißen Haus im Stabsquartier abgegeben«, ergänzte er stolz. »Phantastisch, nicht wahr?«

»Ja, wirklich, ich kann's noch gar nicht fassen.« Agnes staunte überzeugend. »Aber glaubst du wirklich, daß wir die Einladung annehmen sollten?«

»Warum denn nicht?«

»Weil du unsre Hochzeit noch so lange geheimhalten wolltest, bis deine . . .«

»Ach, meine Familie.« Er schob alle Bedenken beiseite: »So ein Empfang ist die beste Gelegenheit, dich als Prinzessin Salm in die Gesellschaft einzuführen. Da mußt du dich schon auf meine Erfahrung verlassen.«

»Aber ich hab' so etwas doch noch nie mitgemacht.«

»Einmal mußt du anfangen damit, Liebling.« Er zog sie an sich. »Nur keine Angst. Erstens bin ich bei dir, und zweitens wird die Prinzessin Salm vom Augenblick an, da sie den Saal betritt, ganz von selber der Star des Abends sein!«

»Du sagst Sachen.« Sie lächelte in seine blauen Augen hinein. »Und was soll die Prinzessin anziehen, um ein Star zu sein?«

»Was du auch anziehst, für mich bist du es immer«, wich er ihr übermütig aus.

»Du sagst doch selber, es ist ein großer Augenblick.«

»Also gut«, gab er lächelnd nach. »Ein neuer Hut wird bewilligt.«

Sie drückte sich in seine Arme. »Und ein neues Kleid zum Hut.«

Er seufzte. »Was so eine Hochzeit für Folgen hat. Wenn man das vorher wüßte.«

Und kaufte ihr am nächsten Tag in der Pennsylvania

Avenue nicht nur ein weißes Krinolinenkleid im neuesten Pariser Schnitt, sondern dazu noch ein zu ihrem anderen Schmuck passendes Perlendiadem für das schwarze Haar. Woher er das Geld dazu hatte, wußte sie nicht und fragte auch nicht danach.

Für einen Augenblick verstummte das schwirrende Gespräch im Roten Salon, als das Prinzenpaar Salm eintrat. Staunende Betroffenheit bis in den entferntesten Winkel. Agnes versank noch auf der Schwelle in einen tiefen Knicks zu Mary Lincoln hin, die sie irgendwo im Flakkerlicht der vielhundert Kerzen zu erkennen glaubte. Weiße Anmut, die in sich selbst zu schweben schien. Sie hatte auf jeglichen Schmuck verzichtet und trug nur das Perlendiadem im aufgesteckten Haar, das ihr schmales Gesicht als dunkler Rahmen umschloß. Glanz der Jugend ging von ihr aus und ein Hauch von Schüchternheit, der viele der Gäste zu rühren schien. Indem Felix sie mit zärtlicher Bewegung wieder aufhob, erkannte sie ein Gitter lächelnder Augen vor sich, und ihr Herz schlug ruhiger.
Ein Adjutant, der sie schon erwartet hatte, führte sie fast durch den ganzen Saal dem Präsidenten entgegen, der im Hintergrund durch einen Dolmetscher mit den französischen Gästen sprach. Sie gingen durch ein Spalier neugieriger und auch bewundernder Blicke hindurch. Flüstern begleitete sie. Ihr Name. Sein Name. Unberührbar in der Aura ihrer Liebe, die sie umschloß. Dennoch fühlte Agnes schon in der Mitte des Saales eine Art Feindseligkeit in ihrem Nacken brennen, Feuer über ihre Haut hin, das sie sich nicht erklären konnte.
Aber da war der Präsident vor ihr. Groß, mit gebeugten Schultern. Mit verrutschtem Hemdkragen. In diesem viel zu engen Rock, der ihn wie eine Zwangsjacke um-

schloß. Seine schmalen Augen, der schmerzliche Mund. »Solange unsre Söhne sterben, will ich keine Empfänge«, hatte er gesagt. Aber nun dies. Und die Zahl der Toten wuchs mit jedem Tag. Sie versank in einen tiefen Knicks vor ihm. Er hob sie auf. Ihre Hand in der seinen, als wolle er am liebsten dieses Fest verlassen, mit ihr draußen im warmen Wind unter diesem Himmel von Violett und Purpur hingehen. Und ein Lächeln in den müden Augen. »Mein Kind, mein liebes Kind.« Am liebsten hätte sie ihn in den Arm genommen. Sie, eine kleine Frau, den großen Präsidenten. Tröstend.

Und nun eine Wendung. Sein Adjutant stellte ihr die jungen Franzosen vor. Sie beugten sich über ihre Hand. Bewunderung in den Augen. Der jüngere, Graf von Paris, stammelte in mühsamem Englisch sein Bedauern, daß er nicht in ihrer Muttersprache mit ihr sprechen könne. Aber da griff Salm schon ein, erlöste die französischen Vettern aus ihrem Unbehagen. Sie hingen an seinen Lippen. Heimatlaute in der Fremde. Die Sprache Voltaires. Auch der Präsident schien zufrieden, dem förmlichen Hin und Her bangloser Fragen und Antworten für eine Weile enthoben zu sein.

Der Adjutant führte Agnes weiter zu Mary Lincoln hinüber, die von einem Kreis lachender, schwatzender Gesandtengattinnen umgeben war. Mary sah hübsch aus heute im Kerzenlicht. Ihre sonstige Plumpheit schien wie aufgelöst. Ein offenes Lächeln. Leuchtende Augen. »Kommen Sie, Prinzessin!« rief sie über die Köpfe der Damen hin Agnes zu, die am Rand des Kreises stehengeblieben war. Die Exzellenzen sahen sich um, wichen lächelnd zurück und bildeten eine Gasse, in der ihr Mary Lincoln entgegenkam. Agnes versank in ihren anmutigen Knicks, der, wie Salm sagte, »eine unnachahmliche Mischung von Mädchenknicks und europäischem Hofknicks« war. Mary hob sie mit beiden Händen auf, zog sie an sich, küßte unbekümmert ihre Stirn und stellte sie stolz wie eine eigene Tochter den Damen vor: »Die Prinzessin Agnes Salm, meine Damen. Sieht sie nicht entzückend aus?« Die Exzellenzen schienen das auch zu finden und klatschten ihr mehr oder weniger Beifall zu. Und wie eine Tochter hielt sie Agnes auch weiterhin neben sich an der Hand, nachdem sie dafür gesorgt hatte, daß Agnes endlich ein Glas Champagner bekam, von dem sie selber schon einiges getrunken hatte.

Agnes hatte kaum am Glas genippt, als sie wiederum dieses merkwürdige Brennen im Nacken fühlte. Eine Ausstrahlung von Feindschaft, die sie sich nicht erklären konnte. Sie wandte sich um und sah mitten in die Augen von Bill Jenkins hinein, der nicht weit hinter ihr in einem Kreis von Korrespondenten stand. Sie erinnerte sich, daß er schon öfter bei Empfängen im Weißen Haus die Presse zu betreuen gehabt hatte. Er grüßte nicht, er lächelte nicht. Sah sie nur unentwegt an. Mit einem Ausdruck wilder Eifersucht in den Augen, der sich schon mehr zu offenem Haß gesteigert zu haben schien. Seit jenem Abend im Tanzzelt, da sie aus seinen Armen weg Salm entgegengelaufen war, hatte sie Bill nicht mehr gesprochen, nicht mehr gesehen. Er aber schien nur darauf gewartet zu haben. Auf einen Tag der Rache. Sie sah, wie er, während er sie herausfordernd noch musterte, lebhaft auf einen dicken, schwitzenden Reporter einsprach, der gleich darauf mit zynischer Neugier herüberblickte. Und sie glaubte auch zu wissen, was Bill da sagte, sah die Worte auf seinen Lippen stehen: ». . . eine ehemalige Zirkusreiterin – von zu Hause weggelaufen – mit einem verkommenen Prinzen, ja, den sie wegen seiner Schulden und Weibergeschichten in Europa gefeuert haben . . .«

Agnes zitterte am ganzen Körper, war nahe daran, in Tränen auszubrechen. Sie wußte, daß diese Art Reporter mit dem größten Vergnügen jedes Gerücht, jede Gemeinheit, die ihnen zugetragen wurde, in ihren Klatschspalten veröffentlichten. In einer zynischen verklausulierten Form, gegen die es keinen Schutz gab, auch kein gerichtliches Einschreiten. Man war ihnen ausgeliefert.
Alles war nun ins Gegenteil umgeschlagen, was sie sich so großartig ausgedacht hatte. Anstatt in die Gesellschaft aufgenommen zu werden, würde sie mit Felix zusammen wieder aus ihr hinausfliegen. Denn daran gab es keinen Zweifel mehr: Die gemeinen Berichte der New Yorker Zeitungen über Salms Jugendsünden würden nun in Washington noch einmal aufgewärmt und mit ihrer armen kleinen Zirkusvergangenheit zusammen zu einem Schmutzbrei angerührt werden. Und alles war dann verloren. Ihre und vor allem Salms Zukunft. Allein durch ihre Schuld.
Aber dann, das wußte sie jetzt schon, würde sie sich rächen an dem Mann, dessen eifersüchtigem Haß sie das alles zu verdanken hatte. Sie würde Salms Pistole nehmen und Bill Jenkins ohne Gnade über den Haufen schießen. Komme, was kommen mag. In diesem Augenblick wandte er sich ab von ihr. Unruhig, wie ihr schien. Geduckt wie ein feiger Hund. Hatte er in ihren Augen gelesen, wozu sie entschlossen war?
Hastig trank sie ihren Champagner aus und hätte am liebsten das Glas an die Wand geworfen. Fand sich zu ihrem Erstaunen aber immer noch an der Hand von Mary Lincoln.
Suchend sah sie über den Saal hin. Wollte in Salms guten Augen Trost und Sicherheit finden. Er stand, mit dem Rücken zu ihr, noch immer im Gespräch mit den französischen Prinzen. Am liebsten wäre sie zu ihm hinge-

laufen, machte einen Versuch, sich aus der Hand der
Präsidentin zu lösen. Aber vergeblich. Mary lächelte ihr
zu und hielt sie nur fester noch. So als brauche auch sie
eine Stütze inmitten dieser fremden Menschen, von denen die meisten, die ihr heute ins Gesicht lächelten,
morgen schon wieder die boshaftesten Dinge von ihr erzählen würden. Was für eine Welt, dachte Agnes. Diese
Gemeinheit der Menschen. Einer des anderen Feind. Sie
glaubte nun zu wissen, warum Mary Lincoln trank und
unglücklich war. Am liebsten hätte sie ihre dicke,
warme, fleischige Hand geküßt, die ständig zu zittern
schien, wie sie fühlte. In welcher Angst?
Und plötzlich drei Gongschläge. Schnell hintereinander.
Die Türen zum Speisesaal öffneten sich.
Die Gäste blickten auf den Präsidenten, der jetzt die übliche Tischpolonaise zu eröffnen hatte. Nach einer irgendwie festgelegten Rangordnung, die nur wenigen
bekannt war. Sekretär Stoddard machte Lincoln, der
noch immer in sich versunken am Kamin lehnte, vorsichtig auf die zu beginnende Polonaise aufmerksam.
Der Präsident schreckte auf, nickte und ging – hatte er
nun die Rangordnung vergessen oder scherte er sich
nicht darum – mit großen Schritten auf die Gruppe der
Damen zu, wo er ganz jungenhaft seiner Frau zulächelte
und dann mit einer kleinen Verbeugung nicht ihr, sondern Agnes den Arm bot. Sie war genauso verblüfft wie
alle anderen Damen, wollte nicht glauben, was gar nicht
mißzuverstehen war. Da nahm er mit nochmaliger Verbeugung ihre kleine Hand und legte sie fest in seinen
Arm. Im gleichen Augenblick setzte die Polonaisenmu-
sik ein, in deren Takt er Agnes sichtlich vergnügt in den
Speisesaal hinüberführte. Ihnen folgte Mary am Arm
des Herzogs von Chartres, Kätchen Chase, die Tochter
des Finanzministers mit dem Grafen von Paris, Felix mit

der Gattin des für ihn so wichtigen Kriegsministers Edwin Stanton und alle anderen schließlich in nicht weniger belustigter beliebiger Ordnung.

Nach zwei Tagen, die Agnes in wachsender Unruhe durchlebt hatte, brachte Felix einen Packen Zeitungen unterm Arm mit nach Hause. Jetzt mußte die Entscheidung fallen, die sie gefürchtet hatte. Agnes glaubte eine gewisse Düsternis in seinen Augen zu entdecken, dazu eine Art Bedrohlichkeit in seiner Stimme, als er sagte: »Da sind die Berichte über den Empfang im Weißen Haus. Willst du selber lesen, was diese Reporterburschen geschrieben haben, oder soll ich es dir vorlesen?« Sie sank auf einen Stuhl. »Lies es mir vor. Wenn es sein muß.«
Bedeutsam schlug er die »Washington Post« auf, sah Agnes an und sagte: »Alle schreiben ziemlich das gleiche. Aber die ›Washington Post‹ am ausführlichsten. Da wird also zuerst über die beiden Franzosen gesprochen, zu deren Ehren der Empfang gegeben wurde. Dann kurz berichtet, was der Präsident zum Verhältnis Frankreich–Amerika zu sagen hatte. Das Kleid von Mary Lincoln wird beschrieben und ausnahmsweise so gar gelobt. Es folgt eine Liste bedeutender Persönlichkeiten und am Schluß dann, groß aufgemacht, heißt es: ›Der besondere Reiz dieses Empfangs bestand im Debut der jungen Prinzessin Salm, die vor kurzer Zeit erst den Prinzen Felix Salm, Oberst und Stabschef der 1. Deutschen Division unter General Blenker, geheiratet hat. Unsere liebreizende Landsmännin, die ein weißes Krinolinenkleid von raffiniertester Einfachheit und dazu nur ein Perlendiadem im schwarzen Haar trug, wurde einstimmig zur am besten gekleideten Lady erklärt. Schon von der Gastgeberin, die sie in ihre Nähe zog, be-

sonders ausgezeichnet, wurde sie schließlich unter allgemeinem Beifall vom Präsidenten selber zu Tisch geführt. Wir erlauben uns, Prinz und Prinzessin Salm, wenn auch verspätet, unsre besten Wünsche für eine glückliche und gesegnete Ehe zu sagen.‹ So, that's all.«

Sie sah ihn an. »Steht das wirklich so da?«

»Wort für Wort. Kennst du den Mann, der das geschrieben hat?«

»Nein, warum?«

»Er scheint verliebt zu sein in dich.«

Sie stand auf vom Stuhl, ging langsam auf ihn zu. »Und wenn er es wäre? Willst du ihn etwa fordern?«

Er zog sie in seine Arme. »Nur, wenn er es nicht wäre. Sollte es wirklich mal einer wagen, irgendwas an dir zu tadeln, der müßte mir allerdings vor die Pistole.«

Sie drängte sich an ihn. »Oh, was für ein wilder Mann, mein Mann.«

»Warum trommelt dein Herz so?« sagte er erstaunt. »Was regt dich so auf?«

»Nichts. Ich bin einfach glücklich, daß alles so abgelaufen ist.«

»Hattest du etwas anderes erwartet?«

Sie drückte die Stirn an seine Brust. »Vielleicht, ich weiß nicht. Ich hatte Angst.«

Er hob ihr Kinn auf, sah ihr in die Augen. »Aber warum denn? Ich wußte genau, daß Sie die Siegerin des Abends sein würden, Prinzessin.«

»Ich wußte es nicht«, sagte sie leise.

»Allerdings, du wolltest ja nicht mal hingehen. Hattest allerhand Ausflüchte. Wenn ich nicht so hartnäckig gewesen wäre, hättest du deine beste Stunde hier in unsrer Kammer verschlafen.«

Sie legte ihre Hände um seinen Hals. »Aber doch immerhin in deinen Armen.«

»Gut. Aber hin und wieder hat man eben auch solche Verpflichtungen. Dann mußt du mir einfach vertrauen. Schließlich hab' ich die größere Erfahrung.«

Sie zog seinen Kopf zu sich herunter und küßte ihn auf den Mund. »Ja, mein Prinz, von nun an werd' ich mich immer fügen, wenn du so gute Einfälle hast.«

»Ist auch deine verdammte Pflicht und Schuldigkeit als mein so feierlich angetrautes Weib.«

Ihre Augen blitzten. Sie fühlte sich so leicht und froh. »Nur eins möcht' ich noch wissen. Wem, glaubst du wohl, hatten wir die Einladung zu verdanken?«

»Blenker natürlich«, sagte er tief überzeugt. »Da gibt's gar keinen Zweifel. Auch wenn er das abstreitet. Aber er hat immer gesagt, daß ich so etwas wie dich nicht einfach allein genießen dürfte, sondern auch der Gesellschaft mal vorstellen müßte. Und er hat recht, wie du siehst.«

»Hoch lebe General Blenker!« rief sie übermütig.

»Und hoch auch Corvin, unser tapferer Trauzeuge. Gute Freunde sind das halbe Leben.«

»Und die andere Hälfte?«

Er hob sie auf und trug sie in die Kammer hinüber: »Das werd' ich dir gleich zeigen.«

Angst

Agnes war nun eine richtige Soldatenfrau. Allein mit ihren Ängsten um Felix, seit die 1. Deutsche Division Anfang Juni über Nacht das Lager von Hunters Chapel verlassen hatte, um nach Westvirginien zu marschieren, von wo aus der kühne Rebellengeneral Stonewall-Jackson mit 50000 Mann wieder einmal Washington bedrohte.

Unvergessen die Nacht des Abschieds. Glut, die noch brannte im Blut und nicht verlöschen wollte.

Am späten Nachmittag des ersten schwül lastenden Junitags war Hinrich Kruse vom Stabsquartier her mit der Nachricht gekommen, daß die Division alarmiert sei und der Abmarsch unmittelbar bevorstehe. Er hatte den Auftrag, die Feldkoffer für Felix zu packen, die auf dem kleinen Bagagewagen verladen werden sollten, der ihn herübergebracht hatte. Dazu einige Zeilen von Felix – flüchtig auf das abgerissene Blatt eines Meldeblocks gekritzelt –: »Mein Liebling, es ist soweit – kaltes Chaos um mich – gegen Abend komm' ich noch einmal zu dir – ich liebe dich, Felix.«

Sie küßte das Blatt. Einmal. Zweimal. Steckte es in ihren Brustausschnitt. Und plötzlich begann ihr Herz zu schlagen. Mit geschlossenen Augen lehnte sie sich an die Wand, um Halt zu finden. Jeden Tag hatten sie auf diesen Alarm gewartet. Und nun der Abschied dennoch wie ein Blitz, der vor ihr in den Boden schlug. Tage, Nächte ohne Felix? Unfaßbar.

Sie wies Hinrich Kruse an, sich lediglich um die militärische Ausrüstung zu kümmern, während sie sich selber der persönlichen Dinge annahm, die Felix brauchte, um sich wohl zu fühlen. Einen Koffer voller mit der Fürstenkrone bestickter, weißer Hemden und blaue, rote, weiße Halsbinden dazu, von alledem er nicht genug haben konnte. Einen zweiten Koffer voller Leibwäsche, lange rote Flanellunterhosen mit gleichfarbigen Unterjacken vor allem, wie sie ein Herr von Distinktion damals zahlreich mit sich zu führen hatte, um sie täglich wechseln zu können. Und ein dritter Koffer, angefüllt mit seinen geliebten Tabakspfeifen, mit Ledersäckchen voller ausgesuchter Tabake, verschiedene Rasierpinsel und Seifenschalen, die sämtlich seine goldeingelegten Initialen trugen, und das umfangreiche Schreibzeug, in dessen weiches Leder sein Wappen eingepreßt war. Nach einigem Überlegen schrieb sie auf alle darin enthaltenen Briefumschläge ihre Adresse und auf die künftigen noch leeren Seiten seines Tagebuchs als ersten Punkt der Tagesarbeit: 1. An Agnes schreiben. Und als all das getan war, hätte sie sich am liebsten von Hinrich Kruse im großen Koffer mit unterbringen lassen, in dem Felix seine bevorzugten Waffen mit sich zu führen pflegte: meisterliche Präzisionspistolen mit dazugehöriger Munition und zahlreiche Säbel. Darunter der Ehrendegen, den er als junger Leutnant wegen Tapferkeit vorm Feind aus der Hand des Königs von Preußen erhalten hatte.

»Hinrich, ich verlass' mich auf dich. Bring mir den Oberst heil zurück«, sagte sie, als Kruse ihr die Hand zum Abschied gab.

»Wenn er nur nicht immer wie der Deubel reiten würde«, erwiderte Kruse seufzend und tröstete sie zugleich in seinem präzisen hannoverschen Englisch:

»Wenn ihm aber einer was tun will, der muß erst mich in Stücke hauen. Das versprech' ich Ihnen, Frau Prinzessin.«

Er meinte gewiß, was er sagte, aber sicherer wäre sie gewesen und weniger um Felix besorgt, hätte sie selbst bei ihm bleiben, seinen Leichtsinn überall zügeln dürfen. Warum eigentlich nicht, wir gehören doch zusammen, dachte sie, als Kruse mit seinen Wagen längst davongerumpelt war und sie im Nachtgewand, Felix erwartend, im Schaukelstuhl auf der Veranda saß. Dunkel und schwer zog die virginische Nacht auf. So nah über ihr die Sterne, als wollten sie ihr leise in den Schoß fallen. Manchmal vom Potomac herüber ein warmer Windhauch wie Atem der Träume und Nachtigallenschlag in der Ferne. Dann wieder Räderrollen, Marschtritte, verwehende Trompetensignale auf der großen Straße nach Süden.

Sie legte die Hände ineinander, als ob sie beten wollte. Aber es wurde ein Gebet mit seltsamem Text. Sie flüsterte immer nur seinen Namen vor sich hin. Wie Ruf und Beschwörung.

Und wußte nicht, ob sie eingeschlafen war und wie lange, als er endlich die Straße herauf in den Hof galoppierte. Donnernder Hufschlag, bei dem sie erwachte, der auf dem gepflasterten Hof die Funken stieben ließ.

Vor der Veranda sprang Felix aus dem Sattel, während sein Schimmel gleich in den offenen Stall weitertrabte, wo ihm Kruse ein Abschiedsmahl von reichlich süßem Hafer aufgeschüttet hatte.

Indes war Felix schon über die Verandabrüstung gesprungen und hatte Agnes mit beiden Armen aus dem Stuhl aufgehoben: »Verzeih mir, Liebling, ich habe dich warten lassen. Aber es gab immer etwas Neues. Befehle. Widerrufe, neue Befehle, bis Blenker endlich das Lager verließ. Ich reite ihm morgen früh mit der Artillerie nach.«

Glücklich warf sie ihm die Arme um den Hals. »Wirklich, du bleibst noch?«

Er trug sie durch die offene Tür in die Kammer hinüber: »Ja, diese Nacht und dann . . .«

». . . laß ich dich nicht gehn«, hauchte sie in seine Küsse hinein. Hielt ihn noch fest, als er sie sanft auf das breite Bett niederlegte. Dabei öffnete sich das rotseidene Band, mit dem ihr weites Gewand in großer Schleife gebunden war, fiel auseinander. Durch die Spitzen schimmerte ihre Haut. Er kniete neben ihr nieder. Küßte ihre Augen, Lippen, den schmalen Hals. Die rosigen Spitzen ihrer Mädchenbrüste. Ihren Schoß, die langen schönen Schenkel hinunter, ihre Knie, die kleinen Füße. Sprang wieder auf und sah sie atemlos an, wie sie da unter ihm nackt in den weißen Spitzen lag. Das schmale Gesicht, umrahmt von der Flut der schwarzen Haare, wie eine Blüte in den Kissen. Stammelte, als sähe er sie zum erstenmal: »Agnes, Engel, du bist schön – die Schönste – die Welt ist schön in dir – Gott ist schön in dir – ich liebe dich, ich liebe dich.«

Riß sich im nächsten Augenblick wie rasend die Kleider vom Leib, warf sich in ihre geöffneten Arme. So lagen sie, Haut an Haut gepreßt, Auge in Auge einander suchend, fühlend, ohne zu atmen, bis diese wilde Begierde nacheinander sie hinunterriß in die dunkle Flut der Lust ohne Bewußtsein. Ekstatisches Stammeln. Erfüllung und dieser zärtlichste Schmerz im Erwachen danach. Er fühlte ihre Tränen auf seiner Haut.

»Agnes, Liebling, warum weinst du?«

»Ich bin so glücklich, daß du bei mir bist, so unglücklich, daß du gehst.«

»Die Nacht ist noch lang.«

»Nein, viel zu kurz. Unerbittlich. Laß mich mit dir gehen.«

»Unmöglich.«

»Warum unmöglich? Ich will dein Soldat sein. Bei dir, mit dir sein – überall, wo du auch bist.«

»Unmöglich, Agnes, du weißt es.«

»Ich möchte in deine Haut hineinkriechen, dein Blut trinken, daß es mein Blut ist, daß ich endlich ganz du bin und du ich – keine Trennung mehr.«

»Ach, Liebling, auch Trennung ist gut. Ohne Trennung keine Sehnsucht. In all dem Dreck da draußen, in Blut und Wut, in Schweiß und Gebrüll, in Sterben und Töten werd' ich an dich denken wie an den Himmel. Ich werde dich noch mehr lieben als heute und je zuvor. Liebe lebt von der Sehnsucht.«

»Aber ich – wie soll ich denn leben? Nur immer warten auf dich. Nur immer Angst haben um dich. Wie soll ich das ertragen?«

Und neue Begierde. Liebesworte. Rasendes Ineinanderstürzen und Selbstvergessen. Einander umklammernd wie Ertrinkende, trieben sie hin in der dunklen Flut, versinkend ohne Widerspruch, tiefer und tiefer.

Als Agnes erwachte, wehte schon Morgenlicht in die Kammer herein. Sie schreckte auf. Leer und kalt das Bett neben ihr. Nur der Abdruck seines Kopfes noch im Kissen, das sie an sich riß, auf ihr Gesicht drückte, seinen Geruch noch zu atmen, den sie liebte. So lag sie lange, ohne sich zu rühren. Es schien ihr, er hätte alles mit sich genommen, was sie gewesen war. Nicht einmal die Kraft zum Weinen war ihr geblieben. Und als sie endlich aufstand, den Morgen sah – diesen weiten Himmel, Wind wehte in den großen Ulmen vorm Haus, Wasser rann in den Brunnentrog – war alles wie immer, aber doch so leer, wie sie sich selber fühlte. Die Stunden gingen einem

Abend zu, der ihn zum erstenmal nicht zurückbrachte zu ihr. Sie hatte Angst, zu Bett zu gehen, setzte sich wie am Abend zuvor in den Schaukelstuhl, sah in die Sterne hinauf, sagte leis seinen Namen vor sich hin. Saß so bis lange nach Mitternacht. Aber er kam nicht, sie aufzuheben und in die Kammer zu tragen.

Und so fort die Tage, die ohne Stimme waren, abgewandt an ihr vorübergingen, als lebte sie fern von ihnen im Wesenlosen.

Bis eines Morgens Dallah auf dem Pony Joy in den Hof ritt. Sagte, sie hätte vom Ausmarsch der Deutschen Division gehört und in wachsender Unruhe an Agnes gedacht, von der sie viel zu lange schon ohne Nachricht wäre. Seit jenem Tag, da Eddy ihr sein Haus verboten und Agnes dann geheiratet hatte, waren sich die Schwestern erst zweimal wieder begegnet. Versöhnliche Aussprachen, mit Küssen und Umarmungen besiegelt, denen Eddy in offensichtlichem Schuldgefühl ferngeblieben war.

Nun aber war er mit einer neuen Gruppe von Kriegskorrespondenten zu MacClellans Armee abgegangen, um erst in zwei, drei Wochen zurückzukehren. Und Dallah hatte gleich den ersten Tag ihrer Freiheit benutzt, nach Hunters Chapel hinauszureiten. Fest entschlossen, Agnes mit sich nach Haus zu nehmen, um sie über die ersten schweren Tage ihrer Einsamkeit hinwegzubringen.

Doch Agnes lehnte es entschieden ab, in ein Haus zurückzukehren, aus dem sie einmal ausgesperrt worden war. So blieb denn Dallah bei ihr in der kleinen Wohnung. Und es war wieder wie in ihrer Mädchenzeit. Sie sprachen über alles, was sie bewegte. Ritten auf den beiden Joys Tag für Tag die Wege und Pfade am Potomac entlang, auf denen für Agnes jede Biegung, jeder Busch und Baum mit Erinnerung an Felix verbunden war. Und schliefen nachts Arm in Arm im breiten Bett, in dem allein zu schlafen das Herz sie erstickt hätte.

Agnes sprach und lachte auch wieder, sah ihren eigenen Tätigkeiten zu, aber es waren Worte und Lachen und das Tun einer Fremden, neben der sie immer nur herging. Denn ihr innerstes Herz war bei Felix und auch ihre Angst um ihn, in der sie ständig fror, so schwer und schwül die Sommertage auch über das Land krochen, kaum atmend.

Unablässig wartete sie auf die Briefe, die täglich zu schreiben ihr Felix versprochen hatte. Aber der Bote ging jeden Morgen wieder am Haus vorüber. Grußlos. Bis er eines Tages mit einem ganzen Packen zu ihr kam. Sechzehn Briefe auf einmal. Randvoll mit Worten in der jähen Handschrift, die Felix zu eigen war, seinem ungestümen Wesen entsprechend. In diesem zärtlichen Englisch, das er Agnes in Liebesnächten von den Lippen geküßt hatte. Kühne Bekenntnisse voller orthographischer Fehler. Sehnsuchtsworte. Und dazwischen lange Beschreibungen vom Vormarsch, der sich zunächst noch wie eine heitere Reise in den Süden anzulassen schien.

Agnes las Dallah die Briefe vor, bis auf jene Stellen, an denen sie stockte, weil ihr Herz schneller zu schlagen begann und jähe Röte ihr Gesicht überflammte. Dann lachten sie beide, Dallah bat, aber Agnes verriet solche Geheimnisse nicht.

Bis ihnen das Lachen verging. In langen lastenden Tagen ohne Briefe, ohne jedwede Nachricht. Aber von Washington her kroch langsam die trübe Flut der Gerüchte heran, schwappte auch in das stille Haus in Hunters Chapel hinein.

Gerüchte, die davon wußten, daß in der großen Schlacht von Cross Key das 8. New Yorker Regiment vollkommen aufgerieben worden sei und daß die zerschlagene Deutsche Division aus der Front genommen werden mußte. Man sprach sogar vom Tod General Blenkers und dem seiner meisten Offiziere. Agnes ritt in rasender Angst nach Washington hinein, um im Kriegsministerium Genaueres zu erfahren. Aber Minister Stantons Beamte leugneten alles, wiegelten ab, erklärten die Gerüchte für defaitistische Übertreibungen.

Die Wahrheit war allein auf der großen Heerstraße vom Süden herauf zu sehen, auf der Nacht für Nacht die mit Särgen überladenen Transportwagen der Regierungs-Einbalsamierer Doktores Brown und Alexander nach Norden rollten.

Agnes war schon fest entschlossen, nach Süden an die Front zu reiten, um Felix zu suchen, von dem keine Nachricht kam, als unversehens Corvin mit den neuesten Nachrichten bei ihr erschien. Er war Augenzeuge der Kämpfe bei Cross Key und Harrisonburg gewesen und konnte ihr diese einzige Frage, von der sie erfüllt war – »Corvin, wo ist Felix? Lebt er – sagen Sie mir die Wahrheit!« –, mit einem entschiedenen »Ja!« beantworten.

»Wo haben Sie ihn gesehen?«

»Zuletzt in Blenkers Kommandeurszelt, als er Befehle für die neuen Verteidigungsstellungen der Division am Shenandoah ausschrieb.«

»Wie sah er aus?«

»Wie ein Soldat nach drei schweren Kampftagen und drei durchwachten Nächten eben aussieht.«

»Nicht so allgemein. Sagen Sie mir alles, Corvin. Schonen Sie mich nicht.«

»Ihr schöner Felix war es nicht mehr, Agnes. Übermüdet und grau im Gesicht. Die Uniform zerrissen und verkrustet von den Kämpfen im Morast. Aber er beklagte sich nicht. Zum erstenmal hab' ich Hochachtung vor ihm gehabt. Er ist verdammt kein Salonsoldat, wie ich manchmal fürchtete. Er ist ein Mann.«

Agnes ging auf Corvin zu, blieb nahe vor ihm stehen, sah ihn an. »Was verbergen Sie mir, Corvin?«

»Nichts. Wie kommen Sie darauf?«

»Sie loben ihn so unvermittelt. Bisher war er für Sie doch immer ein Hitzkopf, ein Bruder Leichtsinn, Don Juan sogar und was weiß ich noch . . .«

»Das ist er noch«, unterbrach sie Corvin lächelnd. »Don Juan als Kriegsgott. Ich glaube, Sie hätten sich noch mehr in ihn verliebt, als Sie es jetzt schon sind, Agnes, wenn Sie ihn hätten sehen können in dieser Nacht, da ich ihn sah. In seinem Ernst, in seinem Mut, in all diesem Dreck und Unglück – hinreißend. Ich hab' ihm viel abzubitten.«

»Corvin, sagen Sie mir die Wahrheit«, bat Agnes abermals, Angst in den Augen. »Er ist verwundet, nicht wahr?«

»Nun ja, ein Streifschuß am Kopf und ein zweiter am Arm, der ihm den Rock zerrissen hatte«, gab Corvin zu und beschwichtigte sogleich: »Aber kein Grund zur Aufregung, Agnes. Die Wunden waren schon verbunden. Er nahm sie selber nicht ernst, als ich ihn darauf ansprach.«

Agnes schlug die Hände vors Gesicht. »Oh, ich wußte es. Ich hab' ihn im Traum gesehen. Er wartet auf mich. Ich muß zu ihm.«

Und wandte sich zur Tür hin, lief aber mitten in Corvins Arme hinein, der sie an sich drückte, ihr beruhigend über das Haar strich. »Keine Dummheiten jetzt, Agnes. Felix ist auf dem Wege hierher. Spätestens übermorgen wird er bei Ihnen sein, und Sie werden sehen, daß ich Ihnen die Wahrheit gesagt habe.«

Agnes warf ihr Gesicht hoch. »Er kommt hierher?«
»Ja, nach Washington. Blenker ist schon gestern angekommen. Er kämpft im Kriegsministerium um seinen
Posten und um seine Division. Aber ich glaube, er hat
beides schon verloren.«
Agnes starrte ihn fassungslos an. »Halt, halt, Corvin.
Noch eben erzählen Sie von der Schlacht am Shenandoah, von Blenker und seiner Division im Kampf – und
plötzlich ist er in Washington und soll sie verlieren? Wie
soll ich das alles verstehen?«
»Da fragen Sie am besten Mister Stanton, den Kriegsminister. Bei dem fallen die Generäle so schnell aus dem
Sattel ins Nichts, wie andere aus dem Nichts zu Generälen aufsteigen. Und wenn Felix jetzt nicht aufpaßt, fällt
er mit Blenker und ist am längsten Oberst gewesen.«
»Aber wie kann er denn fallen, Corvin, wenn er doch
gerade noch seine Pflicht getan hat und so tapfer war am
Shenandoah, wie Sie sagen. Das reimt sich doch alles
nicht zusammen.«
»Nicht seine Tapferkeit schadet ihm, sondern seine
Starrköpfigkeit oder sein germanischer Treuekomplex.
Felix hat im Hauptquartier schon laut verkündet, daß er
sein Schicksal mit dem von Blenker verknüpfen will, und
wenn Blenker den Dienst quittieren müsse, dann wolle
er auch gehen. Schließlich habe er allein Blenker seinen
Posten zu verdanken, und Undankbarkeit sei für ihn nur
eine andere Art von Verrat.«
»Aber da hat er doch recht, Corvin«, sagte Agnes, plötz-
lich wieder ganz stolz auf ihren Felix.
»Vielleicht in Preußen hätte er recht. Da bleibt Oberst
Oberst, was auch kommen mag«, widersprach Corvin.
»Aber hier ist er in Amerika. Und da ist ein Treuekom-
plex einfach Dummheit oder Selbstmord. Das müssen
Sie ihm klarmachen, Agnes.«

»Ich? Auf mich hört er doch nicht.«

»Auf mich schon gar nicht«, sagte Corvin. »Ich hab's doch versucht. Sie sind die einzige, die den Dickkopf vor sich selber retten kann.«

Agnes ballte die kleinen Fäuste. »Ja, das mach' ich, Oberst. Aber sagen Sie mir endlich, wie es zu diesem ganzen Wirrwarr gekommen ist.«

Er zog sie auf die Veranda hinaus. »Allein dazu bin ich hergekommen. Geben Sie mir ein Glas Whisky und hören Sie mir zu.«

Agnes holte aus dem Keller eine mit Stroh umflochtene runde Gallonen-Flasche mit altem rauchigem Whisky und stellte sie vor Corvin hin auf den Verandatisch. Während sie sich in den Schaukelstuhl setzte, füllte er sich sein Glas und begann endlich: »Im Grunde ist es das alte Lied, das in jeder Armee gesungen wird: Eine Schlacht geht verloren durch den Ehrgeiz zweier Generäle, die einander den Sieg nicht gönnen. General Blenker hielt General Fremont schon immer für eine militärische Niete und umgekehrt. Und ausgerechnet diesem John Charles Fremont, der im gleichen Rang steht wie er selber, wurde seine Division plötzlich unterstellt, als sich Blenker auf dem Marsch zu MacClellans Armee befand, zu der er eigentlich gehörte. Fremont hatte beim Hauptquartier dringend um Verstärkung gebeten, weil er bei Harrisonburg auf das ihm weitaus überlegene Korps des Rebellengenerals Stonewall-Jackson gestoßen war.

Blenker änderte seine Marschrichtung nur unter Protest und verkündete jedem, der ihm in den Weg kam, auch den abgesandten Offizieren des Hauptquartiers, daß er nicht daran denke, irgendeinen Befehl dieses verwöhnten Playboys und Luxusgenerals Fremont zu befolgen. Er werde seine Division gemäß den Erfordernissen der

Front nach eigenem Gutdünken in den Kampf führen. Fremont, dem Blenkers Schimpfereien hinterbracht wurden, antwortete damit, daß er dessen auf dem Marsch befindliche Division auseinanderriß und in Bereitstellungen einrücken ließ, in denen die Regimenter zum Teil anderen Kommandeuren unterstanden.

Blenker, durch diese Taktik praktisch ohnmächtig geworden, ritt sofort in Fremonts Hauptquartier, um die Rücknahme dieser Befehle zu verlangen.

Indes traf sein achtes Regiment in dem ihm zugewiesenen Bereitstellungsraum auf eine schwer befestigte Stellung der Konföderierten, die bisher unbekannt geblieben war, da General Fremont nicht viel von Feindaufklärung hielt. In kaum zwei Stunden erbitterten Kampfes verlor das Regiment die Hälfte seiner Mannschaft und fast alle Offiziere. Darunter auch Oberst Wuschel, einen Wiener Maulhelden, der aller Welt verkündet hatte, er habe auf den Barrikaden der Wiener Revolution von 1848 den berühmten General Radetzky in die Flucht geschlagen. Soldaten trugen den vermeintlich gefallenen Oberst aus dem schwersten Feuer ins Feldlazarett zurück, wo bald schon klar wurde, daß der große Held Wuschel sich vor Angst totgestellt oder, wie die Amerikaner sagen, ›Opossum gespielt‹ hatte. Blenker riß ihm noch am gleichen Tag die Achselstucke ab und stellte ihn vor ein Kriegsgericht, von dem er degradiert und zum Dienst in einem Strafbataillon verurteilt wurde.

Blenker hatte im Hauptquartier, als er von Fremont ultimativ gerade die Rückgabe seiner Division verlangte, von der verzweifelten Lage seines geliebten achten Regiments gehört. Sofort war er aus dem Zelt gelaufen, auf sein Pferd gesprungen und hatte, ohne sich weiter um Fremonts Absichten zu kümmern, seine Divisionsartillerie und das de-Kalb-Regiment unter Oberst von Gilsa in den Kampf geführt. Als dessen Kompanien im ersten Angriff ebenfalls liegenblieben und schon zurückweichen wollten, ritt Blenker auf seinem Schimmel gegen sie an, schlug mit der flachen Klinge auf sie ein: ›Ihr verfluchten Hunde, wollt ihr wohl nicht in die falsche Richtung laufen!‹ Da drehten sie wieder um, Blenker sprang vom Pferd und führte das de-Kalb-Regiment und die Reste des achten Regiments mit dem Degen in der Hand zum zweiten Angriff, bei dem sie die feindlichen Stellungen endlich nehmen konnten. Unter Zurücklassung ihrer gesamten Artillerie und vieler Gefangener flohen die Konföderierten über den Shenandoah zurück. Blenker fühlte sich als Sieger und forderte Fremont auf, so als wäre er der Oberkommandierende, dem Feind sofort nachzusetzen und ihn gänzlich zu vernichten. Aber Fremont ließ ihm nur kurz mitteilen, daß er sich von einem ihm untergebenen General keine Befehle erteilen lasse und Blenkers Insubordination noch ein Nachspiel haben werde.

Indes war bei Harrisonburg, wo die zweite deutsche Brigade in Reserve stand, eine starke Kampftruppe der Konföderierten überraschend über den Shenandoah vorgestoßen. Salm, der auf dem Weg zu Blenker die Brigade soeben erreicht hatte, erkannte sofort, daß General Stonewall-Jackson Fremont in einer großen Zangenoperation umgehen und am Shenandoah einkesseln wollte. Ohne zu zögern übernahm Salm die Führung der Brigade, durchbrach im ersten Angriff die Front der Konföderierten und schnitt sie von ihrem Nachschub ab, indem er die Brücken zerstörte. Kämpfte seinerseits aber nun mit verkehrter Front gegen den Feind, der den Vormarsch auf Fremonts Hauptmacht zunächst aufgab.

Salm sandte nacheinander drei Kuriere an General Fremont mit Gefechtsberichten, in denen er seine Lage schilderte und um sofortigen Angriff von Westen bat, wodurch der Feind eingekesselt und vernichtet werden konnte.

Bis zum Abend kam aber weder Nachricht noch Hilfe aus dem Hauptquartier. Salm war gezwungen, die Front der Konföderierten noch einmal zu durchbrechen und sie gegen den Fluß hin festzuhalten, wo sie in den nächsten Tagen erst nach schweren Kämpfen aufgerieben werden konnte.

Als die Schlacht schließlich geschlagen war, konnte von einem strahlenden Sieg keine Rede sein. Unter blutigen Opfern war es gerade noch gelungen, General Stonewall-Jackson aufzuhalten und langsam auf den Shenandoah zurückzudrängen. General Blenker aber war überzeugt davon, daß ein großer Sieg möglich gewesen wäre, wenn sich Fremont nicht so ängstlich zurückgehalten hätte. Und er erklärte diese Zurückhaltung allein mit Fremonts Absicht, ihn, den dickköpfigen Blenker und besseren General, endlich mal mit einer Niederlage zur Raison zu bringen.«

»Mein Gott, das ist ja alles furchtbar«, rief Agnes entsetzt, als Corvin seinen Bericht unterbrach, um sich aufs neue sein Glas zu füllen.

»Ausgezeichnet, dieses Zeug. Sie sollten auch davon trinken, Agnes.«

»Nicht einen Tropfen«, wehrte sie ab. »In Vermont gibt's für Frauen und Kinder nur Apfelsaft, daran bin ich gewöhnt, Corvin, und dabei bleibe ich.«

Er hob ihr sein Glas entgegen. »Wär' nichts für mich. Macht aber 'ne schöne Haut, wie ich an Ihnen sehe, Prinzessin.«

»Wollen Sie mich veräppeln mit meinem Apfelsaft, oder

133

was soll dieses Getue? Sie haben doch noch etwas in der Hinterhand, Oberst?«

»Nicht schlecht geraten. Und was meinen Sie, was könnte das sein?«

»Die Rolle, die Felix in diesem Kriegstheater spielt?«

»Richtig. Genau das.«

»Und wie spielt er sie?«

»Leider miserabel. Er begreift einfach nicht, was für ihn auf dem Spiel steht.«

»Ich begreif' es auch noch nicht«, sagte Agnes eifrig. »Sie müssen mir das erklären, Corvin.«

»Ich bin dabei, Agnes. Sie sind die einzige, die Felix vielleicht noch klarmachen kann, um was es geht. Ich hab's versucht, aber mir hört er ja nicht zu.«

»Mir wird er zuhören«, sagte Agnes mit gerunzelter Stirn und siebzehnjährigem Lebensernst in den Augen, »das versprech' ich Ihnen, Corvin.«

»Also gut. Passen Sie auf: Mein Freund Louis Blenker, dieser cholerische Hitzkopf, ist gleich nach der unglücklichen Schlacht bei Cross Key nach Washington geritten, ohne Anmeldung in das Zimmer des Kriegsministers eingedrungen und hat Mr. Stanton ein Ultimatum gestellt. Etwa so: Entweder, Mr. Stanton, befreien Sie mich mit sofortiger Wirkung von diesem Nichtskönner Fremont und unterstellen mich mit meiner Division wieder meinem Freund General MacClellan, oder ich bitte hiermit um meinen Abschied.«

»Das ist nicht wahr, Corvin. So verrückt kann er doch nicht sein«, stöhnte Agnes auf.

»Generäle pflegen sich nun mal für unentbehrlich zu halten«, stellte Corvin trocken fest, »in allen Armeen der Welt.«

»Und was sagte Stanton?«

»Was zu erwarten war, nachdem ihm schreiende Choleriker und aufmüpfige Deutsche besonders verhaßt sind. Er sagte kühl und sachlich, wie das diese Advokaten an sich haben: ›Ich gewähre Ihnen mit Vergnügen den erbetenen Abschied aus der Armee, General, und danke Ihnen im Namen des Präsidenten für die den Staaten geleisteten Dienste. Über Ihre Division werde ich im Generalstab nachdenken lassen. Das beste wird es wohl sein, die Regimenter auf das 1. Deutsche Armeekorps unter General Sigel und das 2. Korps unter General Schurz aufteilen zu lassen. Danke, General!‹«

»Und Blenker?«

»Flog als nunmehriger Zivilist noch schneller aus Stantons Zimmer wieder raus, als er als General hineingekommen war. Jetzt sitzt er in der Bar vom ›Willards‹, läßt sich mit Whisky vollaufen, schimpft und weint abwechselnd, weil er, wie er behauptet, eher auf seine Frau als auf seine Division verzichten könne.«

»Er tut mir leid«, sagte Agnes, »aber ganz unschuldig ist er wohl nicht an seinem Schicksal. Manchmal – auch Felix gegenüber – schien er mir sehr überheblich zu sein.«

»Wie das eben bei Generälen so üblich ist. Da ihnen niemand widersprechen darf, sehen sie schließlich ihre Grenzen nicht mehr.«

»Aber Sie wollten von Felix sprechen, Corvin.«

»Das tu ich bereits, Agnes. Ich bin mitten in der Vorgeschichte der Dummheit, die zu begehen er im Begriff ist. Die Nachricht von Blenkers Entlassung hatte in der Division wie eine Bombe eingeschlagen.«

»Kann ich mir denken. Und Felix will protestieren, wie ich ihn kenne, nicht wahr?«

»Genau das. Nach hitzigen Diskussionen in der Mannschaft und im Offizierskorps schlug Felix vor, eine Delegation an den Kriegsminister zu senden und ihn zur Zurücknahme der Entlassung von Blenker zu bitten.

Der Vorschlag wurde angenommen und Felix zum Führer einer Delegation bestimmt, die übermorgen bei Stanton vorsprechen will.«

Agnes erschrak. »Er ist verrückt. Er kennt Stanton nicht.«

»Das hab' ich ihm auch gesagt. Aber er will Blenker nicht im Stich lassen und auch nicht begreifen, daß hier in Amerika mit einem General zugleich auch sein ganzer Stab gefeuert wird.«

Agnes nickte. »Ja, das ist wie bei der Präsidentenwahl. Mit dem alten Präsidenten verläßt auch sein Stab das Weiße Haus.«

»Hab' ich Felix nicht klarmachen können. Oberst bleibt Oberst nach seinen preußischen Maßstäben. Er ist überzeugt, daß man ihm seinen Rang erst aberkennen könne, wenn er sich etwas zuschulden kommen ließe.«

»Das mein' ich aber auch«, trotzte Agnes. »Stanton kann ihn meinetwegen versetzen. Sollte er es aber wagen, Felix zu entlassen, gehe ich zum Präsidenten. Und dann will ich mal sehen, wer da mehr erreicht, ich oder dieser Mister Stanton.«

Wie eine Stahlfeder schnellte Agnes mit den letzten Worten aus dem Schaukelstuhl auf, stand mit blitzenden Augen, bebenden Lippen, die kleinen Hände zu Fäusten geballt, vor Corvin, der sie bewundernd anstarrte und am liebsten in seine Arme gerissen hätte. »Sie sehen hinreißend aus, Agnes, ich . . .«

Sie stampfte mit dem Fuß auf. »Lassen Sie diesen Unsinn, Oberst. Ich will nicht Komplimente hören, sondern wissen, was ich zu tun habe. Zunächst also darf Felix nicht zu Stanton gehen.«

Corvin winkte ab. »Das hat sich schon erledigt. Stanton wird die Delegation nicht empfangen, wie ich heute morgen im Kriegsministerium gehört habe.«

»Dann werd' ich morgen früh ins Weiße Haus gehen und mit dem Präsidenten sprechen. Vorsorglich, meine ich.«

Corvin wiegte den Kopf. »Das würd' ich nicht empfehlen, Agnes. Ein altes Sprichwort sagte, daß man zum König erst gehen soll, wenn es sich um Tod und Leben handelt. Ich glaube, einen besseren Vorschlag zu haben. Felix muß als Kommandeur ein Regiment bekommen. Er verdient es. Ich hab' ihn erlebt. Er ist ein umsichtiger, ebenso tapferer wie entschlossener Frontoffizier.«

»O ja, er verdient es«, stimmte Agnes freudig zu und ließ sich wieder in ihren Schaukelstuhl fallen. »Aber wo gibt es so ein Regiment?«

»Er ist wie geschaffen für das achte New Yorker, frühere Blenker-Regiment, das zur Zeit wieder aufgefüllt wird, aber noch ohne neuen Kommandeur ist. Oberst Wuschel wurde degradiert, und Oberst von Bohlen ist bei Cross Key gefallen, nur Felix kommt dafür in Frage.«

»Gut, Corvin. Aber wie geht das vor sich? Wo muß er sich bewerben?«

»Wie ich ihn kenne, wird er sich niemals bewerben. Er erwartet, gerufen zu werden. Sie müssen das tun für ihn, Agnes.«

Mit einem Ruck hielt sie ihren wiegenden Stuhl an, warf sich nach vorn. »Ja, alles – zu wem muß ich gehen, Corvin?«

»Die Kommandeursposten werden hierzulande von den Gouverneuren der einzelnen Staaten besetzt. Für New York ist allein Gouverneur Morgan in Albany zuständig . . .«

». . . und Stanton hat keinen Einfluß darauf?«

»Nicht den geringsten. Er muß die Entscheidungen der Gouverneure ohne Widerspruch hinnehmen. Kennen Sie Morgan?«

»Nein«, sagte Agnes, »ich habe nur mal gehört, er soll Junggeselle und ein großer Weiberfeind sein.«

»Sie werden ihn davon schon in dem Augenblick bekehren, in dem Sie sein Zimmer betreten. Wer könnte Ihr Feind sein?«

Er streckte die Hände aus, um sie zu umarmen. Da war sie mit einem Sprung schon wieder auf der anderen Seite der Veranda: »Hände weg, Corvin. Also ich verspreche Ihnen, ich fahre zu Mister Morgan nach Albany – vielleicht morgen schon – und komme mit dem Regiment und dem Patent für Felix zurück, oder . . .«

»Oder?« warf er ein, als sie zögerte.

»Oder ich bin keine Amerikanerin, und Amerika ist nicht mehr Amerika.«

Hexenzauber

Schwül lastete der Sommertag über Albany. Kaum Leben auf den Straßen. Mensch und Tier hielten sich im Schatten der Häuser verborgen.

Agnes lief unruhig in diesem schmalen Hotelzimmer auf und ab, das auch der braunrote Fenstervorhang nicht vor der draußen brütenden Hitze bewahren konnte. Den blitzenden Perlmuttfächer vor dem Gesicht schwingend, fragte sie abermals nach der Zeit.

»Eine Minute später als bei deiner letzten Frage«, sagte Felix gleichmütig, der in Hose und Stiefeln auf dem Bett lag, während sein Waffenrock über dem einzigen Stuhl hing. Aus dem geöffneten weißen Hemd brach dunkel sein dichtes Brusthaar hervor. »Komm zu mir!«

»Nein«, wehrte Agnes ab, »ich weiß schon, was du willst.«

»Nichts weiter, als daß du aufhörst, so herumzurennen, daß du hier neben mir sitzt, daß ich dich küssen kann.«

»Ah, ich kenne dich. Beim Küssen bleibt es nicht. Ich bin froh, daß ich endlich angezogen bin.«

»Du weigerst dich also, die Wünsche deines Mannes zu erfüllen?«

»Ja, weil ich vernünftigerweise daran denke, daß Senator Harris jeden Augenblick kommen muß.«

»Er hat sich bereits verspätet und wird zur Strafe warten müssen auf dich.«

Agnes unterbrach ihre Wanderung. »Wenn ich den Senator warten lasse, versäume ich den Termin bei Gouverneur Morgan, und wir haben diese entsetzliche Reise hierher nach Albany umsonst gemacht.«

»Das haben wir auf jeden Fall getan«, reizte Felix sie weiter. »Du kannst mir doch nicht erzählen, daß mir Gouverneur Morgan, der übrigens ein verdammter Weiberfeind sein soll, nur darum eines seiner besten Regimenter anvertraut, weil ihn eine zugegeben ganz hübsche junge Frau mit zwei Augenaufschlägen darum bittet.«

»Er wird es tun, das versichere ich dir.« Sie stampfte mit dem Fuß auf. »Und du verstehst überhaupt nichts von Amerika. Wenn eine Amerikanerin einen Mann liebt, dann will sie auch, daß er der beste ist, daß er das erreicht, was er verdient . . .«

». . . und was sie sich in den Kopf gesetzt hat«, unterbrach er sie lachend.

»Ja, natürlich«, fuhr sie zornig fort. »Ich weiß eben besser als du, daß dir das Kommando über das achte Regiment zusteht, daß du der beste Offizier dafür bist. Corvin hat mir das auch gesagt. Und den Gouverneur werd' ich davon überzeugen.«

Felix paffte vergnügt an seiner neugestopften Pfeife.

»Also, da haben wir's. Corvin hat dir mal wieder diese Reise eingeredet, der große, kluge Corvin.«

»Die brauchte er mir gar nicht einzureden. Ich habe sofort begriffen, daß es der einzige Weg ist, dir aus der Patsche zu helfen, in die du dich selber gesetzt hast«, rief sie erregt. »Wie konntest du diese Petition für Blenker an Kriegsminister Stanton unterschreiben? Du mußtest doch wissen . . .«

»Ich bin kein Hundsfott«, unterbrach er sie wütend. »Blenker hat mir vertraut, als er mich in seinen Stab holte. Da kann ich ihn doch nicht verraten.«

»Gut, er ist ein großer Soldat, ein achtbarer Mann, ein

Löwenherz, wie man sagt – aber mit dem Gehirn einer Maus. Stanton ein Ultimatum zu stellen – das konnte doch nur mit seinem Rausschmiß enden. Und einem gefeuerten General die Treue zu halten, das ist doch einfach Selbstmord – oder etwa nicht?«

»Das mußt du ja wissen, du Naseweis«, brummte er beleidigt und zog sie mit einem Ruck an sich heran. »Küß mich sofort, oder es gibt ein Verfahren wegen Ungehorsam.«

Sie beugte sich über ihn, küßte flüchtig seine suchenden Lippen und floh im nächsten Augenblick schon wieder in die äußerste Ecke des Zimmers. Sie brauchte ihn nur anzurühren, seine Lippen auf ihrem Mund zu spüren, und alles in ihr begann zu zittern.

Am liebsten wäre er aufgesprungen, sie auf den Armen in sein Bett zurückzutragen. Aber es rührte ihn, wie sie in zorniger Hilflosigkeit da im Halbschatten der Gardine stand und ihr Gesicht hinter dem Fächer verbarg, um seinen Augen zu entgehen. Sie war schon für den Empfang bei Gouverneur Morgan gekleidet. Sehr raffiniert, wie ihm schien. Der Krinolinenrock des altrosafarbenen Musselinkleides war vorn mit einer goldenen Agraffe aufgesteckt, so daß man ihre kleinen, in hochhackigen, perlmuttbeknöpften Stiefelchen steckenden Füße und auch ein winziges Stück ihrer weißbestrumpften langen Beine sehen konnte. Ihre hochgeschnürten Mädchenbrüste täuschten eine kaum vorhandene Fülle vor, wie sie sich in aufregenden Rundungen unter dem hauchdünnen Spitzenausschnitt ihres Kleides mehr offenbarten als verbargen. Der leichte Schleier über dem dunklen Haar rieselte mit rosafarbenem Licht bis auf den schmalen Nacken hinunter.

»Du siehst aus«, sagte Felix halb bewundernd, halb lächelnd vorwurfsvoll.

»Wie denn?« fragte sie streitbar zurück.

»Als wolltest du alle Männer von Albany verführen und nicht nur diese beiden alten Knaben.«

»Erstens will ich die nicht verführen, sondern überzeugen, und . . .«

»Dein Spitzenausschnitt zum Beispiel ist sehr überzeugend«, warf er ein.

Sie errötete und stampfte mit dem Fuß auf. »Du sollst so etwas nicht sagen. Und zweitens . . .«

»Ja, sprich weiter. Ich höre.«

»Und zweitens«, erklärte sie in plötzlicher Betretenheit, »ist Gouverneur Morgan kein alter Knabe, sondern ein sehr ernsthafter Mann.«

»Ein sehr ernsthafter *junger* Mann wolltest du sagen.« Felix nickte und richtete sich auf. »Ich sehe, ich muß dich begleiten.«

»Auf keinen Fall«, protestierte Agnes erschrocken. »Wenn du mitgehst, ist alles umsonst, dann bring' ich kein Wort heraus.«

»O du Hexe«, sagte Felix und ließ sich wieder in das Kissen zurückfallen. »Du hast dir ja allerhand vorgenommen.«

»Es genügt, wenn Senator Harris mich begleitet«, sagte Agnes eifrig.

»Na ja, dem hast du ja schon in Washington den Kopf verdreht.«

»Er mag mich, und er hilft mir aus freien Stücken«, verteidigte sich Agnes. »Ein Senator der Vereinigten Staaten trägt immer auch ein Stück vom Mantel des Präsidenten. Der Gouverneur von New York braucht mich nicht zu empfangen. Komme ich aber mit dem Senator von New York, *muß* er mich empfangen. Langsam solltest du anfangen, Amerika zu verstehen.«

»Ich bin vollauf damit beschäftigt, dich zu verstehen.

Aber das heißt, wie ich jetzt sehe, auch schon Amerika zu begreifen.« Er warf ihr eine Kußhand zu. »Du bist ein Luder, genauso raffiniert wie naiv.«

»Ach was, ich bin eine Frau. Nichts weiter.«

»Nichts weiter, sagst du?« Er lachte. »Das ist schon die halbe Welt – mir genügt's.«

Sie ließ sich in den Lederstuhl am Bett fallen. »Ich kann nicht mehr. Wenn wir so weiterreden, bring' ich beim Gouverneur kein Wort heraus. Diese Hitze dazu – ich kriege keine Luft mehr.«

»Das liegt nicht an der Hitze, sondern daran, daß du dein Korsett so eng gebunden hast. Muß das denn sein?«

»Ja, das muß sein«, trotzte Agnes, »sonst sitzt das Kleid nicht.«

»Ich verstehe, du willst lieber ersticken, als daß dieses Kleid Falten schlägt.«

»Ja, lieber ersticken.«

»Komm zu mir, mein kleiner Dickkopf. Ich werde dieses Marterinstrument ein wenig lösen.«

»Niemals«, wehrte sich Agnes vor seiner dunklen Stimme, deren Zärtlichkeit ihr schon wieder ins Blut ging, und schien sich hinter den Fenstervorhang retten zu wollen, als sich im gleichen Augenblick, ohne anzuklopfen, der schwarze Hoteldiener ins Zimmer schob und schläfrig meldete: »Missis Prinzeß, der Senator wartet in der Halle.«

»Ziemlich verspätet, muß ich sagen«, tadelte Felix und hob Agnes die Arme entgegen. »Noch einen Kuß zum Abschied, komm her.«

»Nein, dann komm ich nie weg«, wehrte sie ab und lief schnell an ihm vorüber zur Tür. »Drück mir lieber die Daumen, daß alles gutgeht.«

Die Tür fiel ins Schloß. Er lauschte dem Trommelklang

ihrer Absätze nach, der den Gang hinunter verhallte.
Ach, er liebte sie wie sein Leben.

Langsam stand er auf, zündete seine erloschene Pfeife
wieder an und ging zum Fenster, wo er den Vorhang
aufriß und auf die einsame, in der Hitze kochende Straße
hinuntersah.

Wenig später bog die offene Kalesche des Senators von
zwei Schimmeln gezogen in schneller Fahrt in die
Hauptstraße ein, die schnurgerade zum Capitol von
Albany hinführte, das an ihrem anderen Ende lag. Das
weiße Haar des alten Harris flog im Wind, und Agnes
ließ neben ihm ihren Sonnenschirm, unter dem sie sich
verborgen hielt, in der Hand kreisen. Ein Zeichen, wie
aufgeregt sie war.

Lächelnd sah Felix dem Wagen nach, bis er in der Ferne
zu einem Punkt zusammenschmolz. Er wünschte ihr
Erfolg bei dieser ersten großen Unternehmung, die sie
ganz selbständig geplant hatte. Mehr um ihretwillen als
um seinetwillen. Ihrem siebzehnjährigen Ehrgeiz würde
ein Mißlingen allzu tiefe Wunden schlagen. Davor hatte
er Angst.

Als er vor zwei Tagen von der Front nach Washington
gekommen war, um zu erfahren, daß Kriegsminister
Stanton die Abordnung der Blenkerschen Offiziere
nicht empfangen würde, hatte Agnes Enttäuschung und
Zorn, die in ihm aufstiegen, damit zu überwinden gewußt, daß sie ihm kaum Zeit zum Überlegen ließ, sondern ihn unmittelbar auf die Station zu diesem Zug nach
Albany führte. Mit Worten höchster Dringlichkeit. Und
unterwegs erst, als es kein Zurück mehr gab, hatte sie
ihm ihren absonderlichen Plan erläutert, zu dem er nur
noch mißbilligend und peinlich berührt den Kopf schütteln konnte. Zeitlebens war *er* doch zum Schicksal so
vieler Frauen geworden, die er verführt und verraten

hatte. Und nun wollte eine Siebzehnjährige mit Indianeraugen aus jähem Entschluß Ziel und Fortgang seines Lebens bestimmen, ohne daß er sich wehren konnte. Ungeduldig erwartete er ihre Rückkehr.

Breitschultrig bullig, ernsten Gesichts und zur Abwehr entschlossen, saß Gouverneur Morgan hinter dem mächtigen Schreibtisch, als Captain Burning, sein militärischer Adjutant, die schon angemeldeten Besucher aus Washington in sein großräumiges Arbeitszimmer führte. Morgan war ein Mann mittleren Alters mit hoher Stirnglatze, dem um so dichter der dunkle Vollbart das energische Kinn umwucherte. Ehemaliger Schlosser oder Schmied, der erfolgreich in die Politik übergewechselt war, wie Agnes mit schnellem Seitenblick zu erkennen glaubte. Frauenfeind wohl nur aus Unsicherheit, denn er wich beflissen ihren Augen aus.
Ohne aufzustehen, winkte er über sie hin seinem Freund und Rivalen, dem etwas wackligen Harris, zu. »Hallo, Senator, fein, Sie zu sehen.« Deutete auf zwei bequeme Lederstühle vor seinem Tisch, wobei eine halbe Handbewegung auch für Agnes abfiel. »Ich höre, Sie wünschen mich dringend zu sprechen.«
»Die Prinzessin will dich sprechen, George«, krächzte der Senator, von der Hitze mitgenommen. »Ich begleite sie nur.«
»Ich höre, Prinzessin.« Morgan nickte mit gesenktem Kopf, blickte angestrengt in seine wie fremd auf dem Tisch liegenden Fäuste.
Agnes setzte sich ein wenig höher im Stuhl und beugte sich nach vorn ins Licht, das ihrer Haut samtene Wärme gab. Schob den rechten Fuß so weit unter dem Volant des Unterrocks hervor, daß über dem Schuhrand nun ein winziges Stück des weißen blumenbestickten Strumpfes

zu sehen war. Dies alles wie nebenbei, mit dem Raffinement kindlichster Unbefangenheit. Ohne viel nachzudenken, überließ sie sich zwischen diesen beiden so verschiedenen Männern ganz ihrem Instinkt. Bat mit leiser Stimme in zaghaften Worten um gütiges Verständnis für die Hilflosigkeit einer unerfahrenen jungen Frau, die, ohne dessen Wissen, für ihren geliebten Gatten bei Gouverneur Morgan Gerechtigkeit und Verständnis zu finden hoffe. Seufzend tupfte sie ihr Batisttüchlein auf die Augen, schlug die Beine übereinander, so daß die hübschen Blumen auf den Strümpfen fast bis zur halben Wade zu sehen waren, und fuhr nach einer Pause stokkend fort: Sicher sei der Ruhm des Helden von Cross Kay, wie ihr Mann von Augenzeugen gerühmt werde, nachdem er dort mit einer aus eigenem Entschluß in die Front geführten Brigade den Durchbruch des Feindes verhindert habe, auch bis zu den Ohren des Gouverneurs gedrungen. Gouverneur Morgan und auch sein Adjutant, Captain Burning, nickten bedeutsam. Sie wußten Bescheid. Oberst Prinz Salm war in den ihnen vorliegenden Kampfberichten rühmend erwähnt.

Mit heftiger Bewegung wechselte Agnes abermals die übereinandergeschlagenen Beine. Der Musselinrock und die Volants flogen auf, ließen die Blumen auf den weißen Strümpfen für den Bruchteil einer Sekunde bis zu den Knien hinauf sehen.

Gouverneur Morgan hob den Kopf ein wenig und blickte würdevoll dahin, wo auch die Augen seines Adjutanten schon gelandet waren – auf den obersten Perlmuttknopf eines in der Luft wippenden Stiefelchens, über dem ein schöngeformtes Mädchenbein begann. Kein Eisblock, dachte, fühlte sie. Der Weiberfeind hatte nur Angst vor Frauen. Seine krampfhafte Würde war Schüchternheit.

Noch ein wenig höher flog das Stiefelchen. Sie hob ihre Stimme: Nichts gegen Kriegsminister Stanton. Er sei gewiß ein verdienstvoller Staatsmann. Aber ihrem geringen Verständnis des Kriegswesens ginge es nicht ein, daß er einen so bewährten Offizier wie Oberst Salm nur darum zur Disposition stellen wolle, weil sich der Prinz für seinen Kommandeur, General Blenker, eingesetzt habe.

Seufzend machte sie eine Pause und bemerkte mit Genugtuung die Zornesröte auf der Stirn des Gouverneurs. Denn Senator Harris hatte ihr erzählt, daß Gouverneur Morgan den Kriegsminister nicht ausstehen und ihm auch nicht verzeihen könne, Blenker ohne Rücksprache mit ihm gefeuert zu haben.

Der Gouverneur donnerte die schwere Faust auf den Tisch. »Das wird er nicht ein zweitesmal wagen.«

Sie wollte wirklich nichts gegen Mister Stanton gesagt haben, versicherte sie mit sanftem Erschrecken. Ihr ginge es allein um das Glück ihres Gatten, der es einfach nicht mit seiner Offiziersehre vereinbaren könne, daheim herumzusitzen, während es an der Front an erfahrenen Truppenführern mangele.

Und abermals donnerte die schwere Faust auf den Tisch. »Der Oberst wird bestimmt nicht lange auf eine neue Aufgabe warten müssen. Das versichre ich Ihnen, Prinzessin.«

Ach, wie dankbar sie ihm war für sein Verständnis und wie glücklich aufgeregt. Die Beine flogen übereinander. Das andere Stiefelchen wippte in der Luft, und um die schmalen Knie zitterten die Volants. Sie wolle keinesfalls klüger sein als der Gouverneur des Staates New York. Aber es müsse, nach ihrer Meinung, die neue Stellung des Obersten Salm vernünftigerweise auch seinen Befähigungen entsprechen. Der Prinz, ihr Gatte, sei schließlich ein Mann, der die Vorurteile seines Standes über Bord geworfen habe und freiwillig über den Ozean nach Amerika gekommen sei, um sein Leben für die Zukunft der Staaten einzusetzen.

»Das werden wir gewiß zu berücksichtigen wissen«, sagte Gouverneur Morgan mit schon sehr gelöstem Blick auf die über den Knien der Prinzessin wogenden Volants, »wobei es mir als die schönste Tat des Obersten Salm erscheint, eine Amerikanerin wie Sie zu seiner Prinzessin gemacht zu haben.«

Dieser Weiberfeind war zu Komplimenten fähig! Das Eis schmolz und schmolz. Agnes beugte sich mehr noch ins Licht der Sonne von Albany. »Ich liebe ihn, weil er Amerika so liebt wie ich, Gouverneur. Und es war Präsident Lincoln selbst, der ihm sagte: ›Daß Sie Prinz sind, soll Ihnen gewiß nicht schaden bei uns, Mister Salm.‹«

»Nein, das soll ihm nicht schaden«, bestätigte der Gouverneur mit festem Blick auf die kleinen Hügel, die sich im Spitzenausschnitt der Prinzessin zeigten. Und Captain Burning nickte zustimmend mit starren Augen in die gleiche Richtung.

Es gebe sicher nur wenige Frauen, die darum bäten, ihren Mann an die Front zu schicken, fuhr Agnes fort. Ihre Augen blitzten. Ihr Atem ging schnell. Sie selbst habe den Präsidenten, noch ehe sie Prinzessin Salm geworden sei, um die Erlaubnis gebeten, als einfacher Soldat an der Front zu kämpfen. Mister Lincoln habe das abgelehnt. Nun aber kämpfe sie in Blut und Mut ihres Mannes mit, wo immer der Gouverneur ihn einzusetzen beliebe. Auch auf die Gefahr hin, daß der Prinz für die Zukunft Amerikas mit seinem Leben zu zahlen habe. Aber dafür, das sage sie als Soldatenfrau, sei kein Opfer zu groß.

Senator Harris, der hinter ihr auf dem Sofa an der Wand saß, brach in Tränen aus. Sein Schluchzen erfüllte sekundenlang das stille Zimmer. Auch Gouverneur Morgan war sichtlich bewegt. Und sein Adjutant desgleichen.

»Prinzessin, ich verspreche es Ihnen, Oberst Salm wird mit einer Aufgabe betraut werden, die seinem Rang und seiner Tapferkeit zukommt«, sagte der Gouverneur würdevoll.

Darauf Agnes, kühn, jung, schön: »Betrauen Sie ihn mit der Führung eines Regiments, Gouverneur.«

»Gewiß. Daran dachte ich. Aber ich muß erst prüfen, welches Regiment frei ist oder frei wird.«

»Frei ist Ihr bestes Regiment, Gouverneur. Das achte New Yorker Infanterieregiment. Sein Kommandeur, Oberst von Bohlen, ist in der Schlacht bei Cross Key gefallen. Es besteht aus Deutschen, und man sollte dem Regiment auch wieder einen deutschen Kommandeur geben.«

Der Gouverneur sah zu seinem Adjutanten auf. »Das scheint mir vernünftig, Captain.«

»Mir auch, Gouverneur«, stimmte der Adjutant zu, der seine Augen vom Liebreiz der jungen Frau nicht lösen konnte, die so entschlossen für ihren Mann kämpfte.

»Hier hab' ich die Ranglisten unserer Regimenter. Für das achte Regiment werden wir darin keinen besseren Kommandeur finden als Oberst Salm.«

Agnes warf ihm einen schmelzend dankbaren Blick zu. Der Gouverneur richtete sich auf und verkündete wie ein Gesetz: »Ich werde Oberst Salm mein achtes Regiment anvertrauen. Sie können beruhigt nach Washington zurückkehren, Prinzessin.«

Aber Agnes traute Versprechungen nicht. Eine Erfahrung, die sie schon als Kind bei allen Erwachsenen gemacht hatte. Und in gewisser Hinsicht reagierte sie manchmal noch wie ein Kind. Klug, mißtrauisch und spontan. Mit einem Katzensatz flog sie vom Stuhl auf und stand plötzlich vor dem Tisch des Gouverneurs. »Mister Morgan, es ist doch sicher möglich, mir das Patent für Oberst Salm gleich mitzugeben? Es geht doch nur um die kleine Mühe der Unterschrift für Sie, nicht wahr? Und wenn ich die Ernennung unmittelbar aus Ihrer Hand in die Hand meines Mannes geben könnte, das wäre – ach, das wäre ein so großes Glück für mich.«

Der leicht zu rührende Senator im Hintergrund schluchzte abermals vernehmlich, während Mister Morgan gebannt in das nah vor ihm schwebende junge Gesicht starrte. In diese schmalen braunen Augen, hinter denen zäher Wille blitzte. Auf die gerade Stirn, über die einige gelöste Strähnen des schwarzen Haars hinwehten. Auf die kräftig schönen Zähne zwischen den schwellenden Mädchenlippen. Auf dieses trotzige Kinn.

Sie beugte sich noch weiter zu ihm hinüber. »Nicht wahr, Mister Morgan, Sie werden das Patent gleich ausfertigen?«

Und sein starrer Blick rutschte noch ein wenig tiefer auf die rosig glühenden Knospen ihrer jungen festen Brüste hinunter, die, kaum noch vom Spitzenschimmer des Ausschnitts verhüllt, vor ihm zitterten. So arglos. So selbstvergessen. Langsam, schwer nur, wandte er das Gesicht dem Adjutanten zu, der entschiedener noch das schöne Bild fixierte, das die Augen des Gouverneurs soeben verlassen hatten. »Haben wir denn die Patente zur Hand, Captain?«

»Hier, Gouverneur«, sagte Captain Burning, nahm einen Vordruck aus seiner Handmappe, den er vor den

Gouverneur auf den Tisch legte. »Nur Name, Rang und das Regiment sind einzufügen.« Und er blinzelte Agnes ermutigend zu.

»Das kann ich doch ausfüllen, Mister Morgan«, rief Agnes und lachte dem Gouverneur zu. »Dann brauchen Sie nur noch zu unterzeichnen.«

Seufzend beugte er sich über das Papier und begann zu schreiben. »Finden Sie nicht, Captain, daß es sich hier um die hartnäckigste junge Dame handelt, die uns je vor die Augen gekommen ist?«

»Aber auch die entzückendste, Gouverneur.«

»Sind Sie nicht verheiratet, Captain?«

»Gewiß, Sir. Aber das hindert mich nicht, die Schönheit dieser Welt zu erkennen, wenn sie mir vor die Augen kommt.«

Alle lachten. Nur Agnes nicht, die mit angehaltenem Atem verfolgte, wie die Feder des Gouverneurs über das Papier fuhr. Als er den letzten Punkt hinter seinen Namen setzte, klatschte sie in die Hände. »Fertig. Wunderbar!«

»Fertig, jawohl!« Er drückte eigenhändig sein Siegel in das von Captain Burning schon gelöste und aufgetragene Wachs, trocknete es ein wenig in der Luft und gab das Offizierspatent über den Tisch hin in Agnes' ausgestreckte Hand. »Ich hoffe, Sie sind nun zufrieden mit mir?«

Ohne zu antworten, las sie das Schriftstück Wort für Wort halblaut vor sich hin – wie ein buchstabierendes Kind. Sah dann auf und sagte beinahe feierlich: »Ich danke Ihnen, Mister Morgan. Sie sind ein wunderbarer Mann. Wenn dieser große Schreibtisch nicht zwischen uns wäre, würd' ich Ihnen jetzt um den Hals fallen.«

»Dem kann abgeholfen werden«, erwiderte er lachend

und lief in einem jähen Anfall von Mut um den Tisch herum. Faßte mit beiden Händen ihr schmales Gesicht und küßte sie – auf die Stirn. Mehr wagte er nicht. »Grüßen Sie den Oberst von mir. Ich hoffe, ihn bald einmal kennenzulernen. Wer so eine Frau hat, wie Sie es sind, Agnes, muß ein hervorragender Mann sein.«

Agnes zelebrierte einen ihrer anmutigen Knickse und sah ihn von unten her augenstrahlend an. »Das ist er, Mister Morgan.«

Der Gouverneur war sichtlich bewegt, und Senator Harris, schon wieder Tränen in den Augen, klatschte etwas tapsig in die Hände. »Der Eisblock beginnt zu tauen. Ich gratuliere Ihnen, Prinzessin.«

Aber Agnes hörte ihn nicht mehr. Sie lief schon, das Patent wie eine Siegestrophäe über dem Kopf schwingend, in großen Sprüngen die Freitreppe zum Ausgang hinunter, so daß Rock und Volants bis zu den Strumpfbändern hinaufflogen. Aus ihr würde niemals eine Lady werden.

Felix lag noch so, wie sie ihn verlassen hatte, auf dem Bett und sah dem Rauch seiner Pfeife nach, als sie glühend vor Glück in das Zimmer stürmte. Und vor ihm stehenblieb, die Hände auf dem Rücken. »Rate, was ich hier habe.«

Er legte die Pfeife aus der Hand und sah sie streng an. »Du bist ziemlich lange ausgeblieben, scheint mir.«

»Rate, was ich hier habe.«

»War wohl sehr schwierig diesmal, einem Weiberfeind den Kopf zu verdrehen?«

»Nicht so schwierig, wie ich gedacht habe. Wenn alle Weiberfeinde so sind wie Gouverneur Morgan, will ich von nun an immer nur Weiberfeinde um mich haben.«

Felix schlug die Hände überm Kopf zusammen. »Da haben wir's. Er hat *dir* den Kopf verdreht. Nie wieder lass' ich dich allein zu anderen Männern gehen.«

»Ach, du dummer, eifersüchtiger Mann, rate endlich, was ich hier habe.«

»Na, was wird das schon sein? Ein vages Versprechen, daß man sich meiner irgendwann mal gnädigst erinnern wird.«

Agnes stand stramm und verkündete höchst militärisch: »Im Namen des Gouverneurs von New York ernenne ich Sie mit Wirkung vom heutigen Tag zum Kommandeur des achten Freiwilligen-Regiments. Hier, Oberst Salm, ist Ihr Patent.«

Er sprang auf. Sah sie fassungslos an. Riß ihr das Papier aus der Hand und las. Einmal, zweimal, dreimal. Sah sie abermals an: »Nein, das ist ja unglaublich. Agnes, du Hexe. Mein kleines Mädchen. Du bist die Größte. Die – die – die Allergrößte.« Und marschierte, das Patent hoch in der Hand schwenkend, plötzlich durchs Zimmer. »Hurra, ich habe ein Regiment!« Und lachte laut auf. »Ein Regiment aus der Hand meiner Frau. Und das muß mir passieren – aus der Hand meiner Frau – ein Regiment – es lebe Amerika – hurra, Amerika.«

Und bemerkte jetzt erst, daß Agnes stumm, bleich, atemlos, mit großen starren Augen in den alten Lederstuhl am Bett zurückgefallen war.

Er stürzte auf sie zu. »Agnes, Liebling, was hast du?«

»Ich sterbe«, stammelte sie. »Ich – ich kann nicht mehr atmen.« Tränen blitzten in ihren Augen, da sich die Anspannung nun löste, in der sie sich in den letzten Stunden gehalten hatte.

»Agnes, Engel, Liebste, was soll ich tun?«

»Luft, Luft, ich brauche Luft. Mach mir das Kleid auf.«

Er hob sie auf, und sie lehnte sich schwankend an seine Brust, während er mit ungeschickten Fingern die hundert kleinen Haken öffnete, die das Kleid so eng im Rücken faßten. Etwas schneller gelang es ihm, die straffgebundene rote Kordel zu lösen, von der ihre langen bestickten Batisthosen in der Hüfte gehalten wurden.

»Und nun – das verdammte Korsett«, hauchte Agnes mit dem letzten Atem, den sie noch hatte.

Er riß die seidenen Bänder auf, bis das fischbeinerne Marterinstrument über der Brust auseinandersprang.

Sie tat einen tiefen Atemzug. »Endlich – ich lebe wieder.«

»Na, Gott sei Dank. Ich habe dir aber gesagt, daß es zu eng gebunden war.«

»Ja, du hast es gesagt. Aber es mußte sein.«

»Wie eben alles sein muß«, sagte er und hob sie lachend aus dem Kleid und ihrer Wäsche heraus, die an ihr herabfiel. Und trug sie nackt durch das Zimmer. Küßte ihre Augen, ihren Mund, die Spitzen ihrer Brüste, die sanfte Wölbung ihres Leibes, die er so liebte, ihren Schoß. Aber ihre Knie und kleinen Füße, die sonst dann an der Reihe waren, mußte er ungeküßt lassen, weil sie noch ihre langen weißen Strümpfe trug, die hoch überm Knie von roten Seidenbändern gehalten wurden.

Und legte sie endlich aufs Bett. Beugte sich über sie und sah sie an. »Gesteh es endlich, du hast den Gouverneur verhext?«

»Ja, ein bißchen.«

»So wie mich?«

»So ähnlich.«

»Und er hat dir Komplimente gemacht?«

»Mir nicht, nur dir.«

»Mir? Wie denn das?«

»Er sagte, du müßtest ein großartiger Mann sein.«
»Wie kommt er denn darauf? Er kennt mich doch gar nicht.«
»Na, ganz einfach – weil du so 'ne Frau hättest wie mich.«
Gelächter, Glück, Übermut.
Und sie ertranken in ihren Küssen.

Totengeier über Virginien

Felix, der vor Ungeduld zitterte, sein neues Kommando zu übernehmen, blieb nur wenige Tage in Washington, um sich auszurüsten. Ende September brach er nach Süden auf und kam gerade noch zurecht, das achte Regiment in die blutigen Gefechte am Antietam Creek zu führen, in denen er sich mit seinen Männern aufs höchste bewähren sollte.

Indes hatte sich Agnes, die nicht noch einmal in Sehnsucht und Angst um ihn in der Einsamkeit von Hunters Chapel ersticken wollte, in Washington eine kleine Wohnung genommen. So konnte sie täglich mit Dallah zusammen sein und nach Lust und Laune am überschäumenden gesellschaftlichen Leben der Hauptstadt teilnehmen, von dem sie in ihren späteren Erinnerungen mit einem Lächeln in den Augenwinkeln sagt: Washington stand damals in dem Ruf der schlechtesten und sittenlosesten Stadt Amerikas, und Damen, die sie nicht besuchen konnten, schauderten über ihre Verderbtheit, während es der brennende Wunsch aller übrigen war, besonders der hübschen, eine Saison in dieser Verderbnis zuzubringen. Als »die bezaubernde Prinzeß Salm« von den großen Familien nun anerkannt und in die Gesellschaft aufgenommen, wurde Agnes mit Einladungen überhäuft.

Die Huldigungen der bedeutendsten Männer ließen ihre kleine Wohnung zu einer Blumeninsel werden.

»Wie machst du das nur? Die sind ja alle verrückt nach

dir«, wunderte sich Dallah, die immer an ihrer Seite war, dann manchmal.

»Ganz einfach, ich nehme sie nicht wichtig«, erklärte Agnes lachend, »und da fangen sie eben an, mich wichtig zu nehmen.«

Ganz im Gegensatz zu ihrer Tanzwut vom letzten Winter und Frühjahr, in der sie keinen »Hop« ausließ, zog Agnes Theaterbesuche nun jeder Tanzeinladung vor. Wenn in Fords neuerbautem Theater in der 6th Street der Vorhang aufging, wenn im Flackerlicht von hundert und aber hundert Kerzen der Geist der Geschichte in Fleisch und Blut wiederauferstand, wenn Shakespeares große Verse über sie hinrauschten, glaubten sich die Schwestern wunderbar verwandelt und erhöht. Dunkle Träume im stillen Apfelgarten von Vermont bekamen Stimme und Gestalt. Wie Teenager, und das waren sie ja noch, schwärmten Agnes und Dallah für den leidenschaftlich schönen Hamlet des jungen Edwin Booth. Für den King Lear des großen Tragöden Davenport. Für des Komikers Setschel herrlichen Falstaff. Und waren hingerissen von der prallen Natürlichkeit der Lucile Western, dem Star des schon halbverfallenen Washington-Theaters in der Pennsylvania Avenue. Wie alle Welt wußte, war Lucile als fahrende Sängerin durch das Land gezogen und hatte in höchst verrufenen Bars als Animiermädchen gearbeitet, ehe sie als große Schauspielerin entdeckt wurde. In ihrer Rolle als Jane Eyre brachte sie ganz Washington zum Weinen, und auch Agnes und Dallah lagen sich schluchzend in den Armen, als der Vorhang fiel. Und als sie Lucile Western in der nächsten Aufführung in »Oliver Twist« als Sally Sykes erlebt hatten, konnten sie vor Grauen eine Nacht lang nicht schlafen und zitterten vor Angst Arm in Arm in Agnes' großem Bett, bis der Morgen kam.

Doch noch soviel Gelächter und Flirts, Huldigungen irgendwelcher Kavaliere und Blumengaben, Tanz- und Theaterabende konnten die größere Angst um Felix nicht überdecken. Die stieg nachts vom Grund herauf, floß in die Träume ein und wurde genährt von den Gerüchten um die große Schlacht am Antietam, bei der die Unions-Truppen unter General MacClellan schwere Verluste erlitten haben sollten. General Richardson war gefallen. General Meagher an der Spitze des irischen Korps und General Weber beim Angriff seiner deutschen Brigade sollten schwer verwundet sein. General Hooker, »Fighting Joe«, hatte sich unter schweren Kämpfen vom Antietam wieder zurückziehen müssen, und auch das 1. Deutsche Korps war nur unter verlustreichen Gefechten einer drohenden Umklammerung durch die »Rebs«, wie die Rebellentruppen kurz genannt wurden, gerade noch entgangen. Und von Felix keine Post. Sie wußte, daß er ihr täglich geschrieben hatte. Aber seine Briefe kamen nicht an. War er verwundet, war er gefallen? Wo stand sein Regiment? Wo immer sie fragte, niemand wußte etwas von den achten New Yorkern. Abend für Abend weinte sie sich in Schlaf, rief im Traum seinen Namen, um am grauen Morgen zu neuer Angst zu erwachen. Angst, die sich auch körperlich äußerte, als sie eines Tages von einer Minute zur andern von heftigstem Zahnschmerz befallen wurde, der ihr den Kopf zersprengen wollte. Der Zahnarzt urteilte, daß ein Backenzahn gezogen werden müsse, und wollte sie sofort chloroformieren. Das lehnte Agnes entschieden ab. Sie konnte sich nicht dazu entschließen, auch nur für Sekunden bewußtlos zu sein.

»Aber die Sache wird nicht ohne Schmerzen abgehn, Prinzessin«, redete ihr der Arzt zu. »Ziemlich heftige sogar. Sollten wir nicht doch lieber Chloroform nehmen?«

Agnes zog das kleine Porträt von Felix aus ihrer Tasche, das sie immer mit sich herumtrug. »Hier ist mein Chloroform, Doktor.«

»Ein Porträt?« staunte der Arzt.

»Das Bild meines Mannes«, erklärte sie lachend. »Wenn ich ihn anschaue, fühl' ich keine Schmerzen. Fangen Sie an, Doktor.« Legte den Kopf zurück und sperrte ihren hübschen Schnabel auf.

»Wie Sie wollen, Prinzessin«, sagte er kopfschüttelnd und begann seine blutige Prozedur, während Agnes das kleine Bildnis hoch über sich hielt und wie hypnotisiert in die geliebten Augen starrte. Es krachte und knirschte in ihrem Kiefer. Blut quoll auf. Sie fühlte keinen Schmerz.

»So etwas hab' ich noch nicht erlebt«, staunte der Arzt, während die Wunde noch ausblutete. »Sie haben wirklich nichts gemerkt?«

Sie schüttelte lächelnd den Kopf. »Nichts. Sie sehen, Liebe ist besser als Chloroform.«

Und es gab nur eine Enttäuschung bei solcher Wirkung, daß nämlich der gezogene Zahn makellos und ohne jede Beschädigung gewesen war, wie der Arzt beschämt feststellen mußte. »Es kann sich nur um einen Nervenschmerz oder seelische Bedrückung gehandelt haben.«

»Um reine Angst, Doktor«, sagte Agnes und steckte ihren Talisman wieder ein. »Aber nun bin ich wie befreit, auch wenn der Zahn daran glauben mußte. Denn, wissen Sie, wäre mein Mann nicht mehr am Leben, wäre auch sein Bild tot und ohne Wirkung gewesen.«

Überzeugt davon, daß Felix sie nicht nur erwarte, daß er sie rief – sie glaubte sogar seine Stimme zu hören –, bereitete sie ihren Aufbruch vor. Noch ohne zu wissen, wohin sie sich wenden müsse, sein Regiment zu erreichen. Und wie immer bei ihr, wenn beharrliches Wünschen sich schon zu einer Art Besessenheit erhob, kam über Nacht die Erfüllung.

Eines Morgens klopfte überraschend Oberst Corvin mit einem riesigen Blumenstrauß in der Hand an ihrer Tür. Er war zu finanziellen Rücksprachen in der New Yorker Redaktion der »Times« gewesen und befand sich auf der Durchreise an die Front zu MacClellans Armee.

»Ich wollte Washington nicht verlassen, ohne Sie gesehen zu haben, Agnes.«

»Das hätt' ich Ihnen auch niemals verziehn.«

»Sie sehen entzückend aus und . . .«

»Werden Sie Felix sehen? Wo liegt sein Regiment?« unterbrach sie ihn sofort, da sie seine Komplimente nicht vertrug.

»Das achte Regiment soll in vorgezogener Position am Antietam liegen. Ich werde Felix finden, das können Sie mir glauben. Was soll ich ihm sagen, was darf ich ihm mitbringen?«

»Mich«, sagte Agnes.

»Wie soll ich das verstehen? Heißt das . . .?«

»Daß ich Sie begleiten werde. Ganz einfach.«

Verblüfft sah er sie an. »Das ist unmöglich, Agnes. Sie brauchen einen Paß. Mister Stanton stellt Ihnen keinen aus . . .«

»Das weiß ich. Ich werde ihn auch nicht bemühen.«

»Ich habe meinen Paß erst nach unzähligen Beschwerden und Eingaben vom Außenministerium bekommen. Und ohne Papiere wird man Sie an der ersten Sperrlinie schon aufhalten und zurückschicken.«

»Machen Sie sich keine Sorgen um mich, Corvin. Wann reiten Sie?«

»Morgen früh, eine Stunde nach Sonnenaufgang.«
»Well, ich werde bereit sein, Corvin. Holen Sie mich
ab.«

Als Corvin am nächsten Morgen zur festgesetzten
Stunde die Allee heraufkam, tummelte Agnes den Rappen, der den großen Aufbruch ahnte, lange schon vor
ihrem Haus, um seinen Übermut ein wenig zu mäßigen.
Sie trug ein schwarzsamtenes Kostüm mit seitlich aufge-
schürztem Rock, unter dem silberbeschlagene Lackstie-
felchen glänzten. Auf dem vollen Haar einen Halbzy-
linder mit roter Feder.
»Ich will Sie nicht kritisieren, Prinzessin«, sagte Corvin
morgenmürrisch-vorwurfsvoll, »aber wir reiten nicht zu
einer Fuchsjagd oder irgendeiner Reitveranstaltung,
sondern in einen verdammt blutigen und dreckigen
Krieg.«
»Ich weiß, Corvin. Gefällt Ihnen mein Kleid vielleicht
nicht?«
»Sie sehen hinreißend aus, Agnes, aber . . .«
»Dann ist ja alles in Ordnung«, unterbrach sie ihn kurz,
»Felix wünscht mich so zu sehen, wie Sie wissen, und
nur danach richte ich mich.«
»Bitte, Agnes, es ist Ihre Sache. Ich wollte Sie nur war-
nen. Und wie steht es mit dem Paß? So leid es mir tut,
ohne Erlaubnis werd' ich Sie nicht mitnehmen. Die
Schwierigkeiten sind zu groß.«
Wortlos hob sie den Rock auf – er sah ihr hübsches Knie
– und nestelte aus dem Stiefelschaft ein gesiegeltes Do-
kument. »Bitte.«
Er schlug es auf, staunte. »Vom Präsidenten selber gezeichnet? Wie kommen Sie dazu?«
»Ganz einfach. Ich bin gestern nachmittag ins Weiße

Haus gegangen und habe den Sekretär des Präsidenten um einen Generalpaß an die Front gebeten.«

»Ziemlich unverschämt. Unter Generalpaß tun Sie es wohl nicht?«

»Wenn schon, denn schon, Corvin. Und der Sekretär sagte auch gleich, wenn überhaupt, könne mir nur Kriegsminister Stanton so ein Ding ausstellen. Ich blieb aber dabei, daß er den Präsidenten danach fragen sollte. Widerwillig ging er hinein zu ihm, kam aber eine Minute später schon wieder mit der Nachricht zurück, daß der Präsident mich sehen wolle. Mr. Lincoln stand am Kamin, als ich ins Zimmer kam, und ich dachte, daß er krank aussieht und noch gebeugter von seinen Sorgen. Aber er lachte mir zu. ›Die Prinzessin Salm macht mal wieder einigen Wind im Haus.‹ – ›Es geht nur um einen kleinen Paß, Mister Präsident, sagte ich.‹ – ›Dafür ist Mister Stanton zuständig, mein Kind.‹ – ›Ich weiß, Mister Präsident, aber er stellt für Frauen keinen Paß aus, und für mich schon gar nicht.‹ – Er zwinkerte mit den Augen. ›Er wird schon seine Gründe haben. Und daß Frauen nicht an die Front gehören, ist auch meine Meinung. Muß es denn sein?‹ – Ich sah ihn ganz fest an. ›Es muß sein, Mister Präsident. Und wenn ich keinen Paß bekomme, dann reit' ich ohne los. Und ich schwöre Ihnen, ich komme dahin, wo ich hin will.‹ – ›Daran zweifle ich nicht‹, sagte er, ›aber wenn schon gegen den Willen des Kriegsministers, dann geschieht das ja wohl besser mit einem Paß des Präsidenten.‹ – ›Bestimmt‹, sagte ich. Da schwang er seine Glocke und sagte zu Mister Stoddard, seinem Sekretär, der gleich hereinkam: ›Sie bekommt einen Paß. Schreib ihn gleich aus.‹ Stoddard staunte und konnte nur sagen: ›Jawohl, Mister Präsident.‹ – Und ich wäre Vater Lincoln am liebsten um den Hals gefallen. Aber er ist leider zu groß für mich. Ich komme nicht hinauf. Aber irgendwann wird's schon mal klappen. Ja – und das ist alles.«

»Felix hat recht. Sie sind eine Hexe, Agnes.«

»Danke, Corvin. Da fällt mir ein, wir haben auch über Sie gesprochen. Der Präsident fragte, ob ich etwa allein reiten wolle. Ich sagte, nein, der Korrespondent der ›Times‹ begleite mich . . .«

»Ist es nicht umgekehrt, Agnes?«

Sie winkte unwillig ab. »Niemals begleitet eine Dame einen Herrn, Corvin.«

»Sorry, Sie haben recht, Agnes. Und was also sprachen Sie mit dem Präsidenten über mich?«

»Er lobte Ihre Frontberichte, weil er darin mehr über die Kämpfe und die Schwächen der Armee erfährt als aus den Berichten unsrer Generäle. Er läßt Sie grüßen und bittet Sie, weiter so wie bisher die Wahrheit zu schreiben.«

»Darauf kann er sich verlassen!« Corvin freute sich über das Präsidentenlob und gab seinem Pferd die Zügel frei. »Also vorwärts nun, Agnes, der Wahrheit entgegen.«

Grau verhangen war der Novembertag. Schneidender Wind trieb von der See her Wolkengewirr über das Land. Blies sie fast von der langen Potomacbrücke, als die Hufe ihrer Pferde über deren schweres Bohlenwerk hindonnerten. Agnes empfand nichts davon, fühlte sich warm und behaglich, denn sie hatte, um Gepäck zu sparen, ihre gesamte Seidenwäsche übereinandergezogen. Was ihrer Schlankheit indes keinen Abbruch tat. Hin und wieder stieß sie kleine Lustschreie aus, wie immer, wenn sie im Sattel saß und ein lockendes Ziel vor Augen hatte.

In zügigem Trab passierten sie Hunters Chapel, wo Agnes zum Haus der Witwe Perkins hinüberwinkte, unter deren Dach das Glück dieses Sommers geleuchtet hatte. In Erinnerung daran und in wild aufflammender Sehnsucht nach den Küssen ihres Felix trieb Agnes den Rappen zu schnellerer Gangart an. Corvin konnte sie nur mit der Mahnung mäßigen, daß sie noch einen weiten Weg vor sich hätten.

Langsam verlor Agnes ihren Übermut, denn sie sah nun zum erstenmal die Landschaft des Krieges, der das schöne Virginien zur Steppe gemacht hatte. Von beiden Seiten mit äußerster Grausamkeit geführt, war alles Lebendige von ihm vernichtet worden. Riesige Geier allein, auf der Suche nach Totenfleisch, strichen mit trägem Flügelschlag über das verödete Land.

Nachdem sie Fairfax-Courthouse und Centreville mit ihren verlassenen Straßen, verbrannten Häusern hinter sich hatten, bog Corvin plötzlich von der Straße ab auf das zerwühlte Gelände der ersten und zweiten Schlacht von Bullrun ein. Wollte er dem eleganten, übermütigjungen Geschöpf an seiner Seite eindringlicher noch zeigen, was Krieg bedeutet? Agnes hätte es nicht nötig gehabt, sie war ohnedies erschüttert von den Eindrücken des Totenlandes, das sie seit Stunden schon umgab. Und nun schrecklicher noch um sie her die Spuren so blutiger Schlachten. Fragmente von Geschützen, verrostete Gewehre, zerschossene Wagen. Hier und da aus der Erde hervor ein Fuß, ein Arm, ein grinsender Schädel, abgenagt von den Geiern, die nur widerwillig ihr ekelhaftes Mahl verließen, wenn die Pferde gegen sie anritten.

Am Anfang eines Knüppeldamms, den die Rebs durch den Sumpf gebaut hatten, stand hoch gegen den Himmel ein einzelnes Pferdeskelett. Das Tier war mit drei Füßen in die Spalten zwischen den Knüppeln geraten und, von seinem Reiter verlassen, da es sich nicht mehr fortbewegen konnte, schließlich bei lebendigem Leib noch von den Geiern zerrissen und bis auf die Knochen abgenagt worden. Ein Kriegsdenkmal von apokalyptischer Phantastik.

Nicht weit davon die Überreste eines damals in jäher Flucht von den Rebellen verlassenen Lagers. Seltsamerweise lagen die Pferdeskelette dort in Gruppen zu zehn, zwanzig, dreißig Stück in großen Kreisen, die Köpfe nach innen nah beieinander. Als seien sie ehedem an längst zerfallenen Halftern zusammengebunden gewesen. Dahinter, weit verstreut, noch immer der Inhalt von Kisten und Kästen. Wäsche und Decken aller Art, Papiere und Bücher. Katholische Gebetsbreviere vor allem.

»Hier hab' ich damals das Tagebuch des jungen Rebellen gefunden«, sagte Corvin.

»Ich weiß, Sie haben es später an Charles Dickens geschickt«, erwiderte Agnes.

Corvin nickte. »Er war ergriffen. Er hat es in Household Words veröffentlicht.«

»Ich hab's gelesen, Corvin. Ich hab' die ganze Nacht weinen müssen.«

Ohne zu antworten, sprang Corvin aus dem Sattel, ging ein paar Schritte vorwärts und hob leicht ein helles Menschenskelett auf. »Das muß der Junge gewesen sein. Damals hatten die Geier hier noch nicht gewütet. Er hatte blondes Haar und einen Kindermund, und auf der Stirn, wenn ich das so sagen darf, schimmerten noch die Abschiedsküsse seiner Mutter.«

Unvermittelt sprangen Agnes dicke Tränen aus den Augen, liefen über ihr schmales Gesicht hinunter. »Ach, Corvin, warum müssen diese Kriege sein? Warum können Männer nicht vernünftig reden miteinander?«

»Ganz einfach, Agnes, weil die Lust am Kämpfen und Töten bei den Menschen immer noch größer ist als die Lust an der Vernunft.«

»Aber sie sind doch Brüder, sprechen die gleiche Sprache, tragen die gleichen Namen, diese sogenannten Bewahrer des Bundes und diese sogenannten Rebellen gegen nichts. Warum muß gerade ihr Krieg so grausam sein?«

»In der Geschichte sind Kriege unter Verwandten schon immer die grausamsten gewesen. Weil es eben ums Rechthaben geht.«

Während er wieder in den Sattel stieg, wandte Agnes schon ihr Pferd und ritt vorwärts. »Nein, ich kann das nicht mehr sehen.«

Er war schnell wieder neben ihr und sagte mit der Kühle des abgebrühten Reporters: »Vor diesen Skeletten hab' ich eigentlich kaum noch Empfindung. Da ist für mich mit Fleisch und Formen auch das Leiden dieser Opfer schon entschwunden. Anders ist es bei jenen eben Gefallenen, die im Tod noch zu atmen scheinen. Ein solches Erlebnis aus den ersten Tagen der Antietam-Schlacht kann ich nicht mehr vergessen. Ohne Lücke, in Reih und Glied niedergestreckt, sah ich da die Toten des 4. Georgia-Regiments an einem Hügel liegen, hinter dem sie in einen Überfall unserer Truppen geraten waren. 450 Mann Schulter an Schulter, eine entsetzliche Leichenfront. Und alle schwarz wie Neger. Nur ihre Hände waren weiß geblieben. Unsre Leute sagten, die Schwärze käme davon, daß an die Rebs vor jedem Angriff reichlich Whisky mit Schießpulver vermischt ausgeteilt würde. Es war aber in Wahrheit die Hitze, in der die toten Leiber aufschwollen und sich verfärbten. Nicht anders wie unsre Toten auch, die auf dem Schlachtfeld lagen. Es hatten indes vor mir schon andere Besucher diese stumme Front heimgesucht. Die Taschen der Toten waren geplündert. Überall lagen leere Geldbeutel und Brieftaschen verstreut, von denen ich einige gelesen und auch mitgenommen habe. Briefe, in denen Väter ihre Söhne bestärkten, tapfer für die gerechte Sache des Südens zu kämpfen. Briefe von Frauen und Mädchen, in denen sie den Geliebten anflehten, auf sich achtzugeben, zu Gott beteten, daß er ihn unverletzt heimkehren lasse. Zärtliche, erschütternde Briefe, die unerhört blieben. Denn dort lagen sie, die geliebten Söhne, unter den schwarzen Toten, und wenn ich denke . . .«

»Hören Sie auf, Corvin, ich bin nicht aus Stein«, schrie ihn Agnes plötzlich an, gab ihrem Pferd die Sporen und ritt, ihm weit voraus, zur Hauptstraße zurück, auf der sie diesen Abstand auch weiterhin wahrte. Mitten in seinem Schreckensbericht hatte sie plötzlich an Felix gedacht, hatte ihn unter den schwarzen Toten gesehen. Und es war nun mehr Angst um ihn als Sehnsucht, die sie beflügelte. Corvin hatte Mühe, ihr zu folgen, und staunte darüber, daß sie nach zwölf Stunden scharfem Ritt noch keine Müdigkeit zeigte. Gegen ihre zähe Jugend war er mit seinen fünfzig Jahren eben doch ein alter Mann.

Indes kam nach kurzer Dämmerung schon die Nacht. Agnes ritt unbeirrt weiter, obwohl sie es ihrem Pferd überlassen mußte, in dieser Dunkelheit den Weg zu finden.

Da schloß Corvin zu ihr auf: »Es ist Zeit, eine Pause zu machen, Agnes. Vor allem für die Pferde. Aber auch ich bin todmüde.«

»Ich nicht«, trotzte Agnes, »ich will zu meinem Mann.«

»Gainesville, wo sein Regiment liegen soll, erreichen wir keinesfalls noch in dieser Nacht«, sagte Corvin entschieden. Selbst in der Dunkelheit glaubte er zu sehen, wie sie vor Kälte zitterte. Hörbar schlugen ihr die Zähne aufeinander. »Außerdem frieren Sie Stein und Bein, Agnes.«

»Das macht mir nichts.«

»Und ob Ihnen das etwas macht«, sagte er energisch, wickelte sie in seinen großen Reitermantel. »So ein Blödsinn, in diesem Gala-Aufzug an die Front zu reiten. Ich will Sie doch nicht als Eiszapfen bei Ihrem Mann abliefern.«

»Ja, ich friere, ich geb's zu, Corvin. Aber schimpfen Sie mich nicht. Das tu ich selber schon seit einer Stunde. Wo wollen Sie denn übernachten in dieser Einöde hier?«

»Dort hinten in der Lichtung liegt ein Farmhaus. Bewohnt, wie es scheint. Sie haben Feuer im Herd.«

»Ja, ich rieche das Holz.«

»Feuer ist schon die halbe Heimat in solcher Nacht«, sagte Corvin und ergriff den Zügel ihres Schimmels. »Also vorwärts.«

»Und wenn es Feinde sind oder Marodeure?«

»Das werden wir gleich sehn.«

Im Sattel zusammensinkend, fühlte Agnes jetzt erst, wie erschöpft sie war, wie ihr die Kälte den Rücken hinunterlief. Sie wickelte sich enger in seinen weiten Mantel und überließ sich seiner Führung ohne Widerspruch.

Am Haus angekommen, glitt er aus dem Sattel, lief zur Tür und lauschte in das Innere hinein. Nichts war zu hören. Lautlos flackerte Feuerschein durch die Bohlenritzen. Sie sah, wie Corvin seine Pistole zog, mit einem Ruck die Tür aufstieß und verschwand. Es war wie eine Szene auf dem Theater, die sie nichts anzugehen schien. Diese Kälte war wie ein Eisenring um ihr Herz.

Nach einer Weile kam Corvin zurück. »Alles in Ordnung. Nur der Farmer und seine Frau. Alte Leute. Sie sind zurückgekommen, nachdem unsre Truppen das Haus geplündert und ihr Vieh weggeführt haben. Drei Söhne, die in irgendeinem virginischen Regiment gegen uns kämpfen. Nicht gerade Freunde also. Aber auch

168

keine Gefahr. Ich hab' ihm Geld gegeben. Er schüttet uns Stroh auf in der Stube, daß wir dort schlafen können.«

Agnes nickte stumm. Er hob sie vom Pferd und trug sie auf beiden Armen in das Haus hinein. Mit einer Zärtlichkeit, gegen die sie sich wehren zu müssen glaubte, aber sie hatte nicht mehr die Kraft dazu. Den Kopf an seiner Brust, empfand sie schmerzlich die feindseligen Blicke der alten Leute, ihre gebeugten Rücken, die verarbeiteten Hände, die Mühsal ihres Lebens in den verrunzelten Gesichtern. Sie versuchte zu lächeln, ihnen ein gutes Wort zu sagen, aber ihr Gesicht war wie versteint, ihre Lippen blieben verschlossen.

»Hunger?« fragte Corvin, während er sie in das schon vor dem Feuer ausgebreitete Stroh niederlegte. Agnes schüttelte den Kopf und schleuderte ihren kleinen Reitzylinder irgendwohin in die Stube, daß nun das aufgesteckte Haar lang über ihre Schultern herunterfiel. »Nur Durst, wahnsinnig.«

Er gab ihr von der Bank hinter sich den Krug mit Brunnenwasser. Vorsichtig nahm sie zwei, drei Schluck. Der sumpfige Geschmack war ihr zuwider. Indes sperrte Corvin die alten Leute in ihrer Schlafkammer ein, ohne daß sie sich wehrten dagegen.

»Warum das?« wunderte sich Agnes.

Er versenkte den Schlüssel in seiner Rocktasche. »Wir sind nicht gerade in Freundesland.«

»Diese alten Leute?« sagte sie achselzuckend und ließ sich rückwärts ins Stroh fallen. Sah nur mit halben Augen noch, wie er hinausging, die Pferde zu versorgen.

Als er zurückkam, war sie schon eingeschlafen. Behutsam legte er sich neben sie und sah auf ihren Schlaf hinunter. Auf ihr kindlich-trotziges Gesicht, über das der rote Schein der Kaminglut hinzuckte. Auf ihre schwellenden Mädchenlippen. Trotz seiner Erschöpfung fand er keinen Schlaf. Der Zauber ihrer Jugend, ihrer sinnlichen Nähe, ließ seine Nerven beinahe schmerzhaft vibrieren. Hin und wieder strich er ihr übers Haar, legte seinen großen Mantel zurecht, unter dem sie sich zusammengerollt hatte. Fühlte dabei mit angehaltenem Atem die Linien ihres Leibes nach, die langen schöngeformten Schenkel, die feste Wölbung ihrer Mädchenbrüste. Beugte sich immer tiefer über ihr Gesicht, lauschte ihrem leisen Atem und erkannte plötzlich, daß sie eine ganze Weile schon mit offenen Augen lag. »Du sollst mich nicht immer so ansehen, Corvin«, sagte sie leise in sein Erstaunen hinein, drehte ihm den Rücken zu und schlief wieder ein.

Ohne sich zu rühren, sah er weiter auf sie hinunter, obwohl sie im langsam erlöschenden Feuer kaum noch zu erkennen war. Mein Gott, dachte er, wie schnell ist man ein alter Mann. Wie schnell dieses Leben vergeht, wie die Liebe verweht. Gegen Morgen erst fiel er in traumzerrissenen, unruhigen Schlaf, in dem er für kurze Zeit ferndrohendes Stimmengewirr zu hören glaubte, das aber bald wieder verschwand.

Als er erwachte, schimmerte Morgenlicht durch die Bohlenritzen. Er stand auf und öffnete die Tür.
Blauer Himmel und Sonnenflut empfingen ihn, machten den grauen gestrigen Tag und die Schemen der Nacht vergessen.
Plötzlich stand Agnes hinter ihm. Fröhlich, mit lachenden Augen. »Ach, ich hab' wunderbar geschlafen.« Kein Wort von den Wahrheiten der vergangenen Nacht, die sie wohl geträumt zu haben glaubte. Sie reckte sich in die Sonne hinein und lief in den Hof hinaus, um sich im

Brunnentrog zu waschen. Unbefangen wie ein Bauernmädchen, einst zu Hause in Vermont.

Er sah ihr nach und ging dann ins Haus hinein, die alten Leute aus der Kammer zu befreien. Sie grüßten ihn nicht, als sie aus der Tür kamen, aber er las auch keinen Vorwurf in ihren Augen. Es schien ihm im Gegenteil, daß der alte Mann lächelte, als er wortlos an ihm vorüber zum Herd ging, um das Feuer wieder zu entfachen. Genauso wortlos brachte die Frau das Stroh in den Stall zurück und fegte die Stube aus.

Als Agnes frisch gewaschen und fröhlich vom Brunnen hereinkam, hatte Corvin am neuen Feuer schon Brot geröstet und lange Streifen getrockneten Fleisches aufgeschnitten, was beides er in den Satteltaschen immer mit sich führte. Dazu gab es in einem großen Krug moosiges Brunnenwasser, stark mit Whisky gemischt. Ein Soldatenfrühstück, zu dem er auch die beiden alten Leute einlud. Sie hatten, wie er von der Frau erfuhr, seit Tagen nur von einem geringen Vorrat süßer, gerösteter Kartoffeln gelebt. Trotzdem aßen sie wenig. Der Alte sprach reichlich nur dem moosigen Whisky-Verschnitt zu.

»Sorry, daß ich euch da einsperren mußte«, sagte Corvin, »aber in diesen Zeiten kann man nicht vorsichtig genug sein.«

Der Alte nickte bedächtig. »Versteh' schon, Herr. Aber Vorsicht hilft da auch nicht viel. In der Nacht waren Whites Leute an unserm Fenster und fragten, ob wir Hilfe brauchten oder Yankees gesehen hätten.«

Corvin wurde blaß. »Meinst du, General White, den Freischärlerführer?«

»Ja, Herr. Er hat sein Hauptquartier jetzt hinten im Wald. Seine Reiter sind jede Nacht unterwegs.«

Corvin und Agnes sahen sich an. Sie kannten zur Genüge die Schreckensberichte von den Taten des Rebellengenerals White, dessen Freischärler schon seit Monaten hinter den Linien der Unionstruppen operierten, Proviant- und Munitionstransporte überfielen und mit besonderem Vergnügen Unionsoffiziere am nächsten Baum aufknüpften.

Corvin sah den alten Mann an. »Und du hast ihnen nichts von uns gesagt?«

Der Alte schüttelte den Kopf.

»Warum nicht?«

»Gäste unter meinem Dach sind sicher, Herr.«

Corvin dachte beschämt an den Kammerschlüssel, und Agnes, die das fühlte, streifte einen goldenen Armreifen ab, ein Geschenk von Felix, schob es über den Tisch hin der alten Frau zu. »Ich hab' sonst nichts bei mir. Vielleicht kannst du es gebrauchen, um irgendwas dafür einzutauschen.«

»Vielleicht.« Die Alte nickte, ohne den Reifen an sich zu nehmen.

Corvin sprang auf, holte die Pferde aus dem Stall und drängte zum Aufbruch. Der Weg nach Gainesville, den der Alte ihnen zeigte, führte mitten durch ausgedehnten Wald, in dem White mit seinen Reitern biwakieren sollte.

»Schnelligkeit ist jetzt alles«, sagte Corvin, ließ Agnes mit ihrem ausgeruhten Rappen das Tempo machen und folgte kampfbereit mit entsicherter Pistole. Agnes, im Gegensatz zu den Tränen von gestern an diesem hellen Morgen der Übermut selber, mußte lachen über sein heldisches Gebaren. Was hätte er mit einer einzelnen Pistole gegen Whites Leute schon ausrichten können?

Und wie immer, wenn sie im Sattel saß und sich wohl fühlte, begann sie zu singen. Deutsche Lieder vor allem, die sie von Felix gelernt und oft mit ihm zusammen gesungen hatte: *Schlafe, mein Prinzchen, schlaf ein – Am*

Brunnen vor dem Tore – oder auch in den Sonnenmorgen hinein: *Der Mond ist aufgegangen.*

»Halten Sie den Schnabel, Agnes!« schimpfte Corvin dann hinter ihr. »Sie hetzen uns noch White auf den Hals.«

»Na, wennschon!« rief sie lachend. »Ich würde ihn gern kennenlernen. Die Rebellen sollen sehr charmant sein. Ladies haben von ihnen nichts zu befürchten.«

»Wie Ihnen bekannt sein dürfte, bin ich nun mal keine Lady.«

»Richtig, Corvin. Sie sind Reporter. Und da sieht es allerdings schlimm aus für Sie. Nach allem, was Sie über diese Leute geschrieben haben, könnt' ich mir denken, daß White Sie wirklich aufhängen läßt.«

»Ihr Optimismus ist beruhigend, Agnes.«

»Ich versuche nur die Sache objektiv zu sehen, Corvin. Nach manchem Ihrer ›Times‹-Artikel hab' ich mich gefragt, warum Sie von unseren Generälen nicht schon längst aufgehängt worden sind.«

Da mußte auch Corvin lachen. »Ich kann es mir nur damit erklären, daß die Herren nicht lesen können.«

Immerhin erreichte er, daß sie die Singerei aufgab und nur hin und wieder mit weitschallendem Sopran in den Wald hineinrief: »Corvin, bitte mein Glyzerin!« Dann verhielt sie den Rappen und wartete, bis er an ihrer Seite war und aus einer seiner vielen Manteltaschen, in die ihre Utensilien gestopft waren, den geforderten Kristallflakon herausgebracht hatte. »Wie oft brauchen Sie denn das verdammte Zeug noch?«

»Immer wieder, Corvin. Ich will nicht mit trockenen Lippen ankommen. Felix kann das nicht leiden beim Küssen. Und ich auch nicht.«

»Ihre Sorgen möcht' ich haben«, sagte er mit der Pistole in der Hand.

Sie lachte ihm in die Augen. »Ich hab' ihn sechs Wochen nicht gesehen, Corvin.«
Da lachte er auch. Er konnte ihr nicht böse sein.

Indes lichtete sich der Wald. Die Gefahr war überstanden. Über hügeliges Wiesengelände hin mündete ihr Paßpfad in die große Heerstraße ein, auf der endlose Kolonnen Artillerie und Infanterie dem nahen Gainesville entgegenzogen.
Corvin hörte bei deren Offizieren herum und erfuhr, daß sich die Lage verändert hatte. Die achten New Yorker unter Oberst Salm waren als Vorposten in ein Feldlager bei Aldy verlegt worden, als General Sigel Gainesville im Zentrum seiner Armee zum Hauptquartier ausgewählt hatte.
Corvin freute sich darauf, Sigel wiederzusehen, denn sie beide waren während des badischen Aufstandes von 1848 neben General Blenker Stabsoffiziere der Revolutionsarmee gewesen. Da er es zudem für nützlich hielt, sie Sigel vorzustellen, schlug er Agnes vor, den Ritt nach Aldy für einige Stunden, vielleicht auch für einen Tag zu unterbrechen.
Sie lehnte entschieden ab. Was bedeutete ihr General Sigel? Ihr Herz schlug Felix entgegen, ihrer Sehnsucht wuchsen zitternde Flügel. Doch solle er darauf keine Rücksicht nehmen. Sie traue sich zu, Felix auch ohne ihn zu finden.
Und wie es immer war, wenn sie sich entschieden hatte, auch Corvin fügte sich schließlich ihrem Willen. Sie ritten an Gainesville vorüber Aldy entgegen, wo sie nach pausenlosem Ritt am frühen Nachmittag ankamen und, den Schildhinweisen folgend, bald schon das Lager fanden. Es war in einer nach Süden hin weit offenen Sandgrube ausgesteckt, an deren hohem westlichen Rand sie

anlangten, als das von einer Feldübung zurückgekehrte Regiment gerade noch vor seinem Oberst vergattert stand. Kaum hatte Agnes ihren Felix inmitten einiger Offiziere vor der Regimentsfront erkannt, trieb sie den Rappen auch schon mit hellem Aufschrei die in einem Winkel von 45 Grad abfallende, etwa achtzehn Meter hohe Wand hinunter, jagte, unten angekommen, Felix entgegen und ließ sich im Vorüberreiten aus dem Sattel heraus in seine Arme fliegen. Ein tollkühn, halsbrecherischer Ritt, den das Regiment mit brausenden Hurra-Rufen feierte.

Und hätte ein Zuschauer gesagt, dieses Kunststück sei einer Zirkusreiterin würdig gewesen, man hätte ihm nicht widersprechen können.

Wer sich mit einer
Amerikanerin anlegt . . .

Groß, breitschultrig stand er vor ihr. Schütteres blondes Haar auf dem kantigen Schädel. Schien ihre Zierlichkeit mit seiner athletischen Figur erdrücken zu wollen. Eiskalter Blick der blauen Augen, von deren spöttischer Obszönität sich Agnes bis auf die Haut entkleidet fühlte.

Oberst von Gilsa, Brigadekommandeur in der Planstelle eines Generals, der täglich seine diesbezügliche Beförderung erwartete und sich darum jetzt schon gern als General anreden ließ, hatte sich kurz zuvor durch seinen Adjutanten bei ihr anmelden lassen.

Endlich der übliche Höflichkeitsbesuch, dachte Agnes, denn von den höheren Offizieren der Brigade hatte sich allein der Kommandeur noch nicht bei ihr sehen lassen, obwohl er doch seit drei Tagen schon von ihrer Ankunft wußte. Nur mit Mühe hatte sie Felix, der schon seit den Tagen, da sie gemeinsam in General Blenkers Stab dienten, ein gespanntes Verhältnis zu Gilsa besaß, die Meinung ausreden können, in dessen Verhalten einen offenen Affront zu sehen. »Laß nur, zuletzt wird auch er noch kommen«, hatte sie lachend erklärt, »aber dann werd' ich es ihm zeigen, daß er der letzte ist.«

»Na, hoffentlich«, hatte Felix sie ermutigt. »Diesem arroganten Kerl muß man öfter mal eins draufgeben.«

Aber als sie den Oberst dann die Straße heraufreiten sah, dem kleinen Haus entgegen, in dem Felix für die Zeit ihrer Anwesenheit zwei Zimmer gemietet hatte, fühlte sie eine Welle dunkler Bedrohung gegen sich aufsteigen. Die noch zunahm, als Gilsa vor dem Haus aus dem Sattel sprang, wie sie durch das Fenster sah, und entschlossenen Schrittes nun in ihr Zimmer kam. Eisiges Lächeln, höfliche Floskeln und noch immer die obszöne Kälte dieser blauen Augen.

»Bitte, nehmen Sie Platz, Oberst«, sagte die Siebzehnjährige etwas hilflos. »Leider ist mein Mann schon zur Inspektion seiner Vorposten unterwegs, aber ich . . .«

»Ich kenne die Gewohnheiten des Prinzen, Madame«, unterbrach sie der Oberst herausfordernd unhöflich, »und habe für diesen Besuch ausdrücklich die Zeit gewählt, in der ich ihn abwesend weiß.«

»Wie soll ich das verstehen, Oberst?«

»Ganz einfach, Madame. Da ich den Besuch einer Dame im Gebiet meiner Brigade aus prinzipiellen Gründen nicht dulden kann, bin ich gekommen, an Ihre Einsicht zu appellieren und Sie zu bitten, unter irgendeinem Vorwand, den Sie Ihrem Gatten nach Belieben sagen mögen, nach Washington zurückzukehren.«

»Und wenn ich Ihren Appell nicht befolge?«

»Dann müßte ich Ihrem Gatten den Befehl geben, die Prinzessin Salm umgehend dahin zurückzuschicken, woher sie gekommen ist. Denn was sich Oberst Salm mit seiner Frau erlaubt, kann schließlich jeder meiner Offiziere verlangen. Wohin käme ich dann mit der Disziplin meiner Regimenter?«

»Diese Erlaubnis stammt nicht vom Prinzen Salm, sondern von einem Mann, dessen Unterschrift auch Sie ja wohl respektieren werden, Oberst von Gilsa«, fuhr sie ihn zornig an.

Kühl betrachtete er den Generalpaß mit Lincolns Namenszug, den sie aus ihrer Rocktasche gerissen hatte und ihm vor die Nase hielt. »Ein sehr schönes Dokument, Madame, aber für mich leider ohne Wert. Für meine Brigade trage allein ich die Verantwortung und nicht der Präsident der Vereinigten Staaten.«

Empört warf sie den Kopf auf. »Soviel ich weiß, sind Sie preußischer Offizier gewesen. Würden Sie auch dem König von Preußen eine solche Antwort gegeben haben?«

Er lächelte spöttisch. »Es erübrigt sich, über diese Frage nachzudenken, weil der König von Preußen einen solchen Generalpaß niemals unterzeichnet hätte.«

Mit geballten Fäusten stand sie vor ihm. »Mr. Lincoln hat aber unterschrieben, wie Sie sehen, Oberst, und ich verlange von Ihnen, diese Unterschrift zu respektieren. Schließlich bin ich eine freie Amerikanerin, hier geboren in diesem Land, und kann es darum nicht dulden, Herr Oberst, daß irgendein hergelaufener Preuße meinen Präsidenten zu kritisieren wagt.«

Sein hellhäutiges Gesicht lief dunkelrot an, als hätte sie ihn geschlagen. Dennoch behielt er seine Fassung und sagte kälter noch als vorher: »Ich bedaure, Madame, daß Sie militärische Notwendigkeiten mit persönlichen Gefühlen zu belasten belieben. Nehmen Sie bitte mit der gebotenen Vernunft zur Kenntnis, daß ich dieses Haus ab heute beschlagnahmt habe, um die Geschäftsstelle der Brigade darin einzurichten.«

»Und warum gerade dieses Haus, Oberst? Weil ich mit meinem Mann darin wohne?«

»Aber nein, Madame – einfach weil dieses Haus dem Lager am nächsten liegt.«

»Mit anderen Worten – ich habe meine Sachen zu pakken. Und wenn ich mich weigere?«

»Werde ich mir erlauben, Ihnen morgen früh einen Zug

Soldaten zu schicken, um Ihnen beim Umzug behilflich zu sein.«

»Ich verstehe, Oberst. Sie versuchen mit allen Mitteln, mich loszuwerden. Aber da hat ja wohl auch mein Mann noch ein Wort mitzureden. Ich hoffe, Sie haben den Mut, Ihre Anordnungen auch ihm gegenüber zu vertreten.«

»Vernünftiger wäre in diesem Fall Ihr freiwilliges Nachgeben, Madame. Wenn das aber nicht zu erreichen ist, stehe ich dem Prinzen selbstverständlich jederzeit in meinem Hauptquartier zu einer Aussprache zur Verfügung.«

»Ich verspreche Ihnen, daß er kommen wird«, schloß Agnes in offener Verachtung das Gespräch ab und wandte ihm den Rücken zu.

»Ich sehe dem Besuch des Prinzen mit Vergnügen entgegen«, sagte der Oberst, salutierte: »Meine Verehrung, Madame!« und stapfte sporenklirrend aus der Tür.

In ohnmächtiger Wut trommelte Agnes mit beiden kleinen Fäusten gegen die Holzwand ihres Zimmers und stieß dabei eine lange Reihe sich steigernder Flüche und Verwünschungen gegen den Oberst aus, wie das nur ein Vermonter Bauernmädchen konnte, keine Prinzessin. Dieser arrogante Kerl sollte sie nicht umsonst herausgefordert haben, schwor sie sich. Eine harte Abrechnung stand ihm bevor.

Aber zunächst mußte sie mit Felix reden, um sich von ihrer Wut zu befreien. Und wenn sie dafür die ganze Front abzureiten hätte, irgendwo würde sie ihn schon finden. Sie rannte aus dem Haus in den Stall hinüber, um ihr Pferd zu satteln, wobei sie zu ihrer Überraschung auf Freund Corvin traf, der gerade hereingeritten war und seinem hochbepackten Pferd etwas Hafer aufschüttete. Er kam zu einem Abschiedsbesuch, weil General

Stahel ihn für einige Tage in sein nahes Hauptquartier eingeladen hatte, und war bester Laune. Denn seine Reporternase roch förmlich die bevorstehende Offensive gegen die Rebellen, und er erhoffte sich dazu von Stahel wertvolle Informationen für seine Artikel in der »Times«.

Sichtlich erfreut über seinen unverhofften Besuch und wie plötzlich befreit von ihrer Wut gegen Oberst Gilsa, führte sie Corvin sogleich in ihre Wohnung hinüber. Er schien ihr in diesem Augenblick ein besserer Gesprächspartner als Felix zu sein, der im Jähzorn zu den unmöglichsten Entschlüssen fähig war. Während Corvin sich am Kamin zurechtsetzte, an dessen Glut er seine Pfeife anzündete, und sie ihm das Glas mit Whisky füllte, fragte Agnes wie nebenbei: »Was halten Sie von Oberst Gilsa, Corvin?«

Er lachte. »Ein preußisches Gewächs aus einer königlichen Kadettenzuchtanstalt, so wie ich auch.«

»Nur mit dem Unterschied, daß Ihnen die Erziehung augenscheinlich besser bekommen ist als Herrn von Gilsa.«

Er sah sie prüfend an. »Ich weiß schon lange, daß Gilsa nicht gerade Ihr Freund ist, Agnes. Mir liegt er auch nicht. Aber er ist ein ausgezeichneter Truppenführer, und das ist in Kriegszeiten nun mal die Hauptsache.«

»Nein, Hauptsache ist für mich immer nur, ob jemand ein Mensch aus Fleisch und Blut ist, mit Herz und Gefühl. Aber davon ist bei diesem arroganten Holzkopf überhaupt nichts vorhanden. Eine kalte Kunstpuppe ist das. Ich hasse ihn.«

»Was hat er Ihnen denn getan?« fragte Corvin, betroffen von ihrem wilden Ausbruch.

»Das werden Sie gleich erfahren. Aber erzählen Sie mir

erst mal noch, was Sie von diesem Mann wissen. Wann ist er eigentlich in die Staaten gekommen?«

»Vor fünf Jahren schon.«

»Und warum?«

»Schulden und Weibergeschichten.« Corvin lächelte. »Der Garderittmeister Baron von Gilsa mußte vor seinen Schuldnern fliehen. Genauso wie unser lieber Felix.«

Agnes, die es nicht liebte, an die wilde Vergangenheit ihres Prinzen erinnert zu werden, kaute eine Weile auf ihrer Unterlippe herum, ehe sie kühl weiterfragte: »Und was hat er hier gemacht? Wie ist es ihm ergangen?«

»Verdammt schlecht, da er hier weder Freunde noch Beziehungen hatte. Um nur zu leben, war er gezwungen, als Hausknecht in einer Bank zu arbeiten, wo er die Büros ausfegen und den Clerks den Tee aufbrühen mußte. Abends, um sich zusätzlich noch etwas zu verdienen, spielte er in einer Bierbar in Hoboken Klavier und sang deutsche Volkslieder dazu.«

»Niemals hätt' ich gedacht, daß so ein Mensch singen kann«, spottete Agnes.

»Sehr gut sogar. Er hat eine ausgezeichnete Baritonstimme«, fuhr Corvin fort. »Seine Stunde kam mit Ausbruch des Krieges. Er meldete sich sofort als einfacher Soldat zum achten Regiment, wo ihn Blenker entdeckte, erst zum Hauptmann und Kompanieführer und später, nach entsprechender Bewährung, zum Oberst in seinem Stab beförderte.«

»Gut, von da an kenn' ich seine Geschichte.« Agnes nickte. »Die Geschichte eines Intriganten, der Felix bei Blenker und auch im Ministerium, wo immer er konnte, zu schaden suchte. Warum haßt er meinen Mann?«

»Mir scheint es mehr Verbitterung als Haß zu sein«,

sagte Corvin, »und wenn man bedenkt, wie dem glücklichen Felix alles in den Schoß fiel, was Gilsa sich so schwer erkämpfen mußte, kann man ihn sogar begreifen. Kaum acht Tage auf amerikanischem Boden, wird Felix schon Oberst in Blenkers Stab. Ein halbes Jahr später heiratet er das schönste Mädchen von Washington und . . .«

»Hör doch endlich mal auf mit deinen blöden Komplimenten, Corvin«, unterbrach sie ihn zornig. »Ich bin keine Washingtoner Modepuppe, sondern eine ganz normale Frau, die ihren Mann liebt.«

Corvin lachte. »Das eben ist ja sein Glück. Und meine Komplimente sind Wahrheiten. Daran müssen Sie sich nun mal gewöhnen, Prinzessin. Um aber mit Felix fortzufahren: Wieder ein halbes Jahr später wird er auf wundersame Weise Regimentskommandeur. Und Gilsa scheint zu fürchten, daß das so weitergeht und Felix gar noch vor ihm die Generalssterne an den Kragen bekommt.«

»Wann Felix General wird, weiß ich nicht«, sagte Agnes kalt, »daß aber Oberst Gilsa dieses Ziel niemals erreichen wird, kann ich Ihnen jetzt schon versichern.«

»Er steht schon auf der Beförderungsliste, Agnes. Wer will das verhindern?«

»Ich«, sagte sie einfach.

»Aber warum? Er ist . . .«

»Er ist kein Gentleman«, unterbrach sie ihn, »und er wird noch begreifen müssen, was es heißt, sich mit einer Amerikanerin anzulegen.«

Im kalten Feuer ihrer Indianeraugen erkannte Corvin in diesem Augenblick, daß sie keine leeren Drohungen aussprach, daß Gilsa sich in ihr eine Feindin geschaffen hatte, über die er fallen mußte. »Dann erzählen Sie mir endlich, was er Ihnen getan hat, Agnes.«

Sie nickte und schilderte ihm in allen Einzelheiten ihren Zusammenstoß mit dem Oberst. »Was sagen Sie nun dazu, Corvin? Ihr Landsmann wagt es, mich wie eine Dienstmagd hier auszuweisen. Der Paß des Präsidenten ist für ihn nicht mehr als ein papierener Wisch.«

Corvin lächelte. »Rein sachlich kann ich Gilsa verstehen. Für einen preußischen Offizier ist es ungeheuerlich, in seinem Abschnitt eine Dame zu wissen, auf die er Rücksicht nehmen soll.«

»Heißt das, Sie geben ihm recht, Sie stehen auf seiner Seite?« Sie funkelte ihn an.

Beschwichtigend hob er die Hände. »Agnes, ich sagte, daß ich ihn sachlich verstehen kann. Aber ich sehe auch die persönliche Seite des Falles, auf der Gilsa allerdings eine schlechte Figur macht. In seinen Maßnahmen gegen Sie will er vor allem Felix treffen und . . .«

»Warum denn Felix? Das ist ja noch schlimmer.«

»Sagen Sie, Agnes, hat Ihnen Felix mal etwas von einer Fronde seiner Offiziere gegen ihn angedeutet?« fragte er zögernd.

Betroffen sah sie ihn an. »Eine Fronde? Gegen ihn? Nicht das geringste, Corvin.«

»Dann ist es ja wohl Zeit, daß Sie erfahren, was vorgegangen ist, was ich Ihnen vielleicht schon längst hätte erzählen sollen. Aber Felix hat ja auch geschwiegen. Nun hören Sie zu: Die älteren Offiziere des achten Regiments, Kompanie- und Bataillonsführer also, haben in einer gemeinsamen Petition, die Oberst Gilsa wohlwollend an Gouverneur Morgan weitergegeben hat, nachdrücklich verlangt, daß Felix als Regimentskommandeur sofort wieder abberufen wird.«

Sie saß eine ganze Weile wie erstarrt, ehe sie auffuhr: »Mit welcher Begründung verlangen sie das?«

»Ganz einfach: Felix hat nicht ihr Vertrauen.«

»Das begreife ich nicht. Felix kommt aus Deutschland wie sie alle und . . .«

»Das ist es ja eben«, fiel Corvin ein. »Nichts Schlimmeres gibt es als deutsche Emigranten. Wo sie auch sind, sie bekämpfen sich mit den gemeinsten Verleumdungen bis zum gemeinsamen Untergang. Jeder behauptet von sich, nicht nur ein besserer Demokrat oder Sozialist, sondern vor allem auch der bessere Deutsche zu sein. Am schlimmsten in dieser Hinsicht ist Hauptmann von Struve, der die Petition gegen Felix aufgesetzt hat, die von den anderen unterschrieben wurde.«

»Unser Vater Struve?« rief Agnes erstaunt. »Der in Hunters Chapel immer so nett zu mir war?«

»Genau der«, sagte Corvin, »war schon beim badischen Aufstand, wo er in der Revolutionsarmee unter meinem Kommando diente, ein widerlicher Rechthaber. Nicht nur Demokrat, sondern auch Vegetarier aus Prinzip. Und das ist die schlimmste Mischung, die es gibt.«

»Aber was hat er Felix denn vorgeworfen, Corvin?«

»Nichts weiter, als daß er ein Prinz ist. ›Ich habe nicht darum zu Hause gegen die Fürsten gekämpft‹, sagte er mir, ›um nun hier unter einem deutschen Prinzen zu dienen.‹ – ›Aber Struve‹, sagte ich zu ihm, ›er ist doch hier in der Armee kein Prinz, sondern ganz einfach der Oberst Salm.‹ – ›Prinz bleibt Prinz für mich‹, beharrte er stur wie ein Kanonenrohr. – Aber der Widerstand seiner ganzen Gruppe hat natürlich andere Gründe. Den alten Herren gefällt das anstrengende neue Kampftraining nicht, das Felix eingeführt hat. Sie wollen zu dem gemütlichen Schlendrian zurück, der unter Oberstleutnant Hedtrich, dem Interimskommandeur, im Regiment herrschte.«

»Corvin, warum haben Sie mir das nicht schon in Washington gesagt? Ich wäre sofort zu Gouverneur Morgan nach Albany gefahren.«

»Ich wollte Sie nicht beunruhigen, Agnes, und auch erst mit Felix darüber sprechen.«

»Das werd' ich auch und dann sofort von hier aus zu Mister Morgan fahren. Diese Herren werden nicht durchkommen mit ihrer Petition. Das versichere ich Ihnen.«

Corvin lächelte. »Sie brauchen sich nicht aufzuregen, Agnes. Die Sache ist schon entschieden. Die müden Helden haben nämlich eine Dummheit gemacht, als sie an den Gouverneur schrieben: Entweder wird Oberst Salm, der nicht unser Vertrauen hat, seines Kommandos wieder enthoben, oder wir Unterzeichneten bitten geschlossen um unsern Abschied.«

»Eine verdammte Erpressung also.«

»Mit der die Herren allerdings auf den Bauch gefallen sind. Morgan hat kurz und bündig zurücktelegrafiert: Abschied genehmigt!«

Agnes klatschte in die Hände und hüpfte wie ein kleines Mädchen auf einem Bein durch die Stube. »O Mister Morgan! Mister Morgan! Ist er nicht ein wunderbarer Mann, Corvin? Wenn ich ihn das nächste Mal treffe, fall' ich ihm um den Hals und küsse ihn ab.«

»Immer nur andere«, gab sich Corvin enttäuscht. »Wann darf ich denn mal auf solche Auszeichnung hoffen?«

Sie winkte ab. »Ach, hören Sie auf, Corvin. Wenn Sie es so drauf anlegen, kommt es niemals dazu.« Und blieb, die kleinen Hände zu Fäusten geballt, in einer Art Boxstellung mitten im Zimmer stehen. »Und jetzt, damit es in einem Aufwaschen geht, bekommt auch Gilsa seinen Knockout. Wenn Felix zurückkommt, werd' ich ihm erzählen, wie dieser famose Oberst mich behandelt hat, und . . .«

»Agnes, Sie werden Felix kein Wort davon sagen«, unterbrach Corvin sie in ungewohntem, beinahe drohendem Befehlston.

Überrascht sah sie ihn an: »Aber Corvin, Felix muß doch wissen, was hier vorgefallen ist.«

»Er muß es nicht wissen, und er darf es auch nicht wissen. Agnes, Sie kennen seinen Jähzorn genausogut wie ich. Wenn Sie ihm den Vorfall so erzählen, wie er sich abgespielt hat, wird er ins Brigadehauptquartier hinüberreiten und Gilsa über den Haufen schießen oder im besten Fall zu einem Duell fordern.«

»Davor hätt' ich keine Angst, Felix ist der beste Schütze weit und breit«, sagte sie stolz.

»Seien Sie nicht kindisch, Agnes. Sie wissen doch besser als ich, daß Amerikaner für Ehrenhändel dieser Art keinen Sinn haben. Minister Stanton hätte endlich einen Grund, Felix zu degradieren oder gar zu feuern. Und nicht einmal Mister Lincoln könnte ihm dann noch helfen.«

Nachdenklich auf ihrer Unterlippe kauend, sah sie ihn an und sagte endlich: »Sie haben recht, Corvin, Felix darf wirklich nichts davon erfahren. Ich bin ein Schaf. Mich ärgert nur, daß Oberst Gilsa so ganz ohne Strafe davonkommen soll.«

»Sie müssen nur Geduld haben, Agnes. Ohne daß Felix als Racheengel eingreifen muß, wird sich Gilsa in seiner Arroganz früher oder später selber das Genick brechen.«

»Na, hoffentlich«, sagte Agnes. »Wo immer ich kann, werd' ich gern nachhelfen. Damit ist aber das Problem der neuen Wohnung noch nicht gelöst. Wie soll ich Felix beibringen, daß wir die Wohnung aufgeben müssen. Und wohin sollen wir überhaupt gehen?«

»Das ist doch kein Problem, Agnes. Sie übernehmen

meine Wohnung, die ich gerade verlassen habe. Drei Zimmer. Heller und geräumiger als diese engen Zimmer hier. Und was Felix betrifft, werden Sie ihm doch irgendeine plausible Begründung für diesen Umzug vorspielen können. Schließlich ist jede Frau eine geborene Schauspielerin.«

Agnes nickte. »Mir scheint, Sie haben recht, Corvin. Ich werde Ihren Rat befolgen.« Sie ging auf ihn zu, legte ihre Arme um seinen Hals und gab ihm einen Wangenkuß. »Sie sind ein guter Freund. Der beste, den wir haben. Bitte, passen Sie auf sich auf. Ich möchte Sie nicht verlieren.«

»Ich Sie auch nicht, Agnes.« Er griff nach ihr, um sie näher an sich heranzuziehen.

Doch sie war ihm schon entwischt und drohte ihm aus sicherer Entfernung mit dem Finger. »Corvin, ich muß Sie rügen. Mir predigen Sie Geduld und haben selber keine.«

Er lachte. »Weil Sie es mir schwermachen, Agnes«, erwiderte er und zelebrierte, um die etwas peinliche Situation zu überspielen, eine gravitätisch-groteske Verbeugung. »Ein alter Mann neigt sich vor Ihrer schönen Jugend, Madame, und wünscht Ihnen den Schutz guter Götter.« Wandte sich kurz um und stampfte sporenklirrend aus dem Zimmer.

Agnes empfing Felix aufs zärtlichste, als er am Nachmittag endlich von seinem Inspektionsritt zurückkam. Küßte ihm Staub und Schweiß aus dem braunen Gesicht. Sie liebte den kräftigen Mannsgeruch seiner Haut, seines Haars, dem sich auf erregende Art der Geruch von Pulver, Leder, Waffenöl und Pferdeschweiß zugesellt hatte. Parfüm einer Männerwelt, in der sich Agnes von jeher wohl gefühlt hatte.

Glücklich erzählte er vom wachsenden Vertrauen seiner Soldaten zu ihm. Sie hatten begriffen, daß der neue strengere Dienst, der von ihm eingeführt worden war, nur ihrer größeren Sicherheit diente, und dankten ihm, daß es jene leichtsinnigen Kampfeinsätze nicht mehr gab, die unter der alten Führung so viel unnötige Opfer gefordert hatten.

Agnes hielt seine Hand und fragte lächelnd: »Warum hast du mir nichts vom Widerstand der Offiziere gegen dich erzählt?«

»Ich wollte dich nicht beunruhigen und selber damit fertig werden. Nun hat sich ja auch alles erledigt inzwischen.«

»Ja, ich weiß, durch das Eingreifen von Gouverneur Morgan.«

»Wer hat dir das erzählt?« fragte er überrascht.

»Corvin natürlich, dem nichts verborgen bleibt. Er war hier, um sich zu verabschieden. General Stahel hat ihn in sein Hauptquartier eingeladen.Und stell dir vor, er hat uns seine Wohnung angeboten. Hat mir dringend zum Umzug geraten.«

»Warum denn das? Fühlst du dich hier nicht wohl?«

Sie küßte ihn zärtlich. »Eigentlich nicht, Darling. Seine Wohnung ist größer, heller, besser möbliert. Und wenn wir uns nicht gleich entscheiden, ist sie morgen vergeben. An Oberst Gilsa vielleicht oder andere Offiziere.«

Leicht mißtrauisch sah er sie an. »Wie kommst du auf Gilsa?«

»Er fiel mir nur gerade so ein. Paßt dir etwas nicht an meinem Vorschlag?«

»Eigentlich ja. Corvins Wohnung liegt mir etwas zu weit entfernt von meinem Regiment. Ich hab' gern alles unter Kontrolle.«

»Aber Felix, die hundert Meter flußaufwärts machen doch da keinen Unterschied.«
Und wie immer, wenn sie auf einem Wunsch bestand, gab er schließlich nach. Noch am gleichen Tag zogen sie in die von Corvin verlassene Wohnung ein.

Agnes war sich klar darüber, daß sie Oberst Gilsa damit nur auswich, daß er sich keinesfalls auf diese Weise überlisten ließ, und sie erwartete jeden Tag einen neuen, heftigeren Angriff von ihm.
Aber zunächst blieb alles ruhig. Gilsa ließ sich nicht sehen und hören, und es begann eine glückliche Zeit, die vor allem in der ungetrübt guten Laune von Felix begründet lag. Jeden Tag mehr freute er sich über den wachsenden Kampfgeist seines Regiments, das zusehends seine alte Geschlossenheit wiederfand, nachdem die frondierenden Offiziere endlich ausgeschieden waren. In ihre Kommandos rückten jüngere Offiziere nach, die aus mancherlei Gründen nach Amerika gekommen waren, nachdem sie zuvor in der preußischen Armee eine gründliche und solide Gefechtsausbildung erfahren hatten.
Auch Agnes, von den Soldaten jedesmal begeistert begrüßt, wo immer sie erschien, wuchs wie von selbst in diesen neuen Korpsgeist des Regiments hinein. Begann sich als wichtige Winzigkeit seines Eigenlebens zu fühlen. Und da Wunsch und Wirklichkeit bei ihr schon von Kindheit auf ineinanderzugehen pflegten, der Tag im Traum und Traum im Tag versank, war es nicht weiter verwunderlich, daß ihre neue Umwelt nun auch in ihre Träume einzudringen begann. So sah sie sich an der Spitze einer kampfbereiten Kompanie eine lange staubige Straße entlangreiten oder auch inmitten langer Reihen vertrauter Gestalten mitmarschieren. Und jedesmal

in einer Uniform, die sogar im Traum ihr Entzücken erregte. Um so mehr mißfiel es ihr dann, wenn sie am nächsten Morgen ihre gewohnte Kleidung wieder anziehen mußte. Das viel zu elegante schwarze Reitkostüm zum Beispiel oder die beiden leichten Röcke und Blusen, die zwar den heißen virginischen Dezembertagen, kaum aber ihrer soldatischen Umgebung angemessen waren.

Und da sie in solchen Traumbildern von jeher bedeutsame Hinweise und Zeichen für ihr Leben erkannte, zögerte sie nicht, daraus die entsprechenden Folgerungen zu ziehen. Sie suchte Regimentsschneider Wesely auf, den »böhmischen Wenzel«, wie er allgemein genannt wurde, und ließ sich von ihm aus blaugrauem Tuch jene Traumuniform auf den Leib schneidern, die sie zuvor visionsgetreu auf einem Meldeblock von Felix nachgezeichnet hatte: eine enganliegende langschößige Jacke mit hohem Kragen, der ihren Hals noch schmaler erscheinen ließ, mit knöchellangem Rock dazu, der an der linken Seite bis zum Knie aufgeschnitten war und ihr schlankes hochgestiefeltes Bein sehen ließ. Wenzel ging mit Feuereifer an die Arbeit und hatte innerhalb von zwei Tagen ein Meistermodell geschaffen, das keiner Änderungen bedurfte.

Als Felix am Nachmittag staubgrau und müde von einer Feldübung zurückkam, wollte er seinen Augen nicht trauen.

»Agnes, bist du das wirklich?«

»Gefall' ich dir nicht?«

Langsam umkreiste er sie. Schritt für Schritt. Mit lastendem Schweigen. Und zog sie mit einem Ruck plötzlich lachend in seine Arme. »Meine kleine Diana in Uniform. Du siehst phantastisch aus, Darling. Aber warte, etwas fehlt noch.«

Er nahm seine blaue Offizierskappe vom Tisch und drückte sie auf ihr hochgestecktes volles Haar. »Well, so stimmt's. Das Regiment wird begeistert sein von meinem neuen Adjutanten.«

»Mir genügt's, wenn es dir gefällt. Ich fürchtete schon, du würdest mich für verrückt erklären.«

»Aber das bist du doch, Darling, das brauch' ich gar nicht mehr zu erklären.« Er nahm ihre kaum hundert Pfund hoch auf beide Arme und trug sie leicht durch das Zimmer. Redete, lachte und küßte sie, küßte sie und redete: »Ach, du meine kleine Verrückte. Was wär' ich ohne dich. Bin ich nicht ein glücklicher Mann? Immer wieder von den Göttern beschenkt. Jetzt hab' ich nachts nun die schönste Prinzessin im Bett und tagsüber den frechsten Leutnant an meiner Seite.«

Da warf sie ihm glücklich die Arme um den Hals. »Ach, Felix, mir scheint, du bist der Verrückteste von uns beiden.«

Und was er vorausgesagt hatte, zeigte sich bald schon. Die Soldaten grüßten Agnes nicht nur einzeln der Vorschrift gemäß, sondern darüber hinaus bei jedem Vorbeimarsch mit übermütigem Hurra. Sie galt ihnen als schöne Schirmherrin des Regiments.

So konnte es nicht ausbleiben, daß auch Oberst Gilsa bald schon von dieser ungewöhnlichen Bereicherung seines Offizierskorps erfuhr. Salm, von einer Besprechung bei ihm zurückkehrend, berichtete halb lachend, halb ärgerlich: »Stell dir vor, Gilsa hat mich heute auf deine Uniform angesprochen. Er meinte, du verwirrtest nicht nur das Offizierskorps mit deiner Anwesenheit, sondern brächtest auch das ganze Regiment durcheinander. Ich sollte dich nach Washington zurückschikken.«

»Und was hast du gesagt?« fragte Agnes mit zornig gerunzelter Stirn.

»Ich habe gelacht und gesagt, das Regiment sei in bester Verfassung, und er könne nicht von mir verlangen, dich bei den unsicheren Verhältnissen, die hinter unsern Linien herrschen, allein nach Hause reiten zu lassen. Er meinte aber, du wärest bei den gleichen Verhältnissen hergekommen und würdest genauso wieder nach Washington zurückfinden. Er könne keine besonderen Gefahren erkennen. Sollte es mir nicht gelingen, dich in den nächsten Tagen zurückzuschicken, da du mir ja doch auf der Nase herumtanztest, würde er mir den Befehl dazu erteilen.«

»So eine Unverschämtheit!«

Felix lachte. »Na, gib's zu, so unrecht hat er nicht mit der Nase. Aber ich sagte ihm gleich, in meinen privaten Angelegenheiten hätte er mir nichts zu befehlen, schlug die Tür zu und ging davon. Sollte er es noch einmal wagen, in dieser Form von dir zu sprechen, werd' ich ihm die Antwort mit meiner Pistole geben.«

»Felix, auf keinen Fall«, fuhr Agnes, die an Corvins Warnungen dachte, erschrocken auf. »Sagen kannst du ihm alles, aber nicht gleich schießen.«

»Aber ja, Darling. Es wird ja auch nicht so weit kommen«, sagte Felix leichthin. »Im Grunde ist Gilsa ein Feigling. So was wie heute wird er nicht noch einmal wagen.«

Agnes war anderer Meinung. Ohne weiter darüber zu diskutieren, erwartete sie in den nächsten Tagen, daß Gilsa den Vorstoß, der ihm bei Felix mißlungen war, bei ihr wiederholen würde. Und sie täuschte sich nicht. Eines Morgens – Felix hatte kaum das Haus zu einem seiner langen Inspektionsritte verlassen – erschien der

Brigadeadjutant, Oberleutnant von Amsberg, bei ihr, um ihr einen von Gilsa unterzeichneten Brigadebefehl zu überbringen, nach dem sie innerhalb von 24 Stunden ihre derzeitige Wohnung zu räumen habe. Ihr war sofort klar, daß der Oberst nicht nur sie, sondern vor allem auch Felix zu einer Befehlsverweigerung provozieren wollte. Obwohl sie kochte vor Zorn, behielt sie ihre Nerven im Zaum und fragte freundlich: »Darf ich den Grund für diese Anordnung erfahren?«

»General Stahel hat den Wunsch geäußert, im Gebiet der Brigade ein Ausweichquartier zur Verfügung zu haben. In ganz Aldy gibt es nur dieses Haus, das wir dem General anbieten könnten.«

»Tut mir leid, Herr von Amsberg, ich werde dieses Haus erst verlassen, wenn mir Oberst Gilsa eine gleichwertige Wohnung anbietet. Außerdem kenn' ich General Stahel sehr gut. Ich bin sicher, daß es nicht in seinem Sinn ist, wenn Oberst Gilsa mich unter Berufung auf ihn hier auf die Straße zu setzen sucht.«

»Aber die Absicht hat er bestimmt nicht«, wand sich Amsberg, dem dieser Auftrag sichtlich unangenehm war.

»Ich kenne Ihren Oberst«, sagte Agnes gelassen, »er will mich loswerden hier, und dazu ist ihm jedes Mittel recht.«

»Ich glaube, daß Sie ihm damit unrecht tun, Prinzessin«, verteidigte Amsberg seinen Chef. »Oberst von Gilsa denkt vor allem an Ihre Sicherheit. Wir haben nämlich Beweise dafür, daß die Front hier in kurzer Zeit schon in Bewegung geraten wird. Da wäre es bestimmt auch in Ihrem Interesse, vorher noch nach Washington zurückzukehren.«

»Oberst Gilsa ist sehr besorgt um mich, wie ich sehe. Ist es damit vereinbar, mich, einer Frau allein, den Dreitageritt nach Washington durch Kriegsgebiet zuzumuten?«

»Wir haben darüber gesprochen«, sagte von Amsberg eifrig, »wenn Prinz Salm einverstanden ist, wird mir Oberst von Gilsa Urlaub geben, um Sie sicher nach Hause zu bringen.«

»Wie nett, daß Sie sich darüber Gedanken gemacht haben, und nichts gegen Ihre Gesellschaft, Herr von Amsberg. Ich ziehe es jedoch vor, bei meinem Mann zu bleiben. Der Generalpaß des Präsidenten gibt mir dazu die Erlaubnis, wie Sie wissen.«

Der Oberleutnant sah sie zweifelnd an und sagte stockend: »Vielleicht sollten Sie die Sache doch nicht auf die Spitze treiben, Prinzessin. Ganz im Vertrauen gesagt, und ich bitte darum, diese Andeutung auch so zu behandeln: Oberst von Gilsa erwägt, Sie durch Militärpolizei aus der Front entfernen zu lassen, wenn Sie sich seinen Befehlen weiterhin widersetzen sollten.«

Agnes lachte. »Das soll er nur wagen. Denn genauso im Vertrauen gesagt, Herr von Amsberg, und das können Sie Ihrem Chef ruhig flüstern, es ist gefährlich, sich in dieser Weise mit einer Amerikanerin anzulegen. Wenn Oberst Gilsa aber diesen Zweikampf will, soll er ihn haben. Er wird ihn hoch verlieren.«

Amsbergs Schultern fielen herunter. »Das heißt also, Sie werden die Wohnung nicht räumen, Prinzessin?«

»Ganz im Gegenteil, Herr von Amsberg, wir werden noch heute ausziehen«, sagte Agnes freundlich.

»Und – darf ich fragen, wohin?«

»Das wird die Brigade noch früh genug erfahren. Hier haben Sie den Räumungsbefehl zurück. Sagen Sie Ihrem Chef beste Grüße von mir, und er möge es sich abgewöhnen, mich weiterhin in dieser Form herauszufordern. Vielen Dank, Herr von Amsberg.«

Ratlos sah er sie an, grüßte stramm und verließ sichtlich betreten ihr Zimmer.

Als Felix wenig später nach Hause kam, fand er Agnes bei bester Laune. Er brauchte nur ihr Spitzbubenlachen zu sehen, um daraus auf Überraschungen zu schließen, die ihm manchmal den Atem nahmen. Dennoch fragte er mutig drauflos, während er sich den Straßenstaub aus der Haut wusch: »Was hat sich meine kleine Verrückte denn heute mal wieder ausgedacht?«

»Weißt du schon etwas?« fragte sie überrascht.

»Nicht das geringste. Aber ich seh' es dir doch an der Nasenspitze an, wenn du . . .«

»Es ist aber etwas sehr Ernstes«, unterbrach sie ihn.

»Macht nichts, ich bin auf alles gefaßt.«

»Felix«, begann sie langsam, »sag mir die Wahrheit: Du fühlst dich in dieser Wohnung nicht wohl, nicht wahr?«

»Ehrlich gesagt, nein. Schon vom ersten Tag an nicht. Sie ist mir einfach zu weit weg vom Regiment.«

Agnes nickte. »Ja, ich weiß. Ich hab' darüber nachgedacht, und ich wollte dir vorschlagen, die Wohnung aufzugeben.«

»Sofort einverstanden. Aber wo willst du dann wohnen?«

»Bei dir im Kommandozelt natürlich. Mitten in unserm Regiment.«

Er schloß sie in seine Arme. »O du Hexe, du ahnst doch mal wieder alles voraus. Es ist unglaublich. Denk dir, seit Tagen wollt' ich dir schon das gleiche vorschlagen. Ich kann es einfach nicht mehr verantworten, bei den ständigen Alarmen nicht beim Regiment zu sein. Und ich hab' auch eine Überraschung für dich. Komm sofort!« Er schlüpfte wieder in seine Jacke, zog Agnes aus dem Haus in den Stall hinüber, wo sie die Pferde sattelten und in übermütigem Galopp in das Lager ritten. Vor seinem Zelt hob er Agnes aus dem Sattel, trug sie zum Eingang hin, befahl: »Augen zu!« und führte sie an der Hand ins Innere. »Und nun Augen auf!«

Sie glaubte sich in ihre Träume versetzt. Der Zeltraum war durch bunthelle Vorhänge, die wer weiß woher kamen, in eine Reihe kleiner Zimmer aufgeteilt. Da gab es eine Wasch- und Ankleideecke, einen größeren Wohnraum, dem ein gemauerter kleiner Kamin Gemütlichkeit verlieh, und als Krönung hinter hellblauen Vorhängen einen Schlafraum mit einem breiten, aus Eichenholz gezimmerten Bett, über dessen Strohsäcke weiche Felldekken gebreitet waren.

Agnes schlug die Hände zusammen. »Felix, wer hat das gezaubert?«

»Die Handwerker unter meinen Soldaten. Sie wollen wie ich, daß du zu uns kommst, daß du dich wohl fühlst bei uns.«

»Hier geh' ich gar nicht mehr weg!« jubelte Agnes, ließ von den Ordonnanzen sogleich im Kamin das Feuer anzünden und all ihre Sachen aus dem verlassenen Haus herüberholen. Wobei es ihr besonderen Spaß bereitete, Oberst Gilsa abermals überlistet zu haben, ohne Felix dabei ins Spiel zu bringen.

Und es begannen nun jene glücklichen Tage und Nächte, die Agnes niemals wieder vergessen sollte. Inmitten der vertrauten Lagerwelt, des Schrillens der Unteroffizierspfeifen, der Kommandorufe, der dunklen Flüche, des Knarrens der Ledersättel und festgezurrten Zeltleinen, inmitten des Dunstes von hundert und aberhundert heißen Männerleibern, des scharfen Ammoniakgeruchs des Pferdeurins, des Waffenklirrens und der Trompetensi gnale – da erinnerte sich Agnes wieder der ersten Begegnung mit Felix. Wie er damals auf sie zugegangen war und sie als seinen rechtmäßigen Besitz in die Arme genommen hatte, um mit ihr weiterzutanzen, nur noch mit ihr. Sein Lächeln, dieser erste Blick seiner Augen und die ersten Küsse hinter den Zeltwänden an der Pferdekoppel.

Die Erinnerung daran und die nahe, noch kriegerischere Gegenwart des neuen Lagers steigerten ihre Liebesnächte mit Felix zu rauschhaften Ekstasen, wie sie sie bis dahin nicht nur nicht erlebt, sondern kaum zu ahnen gewagt hatte. Es schien ihr dann manchmal in den Armen von Felix, als gebe sie sich in ihm zugleich dem Begehren der achthundert jungen Männer hin, die ringsum in den offenen Zelten schliefen, atmeten, träumten. Denn die virginischen Dezembertage wiesen in jenem Jahr ungewöhnliche Wärmegrade auf und kühlten auch in den Nächten kaum ab, die voller Kampfeserwartung, Todesahnung und Begierde waren.

Aber auch die Heiligen Nächte kamen näher in so ungewohnter Umgebung, und sie hörten manchmal, wenn sie einander erschöpft in den Armen lagen, aus den Mannschaftszelten herüber das leise Summen dieser deutschen Weihnachtslieder, die so voller Heimweh und kindlicher Zärtlichkeit waren.

Immer schneller gingen die Stunden, die Tage dahin bis zum Morgen jenes 25. Dezember, der ihr gemeinsamer Geburtstag war, an dem Agnes 18 und Felix, siebzehn Jahre älter, 35 wurde. Wilder Trommelwirbel und Trompetensignale der vor ihrem Zelt versammelten Regimentsmusik, die in den Rausch rhythmischer Märsche übergingen, rissen sie aus dem Schlaf. Als sie in notdürftiger Kleidung vor dem Zelt erschienen, wurden sie nicht

197

nur von anschwellenden Hurra-Rufen, sondern auch von einem riesigen Geburtstagskuchen empfangen, den fleißige Soldatenhände über Nacht vor dem Zelteingang aufgetürmt hatten. Künstlich aus Erde gemacht und wie ein deutscher Geburtstagskuchen ausgeschmückt. Weißer Sand stellte den Zuckerguß dar und bunte Steine die Früchte. Satirische Anspielung auf die Verpflegungslage des Regiments, das seit Wochen nur noch von gesalzenem Schweinefleisch und hartem Schiffszwieback lebte, weil es den Rauhreitern der Rebellen, die hinter der Front der Bundestruppen operierten, gelungen war, sämtliche Verpflegungstransporte abzufangen.

Doch Agnes focht das nicht an. Sie hatte hier draußen Improvisieren gelernt und verkündete für zwei Stunden später einen Geburtstagsempfang, zu dem alle Offiziere der Brigade und die Abordnungen der Regimenter eingeladen waren. Aus schlechtem Whisky, reichlich Zukker und Zitronen braute sie im Feldküchenkessel einen fürchterlichen Punsch, dem alle Gäste, unter denen nur Oberst von Gilsa fehlte, so reichlich zusprachen, daß sie bald schon mehr oder weniger betrunken waren und in Sprechchören unaufhörlich »die kleine Dame« feierten, wie Agnes allgemein im Regiment genannt wurde.

Als die Hälfte der Gäste gegen Mittag erschöpft vom Singen und Trinken in den Zeltgassen lag, kam, wie nicht anders zu erwarten, der Alarm, der alle auf einen Schlag wieder nüchtern werden ließ. Die Rebellen waren überraschend zum Angriff angetreten, hatten die verdünnten Frontlinien durchbrochen und befanden sich im Vormarsch auf Aldy. Trompetensignale riefen die Alarmeinheiten zu den Waffen, während der Regimentstroß, dem sich auch Agnes zugesellen mußte, den Befehl bekam, das schöne Lager zu verlassen und sich unverzüglich auf Chantilly zurückzuziehen. Ein

198

flüchtiger Kuß, ein letztes Winken noch, und Felix verschwand an der Spitze seiner Kompanien in der Ferne. Wie erstarrt saß Agnes im Sattel. Das Herz gelähmt, während der Dezembertag sich über ihr hellblau in den Himmel hineinhob. Ihr Geburtstag und sein Geburtstag sollte der Todestag so vieler Männer werden, die noch nichts davon ahnten.

Kampf, Blut und Tod

Am Nachmittag dieses Tages, da die Front auf allen Seiten in Bewegung geraten war, verdunkelte sich der Himmel von einer Stunde zur andern. Bedrohlich schob sich von Westen eine ungeheure Wolkenwand heran, während unzählige Geschütze von nah und fern zum Himmel hinauf den großen Schlachtengesang anstimmten, der Tausender Totenlied, aber niemandes Triumphgesang werden sollte.

So sanft auch der Regen begann, binnen einer Stunde steigerte er sich zur Sintflut, die das Schlachtfeld und alle Straßen in zähen Morast verwandelte, ohne das beiderseitige Blutvergießen aufhalten, ja auch nur mäßigen zu können.

»Straßen und Wege waren nicht mehr zu erkennen«, berichtete General Karl Schurz. »Die Infanterie steckte bis zum Gürtel im Schlamm, und die Artillerie war so tief im schwarzgelben Morast versunken, daß es jedesmal der gesamten Pferde einer Batterie bedurfte, um die Geschütze einzeln herauszuziehen, damit sie wenige Meter weiter abermals versanken.«

Agnes, von Regenfluten gebadet, die ihr unter den durchweichten Kleidern über den ganzen Leib hinunter bis in die Stiefel liefen, fand auf dem glitschigen Leder ihres Sattels kaum noch Halt. Da war es glückliche Rettung, daß ihr Dr. Fröhlich, der Regimentsarzt, einen zwar harten, aber doch trockenen Platz in seinem großen rindshautüberwölbten Lazarettwagen anbot. Aus dem Sattel heraus stieg sie zu ihm hinüber und band ihr Pferd am Wagenpfosten an. Fröhlichs selbständige Abteilung, die eigene Küchen- und Materialwagen, dazu auch zwei schnell aufzurichtende große Sanitätszelte mit sich führte, bestand aus breitausladenden Treckfahrzeugen, die, jeweils mit vier Pferden bespannt, in der Mitte des langsam dahinkriechenden Troßzuges eingeteilt waren.

Niemand wußte zu sagen, ob der massige Fröhlich seinen Doktortitel zu Recht führte. Denn als zu Anfang des Krieges die Freiwilligenregimenter aus dem Boden gestampft wurden, war keine Zeit gewesen, die vorgelegten Diplome gründlich zu überprüfen. Und es hatte sich dabei so mancher Feldscher oder ehemalige Lazarettgehilfe mit unverdienten akademischen Ehren geschmückt.

Im Regiment galt Dr. Fröhlich als ein verdienter Mann. Zu welchem Ruf ihm nicht nur sein optimistischer Name, sondern auch das Gerücht verhalf, zugleich der größte Whiskysäufer der Armee und ihr geschicktester Chirurg zu sein. Mit seinen Wurstfingern trennte er zerschmetterte Gliedmaßen in Minutenschnelle aus den Gelenken und verschloß die Wunden beinahe blutlos mit sauberen Nähten. Und seine Patienten, wenn auch ohne Bein oder Arm den vielen Höllen dieses Bruderkrieges entronnen, ließen nichts auf ihn kommen. Im unflätigen Soldatenjargon, der Agnes aber kaum noch zu erschüttern vermochte, schimpfte der Doktor auf das Wetter, auf den Krieg und die Sanitätsverwaltung, die ihn ohne Mittel ließ oder, wenn sie schon tätig wurde, mit dem falschen Zeug versorgte. Und unterstrich jeden seiner Ausbrüche mit einem gurgelnden Schluck aus der Whiskyflasche.

Agnes versuchte mit den Augen das Halbdunkel des

Wageninneren zu durchdringen, wo Kranke und Verwundete zusammengepfercht auf dem Maisstroh lagen.
Mit hohläugig-fahlen Gesichtern. Stumm und schick-
salsergeben, wie nur Soldaten sein können. Manchmal
ein leises Stöhnen. Oder die krampfartigen Zuckungen
eines Mannes, der sich mit letzter Kraft mühte, seine
Schmerzen zu unterdrücken. Und nicht weit von ihr nur
ein einziger, ein blonder Junge mit einem Engelsgesicht,
der lächelnd zu schlafen schien.

»Was fehlt diesen Leuten?« wandte sich Agnes flüsternd
dem Doktor zu.

»Na, was so üblich ist«, sagte er mit großer Geste.
»Cholera und Lagerruhr und ein paar Fälle von Wund-
brand dazwischen.«

»Um Gottes willen!« rief Agnes entsetzt. »Und was machen Sie dagegen, Doktor?«

»Im Anfang geb' ich etwas Morphium und versuche die
Burschen bei Kräften zu halten. Und lasse sonst den lieben Gott nur walten, der uns das alles beschert hat. Der
eine kommt durch damit, der andere beißt ins Stroh. Die
Sie hier sehen, Mylady, sind zum größten Teil Todeskandidaten.«

Sie sah den schönen blonden Jungen an, der so still
in seinen Träumen lag, und wandte sich wieder Dr.
Fröhlich zu. »Aber das kann man doch nicht so hinnehmen, Doktor. Man muß die Ursachen untersuchen
und . . .«

Sein Whiskyatem wehte ihr entgegen. »Die Ursachen
kenn' ich, Mylady: falsche Ernährung, verseuchtes
Wasser, nasse Quartiere. Aber ich kann nichts tun dagegen. Ich allein überhaupt nichts. Kann nur wünschen,
nicht selber von der Cholera gepackt zu werden wie
diese da. Hoffnungslos.« Er lachte. »Da hilft nur
Whisky.« Und hielt ihr die Flasche hin.

»Danke, Doktor«, wehrte sie ab und sah abermals den blonden Jungen an, dachte mit brennendem Herzen: Den muß ich retten. Hilf mir Gott. Wenn du sie alle nimmst, gib mir diesen.

Darüber glaubte sie ersticken zu müssen. Der Gestank, der aus dem Wageninneren herauswehte, nahm ihr den Atem. Und sie dachte an jenen Morgen zurück, da sie mit Felix durch das Lager gegangen und er vor dem großen Lazarettzelt brüsk umgekehrt war.

»Warum gehen wir nicht hinein?« hatte sie ihn gefragt.

»Ich möchte die Kranken sehen. Vielleicht kann ich ein bißchen helfen.«

»Das kannst du ruhig Dr. Fröhlich und seinen Gehilfen überlassen«, hatte Felix gesagt, »außerdem schickt es sich nicht für eine Dame, halbnackte kranke Soldaten zu besuchen« – womit er nur die allgemeine Ansicht der Zeit wiedergab –, »und drittens gibt es da einen alten Soldatenaberglauben, niemals freiwillig ein Lazarett zu besuchen, es sei denn, sie tragen dich auf der Bahre hinein.« Und er hatte ihr dann die Geschichten vom großen Säufer Fröhlich erzählt, um lachend zu schließen: »Zum Glück sind Soldaten jung und gesund genug, um alles zu überstehen, was man mit ihnen anstellt. Kein Arzt kann ihnen mit seiner Behandlung ernstlich schaden.«

Was aber halfen ihr witzige Bemerkungen dieser Art angesichts der Sterbenden dort im Stroh, deren fieberirre Augen sie festhielten, sosehr sie ihnen zu entkommen suchte. Sie verstand sich allenfalls auf die Behandlung kranker Pferde, die auf der Georgia-Farm als das kostbarste Gut galten und dementsprechend gepflegt wurden. Mit kranken Menschen aber, Sterbenden gar, hatte Agnes noch nie etwas zu tun gehabt.

Cholera und Lagerruhr hatte Dr. Fröhlich gesagt. Dunkel entsann sie sich, daß es auch einmal in Vermont eine derartige Epidemie gegeben hatte. Winona, ihre indianische Großmutter, sollte die Leute auf der Farm damals mit einem seltsamen Sud aus gekochter Eichen- oder Weidenrinde, vermischt mit Alaun und Tropfen von Opium, vor dem Tod bewahrt haben.

Sie warf den Kopf herum, um Dr. Fröhlich danach zu fragen. Aber er war, bis zur Halskrause mit Whisky angefüllt, sanft schnarchend schon eingeschlafen. Sein mächtiger Schädel rollte, den Stößen des Wagens entsprechend, über die Schultern hin von einer Seite zur andern. So wie auch die Kranken in diesen Erschütterungen stöhnend aufzuckten. Allein der schöne blonde Junge schlief lächelnd weiter. Neuer Gesundheit entgegen, wie sie hoffte.

Manche der Kranken winkten sie zu sich heran, flehten mit fieberheißen Lippen um einen Tropfen Wasser, das sie ihnen um keinen Preis geben durfte. Ein Schluck Whisky aber, der in allen Lebenslagen als Heilmittel galt, konnte ihnen kaum schaden. Vorsichtig zog sie die halbgeleerte Flasche aus des Doktors dicken Fingern und kroch damit, immer wieder ihren Ekel niederkämpfend, über das stinkende, von Fieberschweiß und Blutschleim verschmierte Stroh in den Hintergrund des Wagens. Nach links und rechts die Flasche reichend, um sie immer wieder denen zu entreißen, die in langen Zügen trinken wollten. Fieberheiße Hände griffen nach ihr, umklammerten ihre Arme und Beine. Todnahe Augen sahen sie an. Trocken-rissige Lippen flüsterten fremde, geliebte Namen.

Agnes bekam keine Luft mehr, Angst schnürte ihre Brust ein, sie wollte aufspringen und fliehen. Weit weg. Aber sie zwang sich zu bleiben, zu lächeln. Trost zuflüstern, an den sie selber nicht glaubte. Bis sie endlich zu dem blonden Jungen kam, dessen Schlaf sie am An fang nicht hatte stören wollen. Dem sie jetzt, ohne ihn zu wecken, leicht nur über das volle Haar hinstreichen wollte. Sanft legte sie ihre Hand auf seine Stirn und zuckte zurück. Berührte sie noch einmal und spürte stärker nur noch ihre Kälte. Beugte sich erschrocken tiefer über seine lächelnden Lippen, die nicht mehr atmeten. Und fuhr schreiend auf: »Er ist ja tot! Er ist tot! Er ist tot!« Die Flasche fiel ihr aus der Hand, der letzte Whisky versickerte im Stroh. Die hohläugigen Gesichter der Sterbenden wandten sich ihr zu. Stumm starrend. Während Dr. Fröhlich hinter ihr aus seinem Rausch aufschreckte: »Was ist denn los, Mylady? Warum schreien Sie?«

»Er ist tot«, stammelte Agnes vor sich hin, während eine Flut von Tränen über ihr schmales Gesicht hinunterstürzte.

»Nun ja, bei einem fängt's eben an«, sagte Dr. Fröhlich gleichmütig, »die anderen sind auch bald soweit. Daran muß man sich gewöhnen. Da kann man nicht jedesmal zum Himmel schreien.« Mit einem Ruck zog er sie wieder auf die Bank neben sich. »Und merken Sie sich eins, Sterbende nicht berühren.« Öffnete einen Krug, der unter seinem Sitz stand und schüttete einen Schwall von Weinessig über ihre Hände. »Waschen Sie sich damit. Was andres hab' ich nicht. Aber gründlich. Sonst liegen Sie mir auch bald da herum.«

Agnes saß wie gelähmt, starrte mit tränenlosen Augen in den Regen hinaus, wagte nicht, den Kopf zu wenden, um mit ansehen zu müssen, wie die ausgemergelten Leiber im Todeskampf zuckten. Begriff nicht, daß es für alle keine Rettung geben sollte.

Und erkannte im Nachdenken, während der Wagen durch den Morast schwankte, während Dr. Fröhlich neben ihr wieder eingeschlafen war und die Sterbenden sich immer stiller in ihr Schicksal fügten, daß dies eine Schicksalsfahrt und ein Zeichen war. Daß sie sich nicht ohne Sinn gerade in diesen Elendswagen hatte retten müssen. Und wenn Felix auch noch so eindringlich sagte, daß eine Lady, eine Prinzessin gar, unmöglich als Lazaretthelferin arbeiten könnte, dann war sie eben keine Lady. Dann war sie einfach das Vermonter Bauernmädchen wieder, das von Jugend auf gelernt hatte zu helfen, wo Hilfe gebraucht wurde, und der Not nicht auszuweichen.

»Es muß sein, Mr. Präsident«, hatte sie zu Lincoln gesagt und erkannte nun erst den wahren Sinn des inneren Anrufs, dem sie damals gefolgt war. Nicht Felix hatte sie gebraucht – er wäre wohl mit den frondierenden Offizieren und Oberst von Gilsa auch ohne sie fertig geworden –, nein, diese hier, die ohne Hoffnung und schon aufgegeben waren, brauchten ihre Hilfe.

Die letzten Tränen versiegten, ihre Tatkraft, ihre Entschlossenheit waren erwacht. Von nun an würde sie Dr. Fröhlich in seinem Elendsreich zur Seite stehen, ob er wollte oder nicht.

Als sie am späten Nachmittag endlich in Chantilly ankamen, hatte sie kaum einen Blick übrig für diesen weitläufig schönen Landsitz, der in der ganzen Anlage dem gleichnamigen, nahe Paris gelegenen Besitz des Prinzen von Condé nachgebildet war. Schloß und Ländereien gehörten General Stuart, dem berühmten Reiterführer des Südens, der von den königlichen Stuarts abzustammen behauptete. Seine Familie war geflohen. Die kostbar eingerichteten Räume wurden von zurückgebliebenen Sklaven und deren resoluten Frauen notdürftig in Ordnung gehalten.

Agnes sah von alledem allein das palastähnliche Stallgebäude, das ihr für ein wetterunabhängiges Lazarett geradezu vorbestimmt erschien. Mit ihrer eigentümlich nüchternen Begeisterungskraft konnte sie den zaudernden Fröhlich schließlich dahin bringen, seine Zelte unausgepackt zu lassen und die saalartigen Stallräume für seine Zwecke zu beschlagnahmen. Was hier für die kostbaren Pferde des Generals Stuart an Bequemlichkeiten eingerichtet war, sollte sinnvoller doch wohl Kranken und verwundeten Soldaten dienen.

Der Operationssaal war eingerichtet, Maisstroh am Boden ausgebreitet, die Kranken, die sich erstaunt in den hellen Räumen umsahen und wieder Lebenshoffnung schöpften, bequem darin gebettet, als es schon den ersten Zwischenfall gab.

Die Türen wurden aufgestoßen, riesige Troßknechte drangen ein und verlangten in der unverschämtesten Anmaßung die sofortige Räumung der Ställe, die laut Brigadebefehl den Pferden des Obersten von Gilsa vorbehalten seien, die sie mit sich führten.

Dr. Fröhlich zitterte vor Angst so wie Agnes vor Zorn, als sie den Namen des Obersten hörte. Er war sofort bereit, dem Befehl nachzukommen, seine Zelte aufzustellen, den Pferden Platz zu machen.

Da schob ihn Agnes zur Seite, ging mit blitzenden Augen auf die Riesenkerle zu, die wie eine hohe Wand vor ihr standen, und schrie sie an: »Raus mit euch, oder ich lasse euch alle verhaften!«

Wie sie das anstellen wollte, wußte sie selber nicht, aber die Burschen waren so verblüfft, daß sie wahrhaftig in maulender Verlegenheit das Feld vor ihr räumten. Dunkel empfanden sie wohl, daß Recht, Menschlichkeit und Vernunft auf ihrer Seite waren. Ihr Leben lang hatte Agnes ihre Pferde geliebt, sich um sie gesorgt und alles für sie getan. Wo es jedoch um Menschen ging, um

Kranke und Sterbende dazu, war der Tierliebe aber doch wohl eine Grenze gesetzt.

Kaum hatten die Troßknechte die Stalltür hinter sich zugeschlagen, fuhr Dr. Fröhlich auf: »Was fällt Ihnen eigentlich ein, hier so herumzukommandieren? Das ist schließlich meine Sache. Glauben Sie vielleicht, daß General von Gilsa sich das so ohne weiteres gefallen läßt? Jetzt kann alles nur noch schlimmer werden, wenn er wütend ist.«

Agnes winkte verächtlich ab. »Jetzt reißen Sie den Mund auf, Sie besoffener Feigling, aber als es darauf ankam, waren Sie stumm wie ein Fisch. Außerdem ist Herr von Gilsa bis jetzt noch immer nur Oberst und wird es auch bleiben, wenn er so weitermacht. Das versichere ich Ihnen.«

Das harte, aber wahre Wort vom »besoffenen Feigling«, das aus ihrem hübschen Mund besonders eindrucksvoll geklungen hatte, ging wie ein Lauffeuer im Regiment herum und erhöhte den Nimbus »der kleinen Dame« nur noch.

Indes hatte Dr. Fröhlich die Reaktion seines Obersten, der sich so gern schon General nennen ließ, treffend vorausgesagt. Am nächsten Morgen erschienen die Troßknechte mit Gilsas Pferden abermals. Unter Führung eines jungen Hauptmanns, der strikten Befehl hatte, Dr. Fröhlich mit seinem Lazarett aus dem Stallgebäude hinaus in seine Zelte zu verweisen. Noch ehe aber der Arzt seine Bereitschaft erklären konnte, den Befehl auszuführen, trat Agnes dazwischen und erklärte, daß die Kranken auf ihre Verantwortung hin in ihrer jetzigen Lage bleiben würden. Sie sagte das nicht zornig oder herausfordernd, sondern mit dieser lächelnden Anmut, die sie unwiderstehlich machte. Der junge Offizier errö-

tete vor ihren Augen und zog sich mit der verlegen ge-
stammelten Warnung zurück, daß Oberst Gilsa die
Feldpolizei einzusetzen gewillt sei, wenn seine Befehle
abermals mißachtet würden.

Überzeugt davon, daß es sich diesmal nicht um eine leere
Drohung Gilsas handelte, stieg Agnes noch in der gleichen Stunde in den Sattel und ritt in das nur wenige Kilometer entfernte Armeehauptquartier hinüber, wo sie
sich bei General Sigel melden ließ, den sie gut kannte,
damit er in diesem Zweikampf Menschen gegen Pferde
einen Urteilsspruch fälle.

Obwohl er sich wunderte, wie Agnes überhaupt an Dr.
Fröhlich und sein Lazarett geraten war, und ihr dringend die Rückkehr nach Washington zwar nicht befahl,
aber empfahl, war der General ohne zu zögern auf ihrer
Seite. Der schnell herbeigerufene Gilsa mußte sich bei
ihr entschuldigen, wobei er den ganzen Fall als lächerli-
ches Mißverständnis hinzustellen suchte, worüber
Agnes besonders empört war.

Und natürlich schwelten, trotz Gilsas Entschuldigung,
die Spannungen zwischen ihnen fort, führten immer
wieder zu mehr oder weniger heftigen Explosionen.
Denn weder der vom Zeichen des Stiers bestimmte
Oberst noch die steinbockgeborene Agnes waren zum
Nachgeben fähig.

Ihr hintergründiger Zweikampf wurde erst entschieden,
als Tage später eine Senatskommission erschien, deren
Aufgabe es war, sich einen unmittelbaren Eindruck von
jenen Obristen zu machen, deren Beförderung zum General in Aussicht genommen war und endgültig nur vom
Senat bestätigt werden konnte. Führer dieser Kommission war jener Senator Harris, der ihr damals Zugang zu
Gouverneur Morgan verschafft hatte. Und war, obwohl
er ihr mit seinen 55 Jahren als ein anderer Methusalem

erschien, noch immer so verliebt in sie wie in den sommerheißen Tagen von Albany. Das lange Haar, das er wie Benjamin Franklin trug, weit in den Nacken geworfen, sah er sie hingebungsvoll an, während sie ihn, mit überzeugenden Beispielen gewürzt, sehr offen ihre Meinung über Oberst Gilsa sagte. Er war empört und ließ sie ihren Vortrag sogleich noch einmal vor der gesamten Kommission wiederholen. Wonach deren sämtliche Mitglieder einstimmig beschlossen, Oberst Gilsa von der Beförderungsliste zu streichen.

Darüber sagte Agnes selber in ihren späteren Erinnerungen: ›Ich empfand die empfangenen Beleidigungen sehr bitter, und zum ersten und einzigen Mal in meinem Leben beschloß ich, an einem Mann Rache zu nehmen, der sich einer Dame gegenüber so feige und charakterlos gezeigt hatte. Dafür hatte er zweifellos eine Strafe verdient. Trotzdem bedaure ich bis auf den heutigen Tag und schäme mich, daß ich meine Rache ausführte. Als ich mit einigen einflußreichen Senatoren und Generälen zusammentraf, erzählte ich ihnen, wie Gilsa sich betragen habe, und alle erklärten mit großer Entrüstung, daß er kein Gentleman und nicht wert sei, zum General befördert zu werden. Obwohl Gilsa ein fähiger Truppenführer war, blieb er den ganzen Krieg über Oberst, und es wurde dafür gesorgt, daß er erfuhr, wem und welchen Umständen er diese Zurücksetzung zu danken hatte.‹

Von Felix, den sie in diesen dunklen Tagen kaum sah, erhielt Agnes täglich einen Lebens- und Liebesgruß. Flüchtige, in den Pausen schwerer Gefechte auf die abgerissenen Seiten eines Meldeblocks gekritzelte Zeilen. So groß auch seine Sehnsucht nach ihr war, er brachte es nicht fertig, es ging einfach gegen sein Pflichtgefühl, das ihm anvertraute Regiment auch nur für kurze Zeit zu verlassen. Die Kämpfe, bei denen die ganze Brigade zur Flankensicherung der Armee eingesetzt war, verlangten in ständig wechselnden Situationen immer neue verantwortliche Entscheidungen von ihm.

Corvin hatte in einem seiner berühmten Artikel »Zur Lage« in der »Times« geschrieben, daß General Burnside mit der Potomac-Armee einer neuen Beresina-Katastrophe entgegenginge, wenn er wider alle Vernunft den Rappahannock überschreiten würde.

Aber genau dazu entschloß sich Burnside, der kein großer Stratege war. Nachdem er acht kostbare Tage, in denen sich die Konföderierten auf seinen Angriff vorbereiten konnten, mit dem Warten auf die Schiffe verbracht hatte, die seine Armee über den Fluß bringen sollten, gab er endlich den Angriffsbefehl. Ohne die vorher ausgearbeiteten Pläne, die auf einen Überraschungsangriff zielten, der neuen Lage anzupassen, ließ er seine Regimenter gegen General Lees stählerne Front anrennen. Denn der geniale Führer der Rebellentruppen war nicht nur ein Organisator kühner Angriffe, sondern auch zäher Verteidigung.

Sechsmal trieb Burnside, ohne Schwerpunkte zu bilden, seine Soldaten stur gegen die immer gleichen Ziele vor, bis die morastigen Ebenen unter den tiefhängenden Regenwolken mehr noch von Blut als von Wasser durchtränkt waren. Beim siebten Angriffsbefehl verweigerten die Generäle den Gehorsam. Und es sind während dieses ganzen mörderischen Krieges Regimenter und Brigaden niemals sinnloser hingeschlachtet worden als hier im Sumpf des Rappahannock.

Im Schutz einer windgepeitschten Regennacht führte Burnside die Reste seiner Armee schließlich über den Strom zurück. Die ihm von Corvin vorausgesagte »Beresina-Niederlage« war so fürchterliche Wahrheit geworden, daß die Zeitungen in Washington und New York die entsprechenden Berichte ihrer Korrespondenten über die erlittenen Verluste nicht zu drucken wagten.

Agnes brauchte nichts zu lesen, nichts zu hören über die Katastrophe bei Fredericksburg, sie erlebte deren Ausmaß an der wachsenden Zahl verwundeter und sterbender Soldaten aus allen Regimentern mit, die Tag und Nacht nun herangefahren wurden. Dr. Fröhlichs kleines Lazarett war so überfüllt, daß er die Bahren der hoffnungslos Sterbenden schließlich in den Regen hinausstellen ließ, um für diejenigen, die noch zu retten waren, Platz zu haben. Er arbeitete, von kleinen Pausen der Erschöpfung abgesehen, Tag und Nacht hindurch an seinem Operationstisch. Und Agnes, blutverschmiert, neben ihm, nachdem sie die notwendigen Handgriffe von ihm gelernt hatte. In den ersten Tagen war sie immer wieder nahe daran gewesen, vor Ekel und Elend auf den blutüberschwemmten Steinboden niederzustürzen. Ihr zäher Wille jedoch überwand jede Schwäche. Und nun begriff sie auch, warum Dr. Fröhlich, der kaum aß, ständig seine Whiskyflasche brauchte. Sie war ihm Nahrung und Betäubung zugleich. Und wenn er Agnes, mitten in einer Amputation, wegen eines kleinen Fehlers in den unflätigsten Ausdrücken plötzlich anschrie, nahm sie auch das gelassen hin.

Noch bevor das Übermaß blutiger Opfer der Rappahannock-Schlacht alle Voraussicht zunichte gemacht hatte, war es Agnes auf ihre Art gelungen, die Zahl der Cholera- und Ruhrtoten merklich herabzudrücken. Mit beständigen Bitten, Schmeicheleien und lächelnden Versprechungen hatte sie bei Dr. Fröhlich und seinen brummig-rohen Lazarettgehilfen erreicht, daß die blutverschmierte, von Exkrementen besudelte Strohaufschüttung täglich ausgeräumt und verbrannt wurde. Und daß auch die Kranken jedesmal gewaschen wurden, ehe man sie wieder in das frische Maisstroh bettete. All diese so schwer errungenen Verbesserungen waren von einem Tag zum andern nun wieder verloren. Die Cholerakranken starben ohne viel Aufhebens zwischen den Verwundeten dahin, wurden draußen schnell auf die abseits stehenden Totenwagen verladen und in mit ungelöschtem Kalk gefüllte Gruben geworfen. Denn die Lazaretthelfer konnten sich nur noch um die Verwundeten kümmern, die ständig neu eintrafen, und um die schon Amputierten, die zum Hafen Quantico gefahren werden mußten, von wo man sie auf weißen Lazarettschiffen den Potomac hinunter nach Washington brachte. Und wo bis dahin die Strohballen für die Erneuerung der Aufschüttungen gelegen hatten, standen jetzt große Holzkübel an der Wand, bis obenhin von abgesägten oder aus den Gelenken gelösten Gliedmaßen, über denen dichte Fliegenschwärme kreisten, blutig angefüllt.

Agnes kam kaum noch aus diesem Blutdunst heraus. Denn wenn sich Dr. Fröhlich, von Erschöpfung übermannt, für eine Stunde Schlaf irgendwo ins Stroh warf, streckten sich von allen Seiten magere gelbliche Hände nach ihr aus, flüsterten erlöschende Stimmen ihren Namen. Hier war sie nicht mehr »die kleine Dame«, sondern nur noch »Prinzessin Engel«, da sie aus ihrem Namen ein »angel« gemacht hatten. Sie hielt da eine heiße Hand, strich dort über eine fiebernde Stirn hin, netzte ausgedörrte Lippen mit Essigwasser, gab Sterbenden ein Lächeln der Hoffnung und schrieb Briefe an eine geliebte Frau, an ein Mädchen in Pennsylvanien, Massachusetts, Vermont, Connecticut oder wohin immer letzte Sehnsucht ihre Flügel hob.

Und wenn sie sich spätabends dann todmüde in die kleine Dachkammer des Schloßverwalterhauses schleppte, wo ihr Bett stand, weinte sie sich, allein und unbeobachtet, langsam in Schlaf. Mit Tränen, in denen die Bilder des Tages, Tod und Elend, sich endlich von ihr lösten. Um schon am anderen Morgen dem Tod wiederum in das gelblich-fahle Gesicht lächeln zu müssen.

Manchmal schlug sie dann auch das schon so abgegriffene kleine Buch mit Walt Whitmans Gedichten auf, das ihr Corvin geschenkt hatte, und las, was der Dichter, der gleich ihr in dieser Zeit den Verwundeten und Sterbenden diente, dabei für Empfindungen hatte. Verse, die sie schon auswendig kannte, Wort für Wort:

Bandagen trag ich, Wasser und Schwamm zu den
Verwundeten, die vor mir am Boden liegen.
Während mir der Wärter folgt mit einem Kübel,
gefüllt mit geronnenen Lappen, gefärbt von
  ihrem
unschätzbaren Blut.
Ich grüße sie lächelnd, beug mich zu ihnen
  hinunter,
helfe ihnen mit kundiger Hand.
Fest bin ich zu jedem. Schmerz zu verursachen
  ist hart,
doch unvermeidlich.
Dort wendet sich einer mir zu, ruft mich an mit
seinen Augen. – Armer Junge, wenn es dich
  retten könnte,
mein Leben wollt' ich dir geben.

Eines Abends stand unversehens Felix in der Tür, holte sie aus ihrer Todeswelt heraus. Erschüttert, kopfschüttelnd sah er sie an. »Agnes, mein Liebling, wie siehst du aus? Todmüde, blaß, nur Haut und Knochen noch. Nein, das geht nicht so weiter.«

Sie konnte ihm nicht antworten, hing an seinem Hals, weinend vor Glück und Erschöpfung.

Und weinte noch, als sie oben in der kleinen Dachstube in seinen Armen lag.

»Du hörst sofort hier auf«, sagte er, »und gehst morgen nach Washington zurück. Es ist genug, was du getan hast.«

Sie schüttelte den Kopf. »Ich hab' es angefangen und muß es zu Ende bringen. Ich kann sie nicht so liegen und sterben lassen. So allein.«

Aber sie sagte ihm nicht, daß sie beständig in der Angst lebte, eines Tages könnte auch er so hereingetragen werden wie die anderen, und sie wäre dann nicht bei ihm.

Eines Nachts, aus dem Schlaf aufschreckend, hatte sie sogar daran gedacht, was sie tun würde, wenn er gefallen wäre und sie brächten ihn als Toten herein.

Ihm dann zu folgen, war ihr fester Entschluß. Denn ohne ihn, was wäre ihr Leben noch?

Und das Leben ein Fest

Die große Schlacht war geschlagen, und beide Gegner zogen sich, durch den Potomac weit voneinander getrennt, in feste Lager zurück, um ihre Wunden zu lecken. Die Verluste an Menschen und Material waren auf beiden Seiten so ungeheuerlich gewesen, daß neue Kämpfe auf absehbare Zeit nicht zu erwarten waren. Dem gefeuerten Burnside war General Hooker – »Fighting Joe« – im Oberkommando der zerschlagenen Potomac-Armee gefolgt. Seine Aufgabe bestand nicht nur darin, seine dezimierten Verbände wiederaufzufüllen und neu auszurüsten, sondern mehr noch darin, ihre Kampfmoral wiederaufzurichten.

Das große Lager war im weiten Umkreis um Aquia Creek angelegt. Fast in seinem Mittelpunkt, gleich weit von den Hauptquartieren der Generale Hooker und Sickles entfernt, hatte das Korps Sigel seine Zelte aufgeschlagen. Dem achten Regiment, das die schweren Kämpfe relativ verlustlos überstanden hatte, da es seiner Flankensicherungsaufgaben wegen den Übergang über den Rappahannock nicht mitgemacht hatte, war als Lagergrund eine zwischen lichten Fichtenhügeln gelegene Waldwiese zugeteilt worden, auf der sich die Soldaten sichtlich wohl fühlten. Sie verzichteten darauf, die großen Mannschaftszelte aufzustellen, und bauten sich aus dem reichlich vorhandenen Holz feste Blockhäuser, die, mit sauber gezogenen Knüppeldämmen verbunden, bald schon zu einer kleinen Stadt zusammenwuchsen.

Ähnlich ging es auch bei den anderen Regimentern zu, denn General Hooker hatte den begeistert begrüßten Befehl herausgegeben, daß die Familien der Offiziere und Soldaten nicht nur das Lager besuchen, sondern dort auch für längere Zeit bleiben durften. Darum entstand ein allgemeiner Wettbewerb im Blockhausbau, und es gab in der Tat nur wenig Offiziere, die nicht Frau, Mutter, Schwester oder auch – eine entfernte Cousine bei sich gehabt hätten.

Felix indes, der in diesen hellen Vorfrühlingstagen sein luftiges Zelt jedem muffigen Blockhaus vorzog, hatte daraus eine wahrhaft luxuriöse Wohnung machen lassen, die von aller Welt bestaunt wurde. Um die Zeltwände bei Licht und Kaminfeuer weniger durchsichtig erscheinen zu lassen, waren sie mit rotem und weißem Damast gefüttert worden. Der Bretterboden war mit Teppichen belegt, und für den »Salon« hatten die Zimmerleute und Tapezierer des Regiments ein großes Sofa gearbeitet, das mit strohgefütterten Kissen in den elegantesten Formen bestückt war. Als vielbewundertes Prachtstück des Salons galt allerdings ein mannshoher Standspiegel mit vergoldetem Rahmen, den Felix mit großer Mühe in einem benachbarten Herrenhaus aufgetrieben hatte, da er der Meinung war, daß eine Lady ohne Spiegel nicht leben könne.

Prachtvoll war auch der Schlafraum, den die Soldaten mit einem breiten Bett ausgestattet hatten, über dessen Strohmatratze Büffelhäute gespannt waren. Darüber dehnte sich ein Betthimmel aus rotweißem Damast, der sich rechts und links in gleichfarbigen Vorhängen fortsetzte. Dicke rotwollene Plaids dienten als Decken. Das offene Feuer schön gemauerter Kamine erfüllte alle Räume mit gemütlicher Wärme. Hinter dem Wohnzelt gab es ein kleineres, das als Küche diente und auch Betsy, das hübsche Negermädchen, beherbergte, das Agnes zu ihrer persönlichen Bedienung angenommen hatte, weil Hinrich Kruse sich nur seinem Oberst verpflichtet fühlte. Er schlief bei den Pferden, die nebenan einen luftigen Zeltraum hatten. Denn Felix, und Agnes nicht weniger, liebten es, auch nachts noch in ihren Schlaf hinein, das Schnauben und Scharren der Tiere zu hören.

»Die Tage von Aquia Creek waren meine glücklichste Zeit«, schrieb Agnes später. Denn die Waffen schwiegen, die Sterbenden waren vergessen, die Toten begraben, und das Leben war wieder ein Fest.

Jeder Tag brachte ein anderes Vergnügen. Große Bälle, Diners, Pferderennen, Reitturniere, Fuchsjagden, die Agnes am meisten liebte, und Entenjagden auf dem Potomac wechselten einander ab. Und gab es wirklich einmal einen freien Abend dazwischen, pflegten sich Generäle und Obersten im Zelt der Salms zu einem Robber Whist zu treffen, wobei sie eifrig dem hochgerühmten, von Felix selber gebrauten Eierpunsch zusprachen.

So verwandelte sich die vernichtend geschlagene Potomac-Armee schon bald in die vergnügteste Armee der Union.

Ihr Oberbefehlshaber »Fighting Joe« begann als erster die Reihe jener großen, champagnerbeschwingten Empfänge, über die von den Kriegskorrespondenten, die über kriegerische Ereignisse nichts mehr zu schreiben fanden, in teils hymnischen, teils spöttischen Artikeln ausführlich berichtet wurde. Höhepunkt dieser Feste, von denen man auch in den Salons von Washington und New York sprach, war der Empfang, den General Sickles für zweihundert höhere Offiziere und deren Damen im Hauptquartier des dritten Armeekorps gab, das er befehligte. Um die Menge der Gäste, die Tanzfläche und die Podien für die Kapellen unterbringen zu können, hatte er aus zwölf großen Lazarettzelten eine einzige Festhalle zusammensetzen lassen, deren Wände innen und außen mit Flaggen, Girlanden, Blumen und chinesischen Lampions ausgeschmückt waren und die allen Besuchern wie ein neues Weltwunder erschien.

General Sickles war ein großer eindrucksvoller Mann mit dunklem Haar und strahlend blauen Augen. Von Haus aus reich und in großem Stil lebend, war er im bürgerlichen Leben schon ein einflußreicher Politiker gewesen, ehe der Bürgerkrieg ihm Gelegenheit gab, sich auch als Soldat auszuzeichnen. Er war der Schwarm aller amerikanischen Frauen und Mädchen, seit er in einem Eifersuchtsprozeß, der ganz Amerika erregt hatte, vor Gericht gestellt worden war. Er hatte einen Liebhaber seiner Frau, den er in seinem Haus antraf, kurzerhand erschossen und vor den Geschworenen erklärt, daß er die Tat nicht bereue und unter gleichen Umständen das gleiche noch einmal tun würde. Und sie sprachen ihn frei.

Sickles hatte die Ausrichtung seines Empfangs und vor allem die Speisenfolge des Soupers dem großen Delmonico übertragen, dem New Yorks berühmtestes Feinschmeckerlokal gehörte. Der Meister kam mit einer Schiffsladung eigener Köche, livrierter Kellner, Tellerwäscher und Tafelmusiker den Potomac heraufgefahren. Er brachte nicht nur zentnerweise das köstlichste Fleisch und Wildbret, Hummer und Kaviar, Gemüse, Obst, Käse und Kuchen, sondern auch die eigenen Gewürze, Bratpfannen und Kochtöpfe mit. Dazu ausgesuchte Weine und ganze Batterien von Champagnerflaschen mitsamt Gläsern, Tafellinnen, Geschirr und Silberzeug. Denn Delmonico war ehrgeizig genug, das Motto, unter das General Sickles sein Fest gestellt wissen wollte: *Paris im Lager*, bis auf das I-Tüpfelchen zu erfüllen. Und daß ihm das gelungen war, wagte niemand, der daran teilgenommen hatte, zu bezweifeln. Auf Wochen hinaus blieb dieses Fest der beliebteste Gesprächsstoff nicht nur in der Armee, sondern auch bei den Korrespondenten. Wobei amerikanische Gemüter vor allem von der Tatsache ergriffen wurden, daß sich General Sickles diesen einzigen Abend ein kleines Vermögen hatte kosten lassen. Aber das war dieses Fest auch wert gewesen, fanden seine Gäste.

Und es rümpften eigentlich nur die Armee- und Regiments-Marketender, die »Sutler«, ein wenig die Nasen. Sie waren einstimmig der Meinung, daß es des großen Delmonico nicht bedurft hätte, ein solches Fest auf die Beine zu stellen, es wäre ihnen vielmehr genauso gelungen. Womit sie sich zwar überschätzten, aber im Grunde nicht so unrecht hatten.

Denn diese amerikanischen Marketender, die uniformiert und ihren Regimentern zugeteilt waren, konnten nur als Großkaufleute, die rollende Warenhäuser mit sich führten, bezeichnet werden. Kaum war die Schlacht geschlagen, ein Lager bezogen, breiteten sie schon ihre Schätze aus, und es gab alles bei ihnen, was sich Offiziere oder Soldaten nur wünschen konnten: Hummer, Champagner, Rheinwein und Burgunder; Uniformstücke, Waffen, Stiefel und Pelze; jegliche Geschenke für die Lieben daheim, große und kleine Bibeln.

Und war der Zahlmeister einmal mit dem Sold im Rückstand, gaben sie großzügige Kredite. Denn Uncle Sam bezahlte seine Soldaten nach europäischen Begriffen verschwenderisch. Salm staunte immer wieder, daß ihm hier Summen zur Verfügung standen, die er in solcher Höhe bisher nur als Schulden gekannt hatte. Er kaufte sich Pferde und Sattelzeug, kostbare Waffen und immer wieder Kisten voller Champagner, las dazu seiner Agnes jeden Wunsch von den Augen ab und hatte immer noch Geld übrig. Was sich aber vor allem daraus erklärte, daß Agnes jede Rechnung genau prüfte und nur dann an den Sutler zahlte, wenn sie von deren Höhe überzeugt war. Und das war auch wohl das einzig Ernsthafte, was sie tat in diesen hellblauen Tagen, die wie im Traum zu schweben schienen, sich schwerelos in verzauberte Abende hinein auflösten, in denen Agnes die Königin der Bälle war. Die Achtzehnjährige, die Blut und Tod im dunklen Untergrund des Lazaretts von Dr. Fröhlich vergessen hatte, versank im Rausch ihrer Jugend. Flog in den Armen gleichaltriger Leutnants, die sich in Scharen in ihren Fächern und Tanzkärtchen eintrugen, über die Bretterböden der Generalszelte dahin. Sie tanzte, sang, lachte, schwatzte und flirtete so ausgiebig, daß sogar der tolerante Felix manchmal die Stirn runzelte, wenn sie kein Ende finden konnte. Dann warf sie ihm die Arme um den Hals und bat so schmeichelnd, wie nur sie es konnte: »Bitte, noch einen Tanz, nur diesen einen noch«, und er gab lächelnd nach.

An einem solchen Abend, übermütig und champagnerselig, schloß sie auch jene berühmte Wette ab, die in der Potomac-Armee Geschichte machen sollte. Eine Wette, in der es um drei Küsse und einen Korb Champagner ging, über die alle Beteiligten aber so beharrlich schwiegen, als stünde auf Verrat die Todesstrafe. Es gab nur Gerüchte, immer neue Gerüchte über den Inhalt dieser Wette, aber niemals, bis zum Stichtag hin, kam die Wahrheit an den Tag, die später alle Zeitungen füllte. Auch Felix fragte vergebens gegen seiner Agnes spitzbübisches Schweigen an.
Es waren nämlich die Berichte vom fröhlichen Lagerleben der Potomac-Armee auch ins Weiße Haus gedrun-

gen, und der Präsident hatte sich entschlossen, der Armee alsbald einen Inspektionsbesuch abzustatten. Böse Zungen indes behaupteten, der wahre Beweggrund für diesen Besuch läge in der Vergnügungssucht von Mrs. Lincoln, die unbedingt an einem der großen Lagerfeste teilnehmen wolle, und die Inspektion sei nur vorgeschoben.

Doch hatte das wenig Einfluß auf die Vorbereitungen der Armee, deren Verbände sich von der Ankündigung des Präsidentenbesuchs aufgescheucht sahen. Überall gab es Formationsexerzieren, wurden Waffen und Uniformen auf Hochglanz gebracht, übten Regimentskapellen die befohlene Marschfolge ein. Und das Gerücht über die geheimnisvolle Wette bekam neue Nahrung, als zwar nicht ihr Inhalt, wohl aber die Tatsache bekannt wurde, daß sie auf Tag und Stunde des Präsidentenbesuchs ausgerichtet sei. Die Spannung stieg, eine heitere Spannung wohlgemerkt, die nur bei den Sicherheitsoffizieren mit einem gewissen Unbehagen gemischt war. Denn es wollte ihnen nicht gelingen, dem Geheimnis auf die Spur zu kommen.

Der Paradetag begann mit dem Großen Wecken in allen Quartieren, aus denen bald schon die Regimenter in einen sonnenschimmernden Frühlingstag hinein zu ihren Stellplätzen marschierten. Wie üblich war Agnes ein Platz auf der für die Offiziersdamen bestimmten Tribüne zugewiesen worden. Aber sie sah sogleich, als sie dort ankam, daß deren etwas abseitige Lage für ihr Vorhaben höchst ungünstig war. Zögernd, den Fuß schon auf der untersten Stufe des Aufgangs, fragte sie den zum Empfang der Damen befohlenen Offizier, ob es nicht erlaubt sei, auch gegenüber auf dem kleinen Hügel zu stehen, wo sich die für die Dauer seines Aufenthalts gebildete Leibgarde des Präsidenten, die aus jungen Offizieren aller Regimenter bestand, gerade aufgestellt hatte.

Ohne die Antwort des Oberleutnants abzuwarten, die ihm auch schwergefallen wäre, schlüpfte Agnes schnell durch die Absperrung der Infanterie und mischte sich auf der anderen Seite unter die Ehrengarde, die zum größten Teil aus ihren abendlichen Tanzpartnern und zum kleineren aus Mitverschwörern ihrer geheimnisvollen Wette bestand. Mißtrauisch sah ihr der Generaladjutant des Generals Sickles entgegen, der die Leibgarde befehligte. Auch er hatte gerüchtweise von gewissen Gefahren gehört, die von Agnes ausgehen sollten, wollte sie lieber nicht in der Nähe seiner Abteilung wissen und ging schon auf sie zu, als im gleichen Augenblick mit Fanfarensignalen die Parade begann.

Die jungen Offiziere hatten Agnes, die sich in ihrem Uniformkleid mit der Kappe keck auf dem Kopf und in ihrem schlanken Übermut kaum von ihnen unterschied, in ihre Reihen aufgenommen und aus des Kommandeurs Augen weit nach vorn in die erste Reihe geschoben, damit sie das große Schauspiel aus nächster Nähe miterleben könne.

Kaum einen Steinwurf entfernt erkannte sie den Präsidenten neben General Hooker vor einer goldblitzenden Gruppe von Generälen. Mit vorgebeugten Schultern, ein dunkler Mann mit viel zu langem Oberkörper auf einem viel zu kleinen Pferd, hielt er sich lässig im Sattel. Irgendwie immer zur Karikatur herausfordernd und dennoch Würde ausstrahlend. Ihm gegenüber, nur undeutlich zu erkennen, saß Mary Lincoln in Gesellschaft älterer Generalsdamen in einer großen Kutsche, hinter der die ihr zugeteilten Adjutanten ihre tänzelnden Pferde ruhig zu halten suchten, als nun mit Trompetengeschmetter, Trommeln und dröhnendem Paukenschlag das erste Musikkorps anrückte:

We are coming, father Abraham,
three hundred thousand men!

Und dahinter ist in breiter Front Regiment auf Regiment. Neue Musikkorps hinter leuchtenden Fahnen. Im langsamen Trab heranrollend, die Kanoniere aufgesessen, leichte und schwere Artillerie, unter deren Rädern der Boden dröhnte. Kavallerieschwadronen mit wehenden Wimpeln auf herrlichen Pferden, ihren eigenen Musikkorps nachtrabend, deren Fanfaren schnelle, helle Reitermärsche in den Frühlingsmorgen hinein bliesen.

Staub wallte auf, milderte das fast zu grelle Morgenlicht, ließ das Bunt der Uniformen, das Blitzen der Waffen, das farbige Flattern der Fahnen zu einem Traumbild zusammenfließen, über dem der Präsident, der Regimenter und Fahnen jedesmal mit einem Schwenken seines hohen Zylinders grüßte, schwerelos zu schweben schien.

Nach kurzer Pause, in der sich die Staubwolken kaum legen konnten, erschien als letzter Verband das Deutsche Korps unter General Sigel. Agnes riß ihre Mütze vom Kopf und winkte, höchst unvorschriftsmäßig, den Offizieren zu, die sie alle kannte, Mann für Mann. Bis endlich das achte Regiment unter den Klängen des Hohenfriedberger Marsches heranmarschierte. In den aufgepflanzten Bajonetten, die über den vorbildlich ausgerichteten Achterreihen blitzten, spiegelte sich mattes Sonnenlicht. Agnes aber hatte nur Augen für den Kommandeur, für ihren Felix, der auf seinem Grauschimmel, frei und aufrecht im Sattel sitzend, sein Regiment schwungvoll heranführte.

Wie sehr sie ihn liebte, fühlte sie immer wieder in solchen Augenblicken, in denen sie stolz auf ihn war. Am liebsten wäre sie hinübergelaufen und hinter ihm auf das Pferd gesprungen, um sich mit beiden Armen an ihm festzuhalten. So wie sie das in übermütigen Freistunden manchmal taten. Auf ungesatteltem Pferd, das sie beide tragen mußte, Lustschreie ausstoßend, jagten sie dann über die Wiesen am Potomac hin. Felix mit beiden Armen umschlingend, preßte sich Agnes an ihn, jede seiner Bewegungen und die des Pferdes mitfühlend. Und es war jedesmal wie höchste Liebesvereinigung. Solches Gefühl vermischte sich im nächsten Augenblick mit der Erinnerung an jene erste Parade in Washington, bei der sie Felix im Stab General Blenkers wiedergefunden hatte. An diesem Tag hatte ihr Leben begonnen. Die Jahre bis dahin, die leeren Tage ohne ihn, zählte sie nicht.

Ihm nachblickend, in ihre Erinnerungen versunken, vergaß sie völlig jene eigentlich unmögliche Verpflichtung, die sie mit ihrer übermütigen Wette eingegangen war. Und wurde erst durch das Trommel- und Tubagedröhn der am Schluß der Parade marschierenden großen Kapelle wieder zu sich erweckt, die das

We are coming, father Abraham,
  three hundred thousand men!

noch einmal angestimmt hatte. Alle Zuschauer, auch die Soldaten der Absperrung und die jungen Offiziere der Ehrengarde, stimmten mit ein, sangen das Lied wie einen Choral der Verpflichtung an den Mann, der ihr Vater und Führer war. Und Agnes' heller Sopran stieg wie Lerchenjubel über alle Stimmen hinweg in den Frühlingshimmel.

Indes hatte sich der Präsident, gefolgt von »Fighting Joe«, der imponierend zu Pferde saß, den Schwarm der Generäle hinter sich, schon in Bewegung gesetzt. Den

Zylinder hoch schwenkend, ritt er in langsamem Trab die Front der Regimenter, Schwadronen und Batterien ab, die aus der Parade heraus auf dem großen Platz vor dem Hauptquartier Aufstellung genommen hatten. Ihr immer wieder aufbrandendes »Hurra, Hurra, Mister Präsident!« brauste wie ferner Donner über das Feld. Anerkennend nickte Abraham Lincoln seinem General zu. Denn das war gewiß: »Fighting Joe« hatte aus der im Januar zerschlagenen Armee nun wieder einen kampfstarken Verband geformt.

Der Präsident war noch nicht von diesem Vorbeiritt zurückgekehrt, als die Menge der geladenen Gäste schon dem fahnenumwehten Festzelt zuströmte, in dem ein Empfang mit großem Essen stattfinden sollte. Agnes wurde im Sog der Ehrengarde, die jetzt plangemäß vor dem Zelteingang Aufstellung nahm, mit vorwärts gerissen. Um sie her das Schimpfen, Lachen, Keifen festlich gekleideter Damen, wichtigtuerischer Etappenoffiziere. Ein Lärmen und Wühlen, das erst dann ein wenig nachließ, als Mary Lincoln mit ihrer Begleitung durch eine enge Gasse Beifall klatschender Gäste in das Zelt hineingeführt wurde. Sie winkte nach allen Seiten, ohne daß ihre schlaffen Züge den Eindruck beständiger Grämlichkeit verloren. Agnes, von hochgewachsenen Leutnants umringt, konnte eigentlich nur das abenteuerliche Blumenarrangement auf dem Hut der hohen Dame erkennen. Wenig später nahende Hochrufe, Händeklatschen, noch wilderes Gedränge. Der Präsident kam an der Spitze der Generale die für ihn gebahnte, immer wieder gefährdete Gasse herauf, noch ohne daß sie ihn sehen konnte. Sie wurde nach vorn geschoben, immer weiter. Ihr Herz schlug schneller. Ein würgendes Gefühl von Angst nahm ihr den Atem. Am liebsten wäre sie davongelaufen. Aber so viel Feigheit durfte sie sich gar nicht erlauben, ohne die finanzielle Existenz einer Handvoll junger Leutnants, die ganze Körbe von Champagner auf ihre Kühnheit gesetzt hatten, zu gefährden und deren grenzenlose Bewunderung für immer zu verlieren.

Plötzlich, sie wußte nicht, wie, stand sie in der engen Gasse dem Präsidenten gegenüber, der sie überrascht ansah, sich ein wenig zu ihr niederbeugte, ihr ein Grußwort zu sagen. Im gleichen Augenblick, ihm zuvorkommend, hob sie sich schon auf die Zehenspitzen, warf ihm beide Arme um den Hals und küßte ihn. Einmal rechts, einmal links und zum drittenmal mitten auf den Mund, so wie es den Bedingungen jener übermütigen Champagnerwette entsprach. Eine Sekunde betretenes Schweigen ringsum, und unvermittelt dann Hochrufe und wilder Beifall, besonders von Seiten der jungen Offiziere, die ihr in Agnes gesetztes Vertrauen nun so überwältigend bestätigt sahen.

Betroffen noch immer starrte der Präsident auf die zierliche Person hinunter, die vor ihm in einen tiefen Huldigungsknicks gesunken war, wobei sie ihre Kappe verloren hatte, so daß nun das lange Haar wie ein dunkler Mantel über ihren Schultern lag. Er streckte die Hand aus, hob sie auf. »Das ist ja mein kleiner Soldat!« Und lächelte mit schmalen Augen. »Wie gut aber zu wissen, daß du ein Mädchen bist.«

Und war im nächsten Augenblick, dunkel und hoch über ihr, unvorstellbar fern, schon wieder allein der Präsident, der auf den gebeugten Schultern das Schicksal Amerikas trug. Agnes sprang auf und verschwand lächelnd in den Reihen ihrer noch immer jubelnden jungen Bewunderer.

Als sie eine Stunde später, am Arm ihres Felix, im schwarzen Samtkleid, nur das schmale Prinzessinnendiadem im Haar, zum großen Empfang erschien und, die Schleppe über dem Arm, durch eine Gasse der Bewunderung Mrs. Lincoln entgegenging, war ihr recht beklommen zumute. Sie hatte oft genug von den Eifersuchtsanfällen der Präsidentengattin gehört und erkannte beim Näherkommen sogleich, daß diese von den drei Küssen vor dem Zelteingang wußte. Um der fühlbaren Anklage ihrer Augen zu entgehen, versank Agnes, während Felix salutierte, in einem besonders tiefen Huldigungsknicks. Mrs. Lincoln streckte die Hand aus und sagte beinahe eisig: »Aber nicht doch, Prinzessin«, um schon im nächsten Augenblick überwältigt zu lächeln, als sich das junge Gesicht ihr leuchtend entgegenhob. »Du bist schön, mein Kind.«

Cinderella

Agnes und Felix standen eng nebeneinander auf der kleinen Bühne im Gesellschaftssaal von Landmanns Hamilton Park in New York. Der Beifall, der in immer neuen Wellen zu ihnen aufklang, wollte kein Ende nehmen. Felix starrte gerührt auf die Inschrift des goldenen Ehrensäbels, den ihm eine Abordnung des Regiments, seines Regiments, soeben überreicht hatte: »Die Soldaten des achten Regiments N.Y.S.V. ihrem Obersten Felix Prinz Salm.« Nach dem Ehrendegen, den er wegen Tapferkeit vor dem Feind einstmals vom König von Preußen bekommen hatte, war dies die zweite derartige Auszeichnung, die ihm zuteil wurde. Traurig nur und noch immer unfaßlich für ihn, daß mit dieser Ehrung auch der der Abschied von seinem Regiment verbunden sein sollte.

Denn für die siebten und achten New Yorker, die sich bei Kriegsanfang für zwei Jahre verpflichtet hatten, war an diesem Maisonntag des Jahres 1863 die Dienstzeit zu Ende gegangen. Solche Termine wurden in der Armee sehr ernst genommen. Die Freiwilligen zählten die Tage dem Ende zu peinlich genau. So genau, daß sich das Oberkommando manchmal gezwungen sah, auszumusternde Regimenter mitten im Kampf aus der Front zu nehmen.

Für die Freiwilligen, die endlich zu ihren Familien zurückkehrten, waren das Freudentage, die ausgiebig gefeiert wurden. Für ihre Offiziere aber Anlaß zu mancherlei Sorgen, denn mit dem Regiment verloren sie auch ihre Kommandos, saßen heimatlos auf der Straße. Wenigen nur gelang es, im gleichen Rang in einem anderen Regiment unterzukommen, so daß sich mancher Hauptmann und Major, auch Oberst sogar gezwungen sah, in einem neu aufgestellten Regiment wieder als Unteroffizier anzufangen.

Felix, den schweren goldenen Säbel über dem Kopf schwingend, dachte noch nicht an solche Zukunft. Dankte, indem er gemeinsam durchlittene Kampftage und Strapazen beschwor, seinen Männern, die, plötzlich so zivil verwandelt, beinahe unkenntlich vor ihm saßen, in militärisch knapper Rede für das kostbare Geschenk. Und wollte mit Agnes an der Hand von der Bühne gehen. Aber so leicht sollte ihm das nicht gelingen. Sie verlangten eine Abschiedsrede auch von »der kleinen Dame«, vom Engel der Verwundeten und Sterbenden, von der bewunderten Chefin des Regiments. »Wir wollen die Prinzessin hören!« forderten Sprechchöre zur Bühne hin.

Felix nickte ihr zu, schob sie zum Bühnenrand und gab mit dem goldenen Säbel ein Silentiumzeichen in den Saal hinunter. Und Agnes, mutig von Natur, begann in das erwartungsvolle Schweigen hinein in deutscher Sprache, von der sie noch kaum ein Wort verstand, eine Abschiedsrede an ihre Kameraden, die zu einem ungeheuren Lacherfolg wurde. Vielleicht von ihr herausgefordert, wie Felix meinte, um die Abschiedswehmut, die allen unter der Haut brannte, damit zu überwinden.

Denn gerade in diesen Tagen der Heimkehr, beginnend mit dem feierlichen Einzug in Washington, war sich das Regiment seiner Zusammengehörigkeit besonders bewußt geworden. Unvergeßlich für sie alle, Höhepunkt ihrer Dienstzeit, die überwältigende Broadway-Parade, mit der New York seine deutsche Brigade empfangen hatte.

An der Spitze der Marschkolonnen, flankiert von Oberst von Schack als Kommandeur des 7. Regiments – er hatte als früherer Garde-du-Corps-Offizier Preußen aus den nämlichen Gründen wie Felix verlassen müssen – und ihrem Mann, als Chef des 8. Regiments, ritt Agnes in ihrer Phantasie-Uniform und wurde bei diesem Einzug wie eine amerikanische Jeanne d'Arc gefeiert.

Die Reporter, zu deren Liebling Agnes wegen ihrer schlagfertigen Antworten geworden war, hatten New York, besonders nach dem großartigen Empfang in Washington, schon auf seine Heldin vorbereitet. Die halbe Stadt schien sich auf dem Broadway versammelt zu haben, die achtzehnjährige Prinzessin zu feiern, die so ganz dem Urbild eines amerikanischen Mädchens entsprach. Flatternde Fahnen, Marschmusik und unaufhörliche »Cinderella!«-Rufe begleiteten die Brigade und ihre selbstgewählte Chefin den ganzen Broadway entlang. Denn es hatte wohl jeder Bürger, der lesen konnte, den großartigen Festartikel des »New York Herald« mit den Augen verschlungen, den dessen Herausgeber, der einflußreiche Mister James Gordon Bennett, höchstpersönlich für den Empfang der Regimenter geschrieben hatte. Ein Artikel, der ihm unter der Hand zu einer Huldigung für Agnes geraten war und darum die Überschrift »Prinzessin Cinderella« trug. Bennett feierte sie darin als das barfüßige Aschenbrödel aus den grünen Wäldern Vermonts, das sich nur durch das Wunder der Liebe in eine echte Prinzessin verwandelt hatte, im Herzen jedoch eine vorbildliche Amerikanerin geblieben war.

Lärm und Jubel der letzten Parade waren längst nun verklungen. Agnes und Salm, die in Bond Street 32 eine kleine Wohnung bezogen hatten, sahen sich unvermittelt jenem bürgerlichen Alltag gegenüber, dessen Leere an Abenteuer ihnen beiden unerträglich erschien.

In der Gluthitze des New Yorker Sommers, eingesperrt in einem stickigen Zimmer, las Felix als ein Oberst ohne Soldaten in fiebernder Anteilnahme die Zeitungsberichte über die große Schlacht bei Gettysburg. Seine Armee, die Regimenter, die Offiziere, die er kannte, konnten hier seit langer Zeit wieder einen großen Sieg über die Rebellen feiern. General Grant hatte die Stadt Vicksburg in kühnem Angriff erobert und anschließend die Ufer des Mississippi freigekämpft. Felix stand tagelang vor den Landkarten, die er in seinem Zimmer an die Wand gehängt hatte, zeichnete Stellungen, Angriffe, Marschbewegungen ein. Konnte nicht fassen, daß es dort unten im Süden Siege ohne ihn gab, daß sich die Gouverneure nicht darum rissen, ihm ihre Regimenter anzuvertrauen. Er fieberte vor Ungeduld, verhöhnte sich selber und sein Schicksal, wurde immer ungerechter gegen seine Umwelt und endlich auch gegen Agnes. Zum erstenmal in ihrer Ehe kam es zum Streit über Kleinigkeiten. Leidenschaftlicher Versöhnung folgte neuer Streit. Salm war krank vor Tatenlosigkeit und endlich so weit, daß er auf jeglichen Ehrgeiz verzichten und in jedes Regiment eintreten wollte, daß ihn als Major, Hauptmann oder gar nur als Leutnant gebrauchen konnte.

Das wiederholte er so lange, bis Agnes, die in sich versunken in ihrem typischen Indianersitz auf dem Boden gesessen hatte, eines Tages hochsprang, mit dem Fuß aufstampfte, ihn anschrie mit geballten Fäusten: »Hör auf mit diesem Wahnsinn. Meines Mannes Weg wird nicht nach unten gehen, sondern nach oben. Merk dir das. Da du jetzt Oberst bist, kannst du nicht wieder als Leutnant beginnen, sondern nur noch zum General aufsteigen. Das will ich.«

Erstaunt sah er sie an und sagte spöttisch: »Das ist ja auch ganz einfach, Madame. Aus einem Oberst ohne Regiment wird ganz leicht auch ein General ohne Armee.«

Ihre Augen blitzten ihn an, noch einmal stampfte sie mit dem Fuß auf. »Da Sie das anscheinend selber nicht fertigbringen, Oberst Salm, werde *ich* Ihnen wieder ein Regiment verschaffen, und zwar sofort.«

Und rauschte, wie sie ging und stand – in ihrem Hauskleid aus weißen Spitzen, die mit roten Seidenbändern durchzogen waren, ein rotes spanisches Spitzentuch auf dem offenen schwarzen Haar, Seidenpantöffelchen an den Füßen –, an ihm vorüber aus der Tür und auf die Straße hinaus. Hielt dort eine zweispännige Mietdroschke an, von der sie sich im Galopp, zu dem sie den Kutscher antrieb, in die Fifth Avenue fahren ließ, wo Zeitungskönig James Gordon Bennett eine palastartige Residenz bewohnte. Er und seine Frau hatten hier, gleich nach der Rückkehr aus dem Feld, dem Prinzenpaar Salm den ersten großen Empfang gegeben. Ein Fest, über das die Gesellschaftsreporter seitenlang zu berichten wußten. Wobei Anges, noch eben in Felduniform auf einem Pferderücken, nun aber als schönste Frau des Salons ihr besonderes Entzücken erregte.

Denn sie hatte sich wie im Rausch in den Modegeschäften der Fifth Avenue, unbekümmert um ihres Felix' Finanzen, nach den Entbehrungen der Front die schönsten und teuersten Pariser Modelle der Saison zusammengekauft. Spontaner Beifall empfing sie, als sie an jenem Abend an Salms Arm den Festsaal betrat. Aus dem knabenhaften, selbsternannten Offizier des achten Regiments, aus der »kleinen Dame«, war eine große Dame geworden, ein Zauberwesen von zärtlichster Weiblichkeit. Sogar Mister Bennett rang seiner kargen schottischen Schweigsamkeit ein ungewohntes Kompliment ab, als er Agnes begrüßte. Aber in seinen Augen las sie mehr als nur Bewunderung, während sie von seiner englischbürtigen, leicht entflammbaren Frau immer wieder umarmt wurde. »Willkommen, mein Kind. Willkommen, Cinderella. Sie sehen entzückend aus, Prinzessin.«

Aber es gab noch eine andere Begegnung an jenem Abend, die Agnes bis heute nicht vergessen hatte, die sie noch immer mit Unruhe erfüllte. Im Gewühl seiner Gäste hatte ihr James Gordon Bennett unvermittelt Richard Yates, den Gouverneur von Illinois, vorgestellt. Vierzig Jahre alt. Junggeselle. Ein großer gutgewachsener Mann mit vollem, dunklem Haar, der sie aus intelligenten Augen prüfend betrachtete. Während er ihr wie ein Europäer die Hand küßte. Denn er war eine Zeitlang in der Alten Welt Botschafter gewesen und hatte dem rauhen Charme amerikanischer Männlichkeit seitdem den Glanz europäischer Höflichkeit aufgesetzt. Zum erstenmal seit Agnes mit Felix verheiratet war, erkannte sie einen Mann wieder als Mann. Ihre Hand zitterte in der seinen, und sie fühlte, daß er es fühlte. Sie brachte kaum ein Wort der Erwiderung hervor, als er sie ansprach, und wandte sich unhöflich brüsk von ihm ab, nur um ihm zu entkommen.

Aber sie hatte damit nur das Gegenteil erreicht. Bei der Festtafel, an der er ihr schräg gegenüber saß, sah er sie unentwegt an. Mit Augen, in denen sie soviel Bewunderung wie fordernde Begierde erkannte. Augen eines selbstbewußten Eroberers, denen nur wenig Frauen widerstanden hatten. Diesen Augen zu entfliehen, hatte sie sich Felix zugewandt, der sich neben ihr lebhaft mit Mrs. Bennett, der Gastgeberin, unterhielt. Aber wie üblich bemerkte er nichts von der Gefahr, der sich Agnes ausgesetzt fühlte. Beinahe unwillig tätschelte er nur ihre Hand und überließ sie wieder sich selber. Eine kleine Niederlage, die auch Richard Yates bemerkte, wie sie mit blitzschnellem Seitenblick an seinem Lächeln erkannte.

Als das Festmahl beendet war und die Tanzmusik zu spielen begann, sah Agnes den Gouverneur auf sich zukommen. Sie erschrak, zitterte vor seiner Berührung, wollte sich hinter Felix verstecken. Da war Richard Yates schon bei ihr, sah sie lächelnd an aus dunkelblauen Augen. »Bedauerlicherweise muß ich mich verabschieden, Prinzessin. Dringende Geschäfte, wie sie nun einmal mit meinem Amt verbunden sind. Aber ich weiß, daß wir uns wiedersehen werden. Bald schon und länger dann. Ich danke Ihnen für diese Begegnung, diesen Abend.« Damit beugte er sich über ihre Hand, die sie ihm willenlos überließ, und ging schnell dann davon. Sie sah ihm nach, stand wie gelähmt und fühlte die leise Berührung seiner Lippen noch immer wie Feuer auf ihrer Haut.

Das alles dachte und fühlte sie wieder, als sie die Marmorstufen zum Bennett-Palast hinaufflog und wild dort an der Türglocke zog. Dem öffnenden Butler, der verblüfft ihren negligéartigen Aufzug anstarrte, befahl sie, den Droschkenkutscher auszuzahlen, und lief weiter in das Haus hinein, das sie in allen Winkeln kannte. James Gordon Bennett hatte es ihr schon beim ersten Besuch ausführlich gezeigt und sie gebeten, es wie ihr eigenes Haus zu betrachten, zu kommen, wann immer sie es wünsche. An den Wochentagen sei er immer allein im

Haus und in der Bibliothek an seinem Schreibtisch zu finden. Denn Missis Bennett zöge es vor, die Sommermonate fern von New York auf seinem weitläufigen Landsitz Fort Washington zu verbringen, wohin sie mit Felix jederzeit auch eingeladen sei.

Bennett sprang auf und kam freudig hinter dem Mahagonischreibtisch hervor, als Agnes gleichsam im Galopp in seinen Bibliotheksfrieden einbrach. Wobei sie mitten im Zimmer ihren linken Pantoffel verlor. Etwas schwerfällig bückte er sich danach und streckte ihr die Rechte entgegen. »Cinderella, wie schön, Sie zu sehen.« Und wiederum in seinen Augen dieses Leuchten, das mehr als Bewunderung war. Alten Mannes Liebe, vor der sie sich fürchtete, weil darin eine Art Besitzergreifung drohte, der sie sich keinesfalls unterwerfen wollte.

Er führte sie zu einem Schaukelstuhl am offenen Fenster und steckte ihr mit zärtlicher Besorgnis den verlorenen Pantoffel wieder an. Wobei sie das Gefühl hatte, er hätte ihr am liebsten den Fuß geküßt.

Erhob sich wieder und setzte sich in den Schaukelstuhl ihr gegenüber. »Sie sehen hinreißend aus, Cinderella.«

»Entsetzlich«, widersprach sie ihm, »nicht frisiert, nicht geschminkt, noch im Hauskleid, wie Sie sehen, Mr. Bennett. Einfach so zu Ihnen hergerannt, wie ich ging und stand.«

Er schaukelte ihr entgegen. »Das ist ja gerade das Bezaubernde an Ihnen, Cinderella, diese Spontaneität des Herzens, diese . . .«

»Aufhören, aufhören!« unterbrach sie ihn heftig. »Keine Komplimente jetzt. Ich muß Sie ernsthaft sprechen, Mister Bennett.«

»Sagen Sie endlich Gordon zu mir und schießen Sie los. Was kann ich tun für Sie, Cinderella, worum geht es?«

»Es geht wie immer um Felix, meinen verrückten Mann. Er rast wie ein gefangener Löwe zu Hause durch die Stube und kann nicht begreifen, daß er daheim sitzen soll, während überall an den Fronten das Schicksal Amerikas entschieden wird.«

»Ich kann ihn begreifen. Dieses Warten muß entsetzlich sein für einen geborenen Soldaten, aber warum . . .«

»Er phantasiert davon, in ein x-beliebiges Regiment als Leutnant einzutreten, wenn man ihn nicht bald wieder mit einem neuen Kommando betraut.«

»Das wäre ja verrückt bei seinen Fähigkeiten . . .«

»Das sag' ich doch . . .«

»Warum geht er nicht einfach nach Washington ins Kriegsministerium oder nach Albany zum Gouverneur und verlangt ein neues Regiment?«

»Weil er ein Dickkopf ist, im Steinbock geboren. Sie wissen, was das heißt, Gordon. Er weigert sich, um etwas zu bitten, was er für sein Recht hält.«

Bennett lachte. »Ich verstehe ihn. Aber hat er nicht eine Frau, die ihm solche Wege abnehmen könnte? Haben Sie ihm nicht schon einmal bei Gouverneur Morgan ein Regiment verschafft?«

»Ja, das hab' ich. Aber ich will es nicht noch einmal tun. Jedenfalls nicht auf diese Weise, die böse Zungen zu der Behauptung veranlaßt, Felix brauche mehr seine Frau als sein Talent zum Aufstieg.«

»Er braucht Sie bestimmt, Cinderella.« Bennett lächelte und streichelte ihre Hand, die er nicht mehr losließ. »Und ich beneide ihn darum. Kurz und gut, Sie haben einen Plan, Cinderella, und ich spiele eine Rolle darin?«

»Bravo, Gordon, gut geraten.«

»Dann also raus mit der Sprache. Was habe ich zu tun?«

»Nichts Außergewöhnliches. Sie werden nächste Woche einige einflußreiche Herren zu einem Robber Whist hier in Ihr Haus einladen. Zu einem richtigen Männerabend mit viel Whisky ...«

»... bei dem Sie aber wohl ebenfalls mit von der Partie sind?«

»Aber ja. Im Zelt von General Sickles war ich auch immer dabei.«

»An welche Herren denken Sie, Cinderella?«

»In erster Linie an Gouverneur Morgan von Albany, an Gouverneur Seymour hier von New York. Dazu an Senator Harris und einige seiner Kollegen von der Militärkommission, die sich zur Zeit gerade in New York aufhält.«

»Sie sehen aus wie ein kleines Mädchen und sind die raffinierteste Frau, die ich kenne«, sagte Mr. Bennett bewundernd und streichelte ihre Hand. »Und meine Aufgabe wird es also dann sein, das Gespräch ganz zufällig auf Oberst Salm zu bringen, der unverdienterweise ...«

»Wehe, wenn Sie das tun, Gordon!« unterbrach sie ihn heftig. »Den Zufall dieses Gesprächs lassen Sie ganz meine Sorge sein. Keiner der Herren wird später wissen, wie es dazu gekommen ist, daß sie Whist und Whisky vergaßen und mit angehaltenem Atem meinem Felix zuhörten, der, wenn er ein wenig getrunken hat, ein hinreißender Erzähler ist. Seine Geschichten aus junger Soldatenzeit in Preußen und von den Kampftagen hier in den Staaten, seine Kriegslehre von der Kunst, ein Regiment bei geringsten Verlusten mit größtem Erfolg in den Kampf zu führen, sind ebenso hörenswert wie einmalig. Und wenn ihm dann am Ende des Abends nicht jeder der Herren spontan ein Regiment anbietet, dürfen Sie von mir sagen, daß ich eine schlechte Managerin bin.«

»Wird mir nicht einfallen, Cinderella«, sagte er hingerissen, »denn Sie sind heute schon mehr als nur eine Managerin. Sie sind eine Hexe«, und küßte ihre Hand mit jener Beflissenheit, die alte Männer vor jungen Frauen manchmal ein wenig lächerlich werden läßt.

Der große Abend kam und verlief genauso, wie es Agnes vorausgesagt hatte. James Gordon Bennet konnte nur staunen.

Am Ende eines Kampfberichts, den Felix besonders gut zu erzählen wußte, sprangen die Senatoren der Kriegskommission spontan auf und beteuerten, daß sie ihn bei nächster Gelegenheit zum General vorschlagen würden.

Für Felix aber, der in dieser Hinsicht ganz nüchtern dachte, war es wichtiger, daß Gouverneur Morgan ihm genauso spontan das 68. New Yorker Freiwilligenregiment versprach, dessen Kommandeur gerade erst in der Schlacht von Vicksburg gefallen war.

So endete der große Männerabend mit einem Triumph für die einzige Frau, für Cinderella, die lächelnd im Hintergrund saß.

Kapitän Agnes Salm

Zwei Tage später, so pünktlich, wie es Gouverneur Morgan versprochen hatte, brachte ein Kurier die amtliche Berufung des Obersten Salm zum Kommandeur des 68. Regiments in die kleine Wohnung in der Bond Street. »Was wär' ich ohne dich?« jubelte Felix, küßte Agnes und tanzte so lange mit ihr durch das Zimmer, bis sie beide atemlos umfielen, sich nur noch fest in den Armen hielten.

Auf diese Weise kam Felix erst recht verspätet dazu, den dem Patent beiliegenden Lagebericht zu studieren, der ihn schlagartig ernüchterte. Danach wurde sein neues Regiment zwar in sämtlichen Listen geführt, war praktisch aber überhaupt nicht vorhanden. Dreimal, zuletzt in der Schlacht bei Gettysburg, fast völlig aufgerieben, bestand es nur noch aus 120 Mann und vier Offizieren und befand sich im Augenblick auf dem Rücktransport nach New York, um hier neu aufgefüllt und ausgerüstet zu werden. Denn ein Regiment wurde vom Kriegsministerium erst dann wieder in die Armee aufgenommen, wenn es einen Mindestbestand von 700 Mann und 25 Offizieren aufwies. Dieses Soll zu erreichen war keine unlösbare Aufgabe, erforderte aber einige Geduld, die dem kampfbegierigen Salm allerdings nicht angeboren war.

Um keine Zeit zu verlieren, kratzte er sein geringes Vermögen zusammen und mietete, bis ihm die etatmäßigen Beträge endlich bewilligt waren, in Maillards Hotel am

Broadway 619 auf eigene Kosten ein Rekrutierungsbüro. Er war überzeugt davon, daß ihm diese günstige Lage und sein Name die für die Auffüllung des Regiments notwendige Zahl an Freiwilligen bald schon bringen würden. Die Offiziere machten ihm dabei die wenigsten Sorgen, weil er das Offizierskorps des aufgelösten achten Regiments fast vollzählig übernehmen konnte. Bis auf gewisse Ergänzungen, darunter Hauptmann von der Gröben, den Salm schon aus Europa kannte und zum Regimentsadjutanten machte.

Nachdem Mister Bennett im »New York Herald« zu Salms Unterstützung einige kostenlose Großanzeigen veröffentlicht hatte, zweifelte Felix nicht im geringsten daran, daß kampfbereite junge Männer sein Büro nur so stürmen würden. Aber die Besucher eines Tages waren an der Hand abzuzählen, und die ausgelegten Listen füllten sich zögernd nur mit Namen, die zum größten Teil dann noch gefälscht waren. Jedem Freiwilligen zahlte der Staat nämlich ein Handgeld von 300 Dollar, zur einen Hälfte beim Eintrag in die Verpflichtungsliste und zur anderen beim Einrücken in die Kaserne. Das machten sich die sogenannten ›bounty jumbers‹, die Handgeldschwindler, zunutze. Auf unablässiger Wanderung durch alle Staaten trugen sie sich in deren Rekrutierungsburos unter immer anderen Namen ein, ließen sich das erste Handgeld auszahlen und verschwanden damit, indem sie das Einrücken bei der Truppe den Dummköpfen aus der Provinz überließen und großzügig auf den Rest der Forderung verzichteten. Diese Gauner wurden streng bestraft – wenn man sie erwischte. Doch das war kaum zu befürchten, weil es in den Staaten weder eine Meldepflicht noch Personalausweise gab und es jedermann freistand, seinen Namen beliebig zu wechseln.

Die große Armee des ersten Kriegsjahres hatte tatsächlich nur aus Freiwilligen bestanden, die, nach keinem Handgeld verlangend, am liebsten noch dafür gezahlt hätten, so schnell wie möglich in ein Regiment eingereiht zu werden.

Dieser Enthusiasmus war dahin und hatte tiefster Ernüchterung Platz gemacht, wie Salm, der immer unruhiger im leeren Büro auf und ab rannte, enttäuscht feststellen mußte. Dabei lagen die Gründe für diesen Stimmungsumschwung auch für ihn auf der Hand: die ungeheuren Verluste, die MacClellan in den vielen Schlachten auf der virginischen Halbinsel und in den Sümpfen des Chickahomini hatte hinnehmen müssen; die Unfähigkeit der meisten Generäle, größere Verbände in den Kampf zu führen; die barbarische Behandlung, der die gemeinen Soldaten in der Armee noch immer ausgesetzt waren, und die entsetzlichen Strapazen, die ihnen von einer Kriegführung zugemutet wurden, die mehr dem Zufall als sinnvoller Planung gehorchte.

Unter solchen Umständen nahm es Felix als Wunder hin, daß die Überlebenden des dreimal zerschlagenen 68. Regiments ohne wesentliche Desertionen beinahe vollzählig in New York eintrafen. Er begrüßte die Soldaten in der von ihm vorbereiteten Unterkunft in der Bronx, versprach ihnen zunächst eine längere Ruhezeit und anschließend nicht nur bessere Bewaffnung, sondern auch höhere Bezahlung. Nach allgemeiner Beförderung um einen Dienstgrad sollten sie mit ihrer Kampferfahrung die Kader des neuen Regiments bilden, das zusammen mit den inzwischen Angeworbenen nunmehr einen Bestand von 350 Mann aufwies. Und das war noch immer erst die Hälfte der geforderten Kriegsstärke. Sie binnen eines Monats zu erreichen, wenn nicht gar zu überbieten, machte sich Salm die größten Hoffnungen. Er verdoppelte seinen persönlichen Einsatz, organisierte in allen Stadtteilen kleine Standkonzerte, bei denen er gemeinsam mit Agnes und seinen Offizieren witzige, für den Dienst in der Armee werbende Handzettel auf den Straßen verteilte. Und er wäre seinem Ziel wohl auch nahegekommen, hätten politische Ereignisse ihn nicht unvermittelt vor ganz andere Aufgaben gestellt.

Angesichts der Tatsache, daß die Generäle nach Soldaten schrien, die Zahl der Freiwilligen indes die Verluste nicht annähernd mehr ausglich, sah sich der Kongreß gezwungen, für das gesamte Gebiet der Union die allgemeine Wehrpflicht einzuführen – ein Gesetz, das von den Bürgern mit einem Aufschrei der Empörung beantwortet wurde. Überall in den großen Städten des Nordens kam es zu blutigen Aufständen. Am schlimmsten in New York, wo der Kampf vornehmlich von der Bevölkerung der irischen Slums getragen wurde. Männer, Frauen und Kinder bewaffneten sich und brachen zu Tausenden raubend, plündernd, brennend und vergewaltigend in die Wohnviertel der Reichen ein. Getrieben von dem bösen, aber nur allzu wahren Wort, das damals die Runde machte: »The rich man's war, and the poor man's fight!« – Reichen Mannes Krieg, aber armen Mannes Kampf. Denn das Rekrutierungsgesetz enthielt die herausfordernde Klausel, daß gezogene Soldaten sich für 300 Dollar von der Dienstpflicht loskaufen konnten. Eine Bestimmung, die Söhne reicher Eltern vor einem Heldentod bewahrte, den die Söhne armer Mütter nur allzu billig in den virginischen Wäldern fanden.

New Yorks Gouverneur Seymour überließ den Aufständischen die Straße, nahm die Polizei in die Forts zu-

rück und griff auch nicht ein, als überall die neu einge-
richteten Rekrutierungsbüros in Flammen aufgingen.
Einerseits überzeugt davon, daß sich die Wut der Massen nach wenigen Tagen von selber legen würde,
brauchte er andererseits die Stimmen der Iren zu seiner
Wiederwahl als Gouverneur, wollte sie sich nicht zu
Feinden machen.
Aber seine Rechnung ging nicht auf. Denn unversehens
hatte sich der irische Aufstand von der politischen auf
die rassische Ebene verlagert, wandte sich gegen die im
Süden befreiten Neger, die jetzt zu Tausenden nach
New York hereinströmten. Die vornehmlich als Schau-
erleute im Hafen, als Tagelöhner, Hausknechte und
-mägde, und Küchenhelfer beschäftigten Iren sahen
nicht ein, daß ihre Söhne und Brüder für eine Sklaven-
befreiung sterben sollten, die sie selber um ihre Arbeits-
plätze brachte. Und die Tatenlosigkeit der Regierung
schienen sie gar als Zustimmung zu ihrem Aufstand zu
begreifen. Sie trieben die Neger aus ihren Wohnungen
auf die Straße, um sie dort an den Laternen aufzuknüp-
fen oder Männer, Frauen, Kinder wie Vieh abzuschlach-
ten. Das große Waisenhaus für Negerkinder wurde in
Brand gesteckt, nachdem vorher die Ausgänge verram-
melt worden waren. Sämtliche Kinder kamen in den
Flammen um.
Sogar Agnes sah sich eines Morgens in Gefahr, von einem irischen Lynchtrupp aufgehängt zu werden. Sie
kam gerade mit der hübschen Betsy, ihrem schwarzen
Hausmädchen, vom Einkauf zurück, als die bewaffneten
Männer in die Bond Street einbogen. Im Augenblick
stürzten sie sich auf das erschrockene Mädchen, rissen
ihm johlend die Kleider vom Leib, versuchten es aufzu-
hängen. Dabei konnte ihnen Betsy entwischen und in
das Haus hinein verschwinden, wo Agnes furchtlos vor

den Verfolgern den Eingang sperrte. Vor ihrem jungen Mut und ihrer Entschlossenheit wichen sie verblüfft zurück, wären aber wohl im nächsten Augenblick um so brutaler über sie hergefallen, hätte nicht überraschend ihr Nachbar, Oberst O'Brien, selber ein Ire, rettend eingegriffen. Von seinem gegenüberliegenden Haus aus hatte er den Überfall mit angesehen und war sogleich herausgelaufen, um, wie oft schon, seine Landsleute zurückzupfeifen und wieder zu einiger Vernunft zu bringen. Doch dies zum letztenmal, wie sich schon zwei Tage später erweisen sollte. Da wurde er von einem größeren Trupp irischer Plünderer, die er mäßigen wollte, zuerst niedergeschrien, dann niedergeschlagen und anschließend 24 Stunden lang durch den Straßenkot zu Tode geschleift.

Dieses entsetzliche Ende seines nachbarlichen Freundes, dazu die Gefahr, der Agnes ausgesetzt gewesen war, bewogen Felix, sich dem Gouverneur, der endlich zum Widerstand entschlossen war, mit seinen geringen Kräften zur Verfügung zu stellen. Obwohl gerade erst auf 360 Mann herangewachsen, bildete das 68. Regiment um diese Zeit die einzige militärische Einheit, die sich in der Stadt befand.

Nachdem er von Mr. Seymour jede gewünschte Vollmacht bekommen hatte, stellte Salm aus seinen Männern fünf gleich starke Kampfgruppen zusammen, die er mit schnell requirierten Pferdefuhrwerken beweglich machte. Denn die Tausende von Aufrührern, die planlos durch die Straßen wogten, konnte er nur durch ständig wechselnde Angriffsschwerpunkte verwirren und zersplittern. Auf diese Weise gelang es ihm, die Redaktionen und Druckhäuser von »Tribune« und »Herald« in letzter Stunde vor Zerstörung und Plünderung zu retten, was ihm für immer die Sympathie der Zeitungsleute und vor allem auch die Dankbarkeit von James Gordon Bennett eintrug, die ihm noch einmal sehr wertvoll werden sollte.

Als sich die Aufrührer jedoch auf seine Taktik wechselnder Schwerpunkte eingestellt hatten und ihn mit ihrer Übermacht zu erdrücken suchten, blieb Salm nichts weiter übrig, als sich in geschlossenem Angriff mit seiner gesamten Streitmacht zur Battery durchzuschlagen, wo er Regierungsgebäude und Hafenanlagen so lange vor der Zerstörung bewahren konnte, bis endlich die aus Pennsylvanien herangebrachten New Yorker Regimenter eintrafen und in verlustreichen Kämpfen für beide Seiten die staatliche Autorität wiederherzustellen vermochten.

Felix ruhte sich nicht lange auf seinen Lorbeeren aus, sondern widmete sich mit ganzer Kraft aufs neue der Werbetätigkeit für sein Regiment. Jetzt mit etwas größerer Aussicht auf Erfolg, weil sich Gouverneur Seymour und Mr. Bennett dem Regiment für die geleistete Hilfe dankbar erzeigten – mit erheblichen Beträgen, die es ermöglichten, das Handgeld zu verdoppeln.

Von seinen Aufgaben erfüllt, neuem Kriegsruhm entgegendrängend, bemerkte Felix kaum etwas von den Depressionen, die seine sonst so übermütige Agnes umwölkten, und überhaupt nichts von den durchweinten Nächten, die sie schlaflos neben ihm verbrachte. Keine leuchtenden Augen, kein Lächeln mehr, sie schien langsam hinzuwelken. Und erkannte er manchmal doch solche Veränderung an ihr, wich sie seinen oberflächlichen Fragen mit Antworten aus, nach denen er ihr Verhalten, schnell beruhigt, als Weiberlaune hinnahm, die kommt und geht.

Indes war Agnes, ganz im Gegensatz zu einer Laune,

von einem Ereignis erschüttert worden, das wie ein Schlag auf ihr Herz gewesen war. Wovon sie Felix aber nichts sagen wollte, auch nichts sagen konnte: Ihre Schwester Dallah hatte sie nach monatelangem Schweigen in einem kurzen glücklichen Brief von der Geburt ihres ersten Sohnes unterrichtet. Agnes hatte bis dahin nicht das geringste von Dallahs Schwangerschaft gewußt und nahm die Nachricht in einer Art ohnmächtiger Erschütterung hin. Denn seit ihrer Hochzeit, die nun schon länger als ein Jahr zurücklag, hatte sie sich nichts sehnlicher als einen Sohn von ihrem Felix gewünscht. Aber Monat für Monat war in immer wieder enttäuschter Erwartung dahingegangen. In seltsam abergläubischer Furcht vermied sie es, mit Felix darüber zu sprechen, ein dunkles Schicksal zu beschwören, das sich ihr zu versagen schien, während es Dallah die Erfüllung brachte.

Für ihre Zeit, die nur wenig von den Geheimnissen der Zeugung wußte, tauben Samen oder sonstige Schuld der Männer kaum in Rechnung stellte, lag Kinderlosigkeit einer Ehe ganz selbstverständlich im Versagen der Frau begründet. Und das gerade war es, was Agnes nicht fassen, noch weniger vor Felix aussprechen konnte. Sie fühlte sich nicht weniger gesund als Dallah und genauso fähig, jene geliebten wilden Söhne zur Welt zu bringen, von denen sie als Mädchen schon geträumt hatte. Warum nur blieb solche Sehnsucht bei ihr unerfüllt? Warum? Trug wirklich nur sie allein die Schuld daran?

In ihr beständiges Grübeln hinein bemerkte sie kaum etwas von Salms wachsender Gereiztheit. Da die durch Gesetz gezogenen Rekruten sogleich den dezimierten Frontregimentern zugewiesen wurden, blieb er weiterhin auf Freiwillige angewiesen, die sich trotz vermehrter

Werbung und verdoppelten Handgelds nur spärlich einstellen wollten. Noch immer fehlten ihm 200 Mann. Er war verzweifelt und sprach schon davon, daß der Krieg zu Ende gehen könne, noch ehe er sein Regiment auf die volle Kriegsstärke gebracht habe.

Bis er eines Tages mit hoffnungsvolleren Nachrichten in die Wohnung stürmte. Verleger Bennett und Senator Harris hatten ihm fast gleichzeitig geraten, sich mit seinen Mannschaftswünschen unverzüglich an James B. Fry, den Generalprovost-Marschall der Vereinigten Staaten, zu wenden. Der General, ein besonderer Freund des Kriegsministers Stanton, habe immer wieder Gruppen überzähliger Freiwilliger zur Verfügung, die er nach Belieben auf noch nicht aufgefüllte Regimenter verteilen könne.

Da Felix wegen der laufenden Ausrüstungsverhandlungen sein Regiment nicht verlassen wollte, bat er Agnes, an seiner Stelle nach Washington zu fahren und mit General Fry zu verhandeln. Schließlich sei sie schon zweimal sein bester Agent und Manager gewesen.

Agnes stimmte glücklich zu. Endlich bot er ihr an, was er bisher verweigert hatte, da er nicht einen Tag ohne sie hatte sein wollen. Unverzüglich packte sie ihre Koffer und reiste am nächsten Morgen schon, von Salm reichlich mit Geld versehen, in Betsys Begleitung der Hauptstadt und Entscheidungen entgegen, denen sie sich immer drängender ausgesetzt fühlte.

Entscheidungen, die sich weniger auf die Kriegsstärke des 68. Regiments als vielmehr auf ihre fortwühlenden Depressionen bezogen. Dallah war der einzige Mensch, mit dem sie offen darüber zu sprechen vermochte, und sie konnte es kaum erwarten, bei ihr zu sein.

Als die kofferüberladene Droschke mit Agnes und Betsy in den Hof rollte, stand Dallah, die junge Mutter, schon in der Haustür. Schöner, glücklicher, gelöster als je, hob sie Agnes den Sohn entgegen, den sie im blaubebänderten Steckkissen in den Armen trug. Agnes lächelte ihr zu, obwohl in ihren Augen plötzlich Tränen brannten. Die Schwestern umarmten und küßten einander, während Betsy das Kind zu halten bekam und gar nicht wieder zurückgeben wollte. Agnes indes, als Dallah auch ihr den kleinen Jan in den Arm legen wollte, scheute vor solcher Besitznahme auf Zeit zurück und ging schnell vor der Schwester ins Haus hinein, das ihr in allen Winkeln noch vertraut war. Da sich Schwager Eddy, inzwischen zum Major befördert, wieder einmal auf einer seiner langwierigen Rundreisen zu verschiedenen Armeehauptquartieren befand, um Nachschubfragen an Ort und Stelle zu regeln, stand den drei Frauen das ganze Haus zur Verfügung. Betsy wurde in einem der kleinen Fremdenzimmer im Dachgeschoß untergebracht, während Agnes wieder ihr vertrautes Gartenzimmer bezog. Schlafen aber wollte sie wie in Mädchentagen mit Dallah zusammen im großen Ehebett, weil sie einander mehr zu erzählen hatten, als die schnellgehenden Stunden des Tages zu fassen vermochten. Und sie begannen damit schon am Nachmittag, nachdem Betsy den hochradrigen Kinderwagen mit Jan in den Kissen stolz auf die Straße hinausgeschoben hatte.

In den knarrenden Stühlen auf der Veranda schaukelten sie Auge in Auge einander entgegen. Agnes erzählte von den Abenteuern des vergangenen Jahres, denen Dallah, die immer im Frieden ihres Hauses geblieben war, kaum etwas entgegenzusetzen hatte. Oder doch?

Zaghaft begann sie von jenem stilleren Abenteuer zu berichten, dem sie allein ausgesetzt gewesen war in der vergangenen Zeit. Von Glück und Mühsal der Schwangerschaft. Vom Wachsen des Kindes in ihr und vom Hineinlauschen in sich selbst. Und in die schnell heranwehende Dämmerung hinein war es nur noch Dallah, die sprach, und Agnes, die atemlos lauschte.

Gemeinsam wuschen sie dann den kleinen Jan, und Agnes sah schweigend zu, wie Dallah ihn an die Brust legte, wieder absetzte, ein wenig herumtrug, nachdem er sich satt getrunken hatte, und endlich in die alte indianische Wiege aus Büffelleder bettete, die sie von daheim aus Vermont hatte kommen lassen. Darin hatten auch Dallah und sie selber einst die ersten Atemzüge getan, ihre ersten Träume geträumt.

Lange sah sie auf das bald schlafende Kind hinunter und sagte endlich: »Du wirst noch viele Kinder haben, nicht wahr?«

»Ich hoffe, ja.« Dallah lachte. »Zwei, drei mindestens noch.«

»Den nächsten Sohn solltest du mir dann geben.«

»Warum denn das? Du wirst doch bald eigene Kinder haben.«

»Nein, Dallah, ich bekomme kein Kind.«

»Was für ein Unsinn! Du bist meine Schwester. Du bist genauso gesund wie ich, und du wirst genauso Kinder bekommen. Du mußt nur Geduld haben, Agnes.«

»Die hab' ich lange genug gehabt. Immer wieder gewartet. Immer wieder. Aber vergeblich. Es ist wahr, Dallah, ich bekomme kein Kind.«

»Das begreife ich nicht«, sagte Dallah kopfschüttelnd. »Hast du mit Felix darüber gesprochen?«

»Nein.«

»Und er hat dich auch nicht danach gefragt?«

»Nein.«

Dallah schwieg. Aber als sie später nebeneinander im Bett lagen, Arm in Arm wie in fernen Mädchentagen, und sie merkte, daß Agnes neben ihr keinen Schlaf fand, sagte sie in die Nacht hinein: »Ich habe mir das überlegt, was du mir da gesagt hast. Weißt du, ich glaube, es könnte daran liegen, daß Vater dich schon auf ein Pferd gesetzt hat, als du noch gar nicht laufen konntest. Und du bist immer mehr ein Junge als ein Mädchen gewesen und unsere Kinderzeit hindurch und auch späterhin kaum aus dem Sattel gekommen.«

»Ja, das stimmt«, sagte Agnes.

»Die Frau eines Kameraden von Eddy, die auch so eine wilde Reiterin ist wie du und es zeitlebens war, bekommt genauso kein Kind, hat sie mir gesagt. Vielleicht ist das wirklich der Grund.«

»Vielleicht«, sagte Agnes und strich Dallah übers Haar. »Ich danke dir.« Aber sie wußte, daß dies nicht die Wahrheit sein konnte. Daß Dallah sie nur trösten wollte.

Und Dallah sagte in der folgenden Nacht: »Alles hat seinen Sinn, Agnes. Auch daß du nicht Mutter wirst. Du hast keine Ruhe dazu und hast sie nie gehabt. Bist immer irgendwohin auf dem Weg gewesen. Aber Kinder brauchen Ruhe und Heimat, um wachsen zu können. Hast du das? Wirst du das jemals haben?«

»Ich glaube, nicht«, sagte Agnes.

»Und es ist noch etwas anderes. Nach dem, was du mir von deinem Leben mit Felix erzählt hast, gibt es bei euch gar keinen Platz für ein Kind. Wie und wo sollte es leben? Und da dich Felix niemals gefragt hat danach, scheint mir, daß er gar keine Sehnsucht nach einem Kind hat. Daß er dich allein braucht, nur dich und sonst nichts.«

»Ja, das ist wahr«, sagte Agnes nach langem Schweigen

in die Dunkelheit hinein. »Er ist nicht nur mein Geliebter, er ist auch mein Kind. Manchmal ist er so hilflos der Wirklichkeit gegenüber, daß ich ihn an die Hand nehmen und führen, manchmal ihn sogar vor sich selber schützen muß.«

»Das ist es, was ich sagen wollte. Nimm es hin, wie es ist«, tröstete Dallah die Schwester, und sie schliefen Hand in Hand ein.

Agnes war bereit, sich ihrem Schicksal zu fügen, Dallahs Rat ohne Widerstand anzunehmen. Glücklicher las sie ihres Felix' Briefe, die er täglich schrieb, und fühlte sich schuldbewußt, als er immer dringender nach dem Ergebnis ihrer Verhandlungen mit General Fry fragte, um die sie sich bis dahin überhaupt noch nicht bemüht hatte.

Sie schickte ihre Karte an den General mit der Bitte um eine Unterredung, die ihr für den nächsten Tag schon gewährt wurde.

Er kam ihr mit ausgestreckten Händen entgegen, als sie sein Büro im Kriegsministerium betrat, und sie starrte ihn fassungslos an. Nicht ein älterer General, wie sie erwartet hatte, sondern ein schlanker, blonder, sehr eleganter Offizier von etwa dreißig Jahren stand ihr gegenüber, der sie vom ersten Augenblick an nicht wie eine Bittstellerin, sondern wie eine Geliebte behandelte. Handküsse, Besorgtheit, zärtliche Fragen, vor denen sie mühsam nur ihre Fassung wiedergewann. Denn sie hatte sich vorher nach ihm erkundigt und flüchtig erfahren, daß er kürzlich erst ein junges Mädchen aus guter Familie geheiratet hatte. Das schien ihm aber keinerlei Hemmungen aufzuerlegen. Er ließ ihr Champagner servieren, fragte angelegentlich nach ihrem Quartier und lud sie so ungestüm für die nächsten Abende zum Essen ein, daß sie sich sogleich mit Widerstand wappnete. Nicht so viel allerdings, daß es ihrem Anliegen schaden konnte. Und General Fry, der zunächst sehr ausführlich von den Schwierigkeiten seines Amts erzählt hatte, fragte sie endlich auch nach ihren Wünschen. Nein, er verfügte im Augenblick nicht über Freiwilligenkontingente, die er dem Prinzen Salm zuweisen könne. Müßte die Prinzessin vielmehr auf die nächste Gouverneurskonferenz vertrösten, die in vierzehn Tagen geplant war. Zwei Wochen, von denen er versprechen könne, daß sie ihr bestimmt nicht langweilig werden sollten. Mein Felix, dachte Agnes, was alles verlangst du von mir, und wagte den feurig-schönen General, der sie unentwegt mit den Augen verschlang, kaum noch anzusehen.

Sachlicher werdend, kam er zum Zweck ihres Besuches zurück und sagte leichthin: »Da fällt mir übrigens ein, daß sich der Gouverneur von Illinois noch in Washington befindet. Wenn ich mich recht erinnere, hat er schon oder bekommt demnächst eine Anzahl Freiwilliger zur Verfügung, die vielleicht ausreichen, das Regiment des Prinzen Salm auf Kriegsstärke zu bringen. Sprechen Sie doch einmal mit dem Gouverneur, Prinzessin.«

»Sie meinen Mr. Richard Yates, General?«

»Ja, kennen Sie ihn?«

»Flüchtig«, sagte Agnes mit klopfenden Pulsen. Sie sah den Gouverneur wieder vor sich, wie er sie bei jenem ersten Cinderella-Festmahl, das James G. Bennett für sie gegeben hatte, unablässig betrachtete. Angriff und Begierde in den dunkelblauen Augen. Hörte seine sinnlich-dunkle Stimme sagen: »Wir werden uns wiedersehen, Prinzessin. Ich glaube, bald schon.«

»Er wohnt im ›Willard‹«, fuhr General Fry fort, »wenn Sie wollen, werd' ich Ihnen ein Gespräch mit ihm vermitteln.«

»Danke, General. Ich werde ihm meine Karte schikken.«

»Vielleicht einen erklärenden Brief dazu«, riet ihr General Fry ahnungslos, während er sie zur Tür geleitete. »Der Gouverneur hat viel um die Ohren hier in Washington. Sollten Sie ohne Antwort bleiben von ihm, lassen Sie es mich wissen. Ich werde dafür sorgen, daß er Sie empfängt.«

»Danke, General«, sagte Agnes. Sie war sicher, daß Richard Yates sie empfangen würde. Auch ohne erklärenden Brief.

Am gleichen Tag noch – angstvoll zaudernd, beklommen und herausfordernd zugleich, ohne Wort, ohne Gruß – schickte sie ihm ihre Karte ins ›Willard‹. Hatte lediglich ihre Adresse in Dallahs Haus darauf eingetragen.

Dort schleppten am nächsten Morgen schon zwei Boten ganze Körbe voller Rosen und Orchideen herein.

»Alles für dich?« fragte Dallah erstaunt. »Schickt dir das Felix, dein großer Verschwender?«

»Nein, Gouverneur Yates von Illinois«, sagte Agnes und riß den beiliegenden Brief auf.

Dallah drohte ihr mit dem Finger. »Agnes! Agnes!«

»Er lädt mich für heute abend zum Souper ins ›Willard‹ ein.«

»Agnes! Agnes!« drohte Dallah abermals.

»Ich muß hingehen«, sagte Agnes so gleichmütig wie möglich, während ihr das Herz bis in die Schläfen schlug. »Ich tu es für Felix. Er braucht Soldaten, und Yates hat sie.«

Schon am Nachmittag begann sie, sich für den Abend bereitzumachen. Badete in *Eau de rose*, wie es jede Dame damals in großen Flakons mit sich führte, salbte ihre Samthaut mit *huile ambrée*. Band ihr Haar auf, bis es in sanften Wellen über den Nacken herabfiel. Suchte aus den in New York gekauften Pariser Modellen das einfachste aus, ein duftig wehendes weißes Chiffonkleid, das sie in mädchenhafte Anmut hüllte. Dies alles über Stunden hin eine echt weibliche Philosophie von außen nach innen, der sich hinzugeben sie nie müde wurde. Und darunter die Unruhe ihres Herzens, das immer schneller dem Abend entgegenschlug. Dieser Begegnung, die voller Gefahr war.

Und dann dieser Augenblick, da Richard Yates ihr langsam entgegenkam, als sie den Saal betrat, begleitet von Major Howard, seinem Adjutanten, der sie bei Dallah abgeholt hatte.
Alles Lärmen, Gespräch und Gelächter wie plötzlich abgeschnitten. Atemloses Schweigen ringsum und aller Augen nur auf Agnes gerichtet.
Sie aber sah nur Richard Yates, ihn allein, immer näher auf sich zu. Mit gleitenden Raubtierschritten, die wie Besitzergreifen waren, unausweichlich. Und sie erlebte abermals diese Faszination einer Männlichkeit, der sie schon bei jener ersten Begegnung in Bennetts Haus verfallen war. Diese Raubvogelaugen, vor denen es kein Entkommen gab. Die sehnige Körperlichkeit eines Cowboys, vereint mit der Eleganz eines Mannes von Welt. Sichtbar trug er den silberbeschlagenen Colt auf der Hüfte über langschenkligen Beinen, deren offenbare Kraft auch das wildeste Pferd zum Gehorsam zwingen mochte.
Bei seinem letzten Schritt, noch ehe er sich über ihre Hand beugte, wurde Agnes von einer Empfindung durchzuckt, die sie zeitlebens nicht wieder vergessen sollte. Eine Erkenntnis aus ihrem Blut heraus. Wahrheit, die aus der Tiefe kam: Dieser Mann war dazu ge-

schaffen, ihr die Söhne zu geben, von denen sie geträumt hatte. Freimütig kraftvolle Söhne, einer schöner als der andere. Vor ihm brauchte sie nicht mehr an sich selber zu zweifeln. Sie war so gesund wie jede andere Frau und genauso fähig, Mutter zu sein, wenn sie nur wollte.

Ein Strom junger Lebenskraft stieg auf in ihr, riß ihr Herz mit sich fort, sie hätte schreien können vor Glück.

Richard Yates sah sie lächelnd an, schien in ihren Augen zu lesen, was sie empfand, und beugte sich lange über ihre Hand, die er nicht mehr losließ. Mit einem Kopfnicken verabschiedete er Major Howard und führte Agnes, ohne sich im geringsten um die schweigende Neugier im Saal zu kümmern, in seine Loge zurück.

Nahm dem Kellner die Flasche aus der Hand und füllte selber die Gläser mit Champagner. Trank ihr zu. »Willkommen, Cinderella. Sie sind schön.«

»Danke, Exzellenz.«

»Erinnern Sie sich, daß ich Ihnen in New York sagte: Wir werden uns wiedersehen. Bald schon.«

»Ich erinnere mich, Exzellenz.«

»Bitte sagen Sie nicht ›Exzellenz‹ zu mir. Ich bin Richard Yates und möchte nichts anderes sein. Vor allem auch für Sie, Cinderella.«

»Danke, Richard.«

»Immer wieder stelle ich fest, daß Wünsche zur Erfüllung gezwungen werden, wenn man niemals aufhört, sie zu wünschen. Dieser Abend ist Erfüllung, Cinderella.«

»Könnte es nicht auch Zufall sein?«

»Unmöglich. In meinem Leben hat es niemals Zufälle gegeben. Immer nur das, was ich wollte.«

»Ich sehe, Sie sind so groß wie Gott, Richard.«

Er lachte. »Wahrhaftig, zwischen Gott und einem Gouverneur gibt es kaum einen Unterschied.«

»Gewiß«, sagte Agnes im gleichen Ton, »beide Namen beginnen mit G.«

So sprachen sie fort, im Kerzenlicht. Einander in die Augen hinein. Und es wußte ein jeder bei diesem Zweikampf, daß sie sich voreinander keinen Augenblick der Schwäche erlauben konnten. Schon in New York hatte Richard Yates in Agnes jene besondere Art von Frauen erkannt, die niemals im ersten Ansturm zu erobern war. Beständiges Einkreisen allein half hier weiter, machte sie langsam wehrlos, bis unvermittelt der Sieg errungen war. So wie Agnes, weniger aus Erfahrung als aus Instinkt, jenen Typ Mann in ihm erkannte, gegen dessen beständige Belagerung äußerste Wachsamkeit geboten war. Hinhaltende Verteidigung, um es militärisch auszudrücken, die Hoffnungen zuließ, ohne Erfüllung zu gewähren. Doch auch die stärksten Festungen waren manchmal durch Überrumplung, im Handstreich gefallen. Und wer war schon sicher gegen einen Augenblick der Müdigkeit?

Doch von der Hauptsache sprachen sie nur in Nebensätzen. Richard Yates bestätigte, daß er in Illinois eine Gruppe von etwa 200 deutschbürtigen Freiwilligen zur Verfügung habe, die den Wunsch geäußert hätten, in einem deutschen Regiment zu dienen. Man hatte sich entschlossen, ein solches aufzustellen, nun aber entdeckt, daß man dazu sehr viel Zeit brauchen würde. General Fry habe ihn auf Salms Wünsche angesprochen, und es schiene ihm eigentlich vernünftig, beide Gruppen zu einem einzigen Regiment zu vereinigen.

Agnes stimmte eifrig zu und versuchte, ihn zu einer sofortigen Entscheidung zugunsten ihres Mannes zu überreden.

Aber er mußte sie auf die Ankunft seines Militärbera-
ters, Oberst Jameson, vertrösten, der mit entsprechenden Unterlagen schon in den nächsten Tagen nach Washington kommen sollte, um an einer Konferenz über
Nachschubfragen bei General Fry teilzunehmen. Immerhin machte ihr der Gouverneur die größten Hoffnungen auf eine für Felix glückliche Lösung der Mann-
schaftsfrage.
»Mein Mann brennt darauf, mit seinem Regiment endlich wieder ins Feld zu gehen.«
»Ich weiß, er ist Soldat mit Leib und Seele«, schloß Richard Yates, und es war seinem Lächeln anzusehen, daß
ihm nicht viel daran lag, Oberst Salm vor den Gefahren
der Front zu bewahren.

Zwei Tage später brachten die Zeitungen in ihren Ge-
sellschaftskolumnen ausführliche Berichte über die Begegnung des Gouverneurs von Illinois mit der Prinzessin Salm. Und hörten von da ab nicht mehr auf, das Paar
zu verfolgen. Ihre Leser erfuhren, daß Richard Yates der
mädchenhaften Prinzessin einen irischen Hunter geschenkt habe. Ein Pferd von außerordentlicher Schönheit und großem Temperament, das die Prinzessin ausgezeichnet zu reiten wisse. Denn sie habe ihr eigenes
Pferd in den Stallungen des 68. New Yorker Regiments
zurückgelassen. Und der Gouverneur liebe die nachmit-
täglichen Ausritte an ihrer Seite am Ufer des Potomac
entlang.
Wo immer sie sich trafen, und sei es auch nur für Augenblicke, die Reporter berichteten darüber. Wußten zu sagen, der Gouverneur habe Agnes ein Reitkleid gekauft,
habe ihr Blumen geschickt oder zweimal am gleichen
Tag seinen Wagen. General Fry war so verstimmt darüber, daß er Agnes nicht mehr empfing. Washington

aber hielt den Atem an, überschlug die Entsetzensberichte von der blutigen Niederlage der Unionstruppen in der Schlacht am Chickamauga Creek und gab sich den blumigen Beschreibungen einer Romanze hin, an der Prinzessin Cinderella und Gouverneur Yates ihre Freunde, die Reporter, persönlich zu beteiligen schienen.

Agnes indes, von Dallahs Vorwürfen belastet, fragte Richard Yates, ob man es sich denn gefallen lassen müsse, persönlichste Dinge so in der Zeitung ausgebreitet zu sehen. Gerüchte, die wie bunte Luftballons über der Stadt schwebten, daß der Gouverneur und die Prinzessin schon feste Pläne für eine gemeinsame Zukunft hätten, wurden von den Reportern zu großen Wahrheiten aufgeblasen. Richard und Cinderella wurden zum aufregendsten Paar des Jahres ernannt.

»Gegen diese Burschen gibt's nur eine einzige Abwehr«, sagte Richard Yates aus seiner Erfahrung heraus, »man muß sie so ausgiebig mit Nachrichten, offenen und geheimen Wahrheiten, halben und ganzen Lügen füttern, daß sie endlich ersticken daran.«

Und er ließ dem Wort die Tat folgen, indem er zum höchsten Vergnügen der Reporter alles, was sich in Washington nur halbwegs zur großen Gesellschaft rechnete, zu einem Cinderella-Ball ins »Willard« einlud.

»Zu Ehren der Prinzessin Agnes Salm-Salm, gegeben von Seiner Exzellenz dem Gouverneur von Illinois, Mr. Richard Yates«, wie es auf den Bütten-Kartons der Einladung hieß.

Als Agnes am Arm des Gouverneurs den Festsaal betrat, stiegen die Gäste im Hintergrund auf Tische und Stühle. Dennoch sekundenlange Stille, atemberaubtes Staunen. Eine Art Schock der Bewunderung, der sich im nächsten Augenblick in frenetischem Beifall löste. Den herauszu-

fordern sie auch alles getan hatte. Sie trug ein unverant-
wortlich teures Pariser Modellkleid in der Farbe ihres
Haars. Dazu einen gleichfarbigen perlenbesetzten Sei-
denfächer. Im fallenden Lockenhaar Perlenschnüre, die
von kleinen Silberrosen zusammengehalten wurden.
Aus der von Volants überrieselten Krinoline hob sich ihr
Mädchenleib von der überschmalen Taille her wie ein
Blütenstengel auf. Wahrhaftig ein schönes Paar, der
männlich elegante Gouverneur und die anmutige Prinzessin an seiner Seite. Sie nur anzusehen war schon Be-
weis genug dafür, daß nicht nur Freundschaft diese beiden verbinden konnte.

Hinter ihrem Fächer hervor erkannte Agnes alles, was
Rang und Namen hatte in der Stadt. Von brennender
Neugier getrieben, waren selbst die ältesten Ladies der
großen Familien noch einmal in ihre Ballroben gestiegen. Steckten tuschelnd die Köpfe zusammen, als der
Gouverneur Agnes an ihren Tischen vorüber zu seiner
erhöhten Loge im Saalgrund führte, wo schon zwei
rotsamtene Fauteuils wie für ein königliches Paar bereitstanden. Agnes drängte sich schutzsuchend an seine
Seite, da sie sich im wachsenden Geflüster ringsum wie
auf einem Sklavenmarkt fühlte, während Richard Yates
heiter und unbefangen nach allen Seiten hin Freund und
Feind grüßte.

Kaum in der Loge angekommen, hob er das schon ge-
füllte Champagnerglas seinen Gästen entgegen. »Will-
kommen, Freunde. Dieses Fest ist gewidmet unserer
Landsmännin, der Prinzessin Agnes Salm, von deren
Tapferkeit an der Front Sie alle wissen, deren junge
Schönheit wir vor uns sehen. Cheerio!«

In den aufbrechenden Beifall hinein, endliche Erlösung
aus der allgemeinen Spannung, nun schon die Ballmusik.
Richard Yates eröffnete den Tanz mit Agnes, die ihn fe-

derleicht umschwebte. An ihr vorüber bewundernde, höhnische, gehässige, feindliche und freundliche Augen. Und endlich ein anklagend vorwurfsvolles Gesicht. General Fry, Provost-Marschall Fry, der mit seiner jungen Frau an ihr vorübertanzte, den um Soldaten für Felix zu bitten sie nach Washington gekommen war. Aber sie hatte ihn vernachlässigt, war ihm ausgewichen, hatte die Tage seither nur mit Richard Yates verbracht.

»Er scheint böse zu sein auf mich«, sagte sie zu ihm hinauf, dessen bärtiges Gesicht im Tanzen über ihr schwebte.

»Von wem redest du, Darling?«

»Von General Fry, um den ich mich die ganze Zeit nicht mehr gekümmert habe, weil mich ein gewisser Gouverneur wie eine Gefangene hält. Er ist so wichtig für Salm und mich auch. Ich muß –«

»Wichtig bin nur ich für dich«, unterbrach Richard Yates sie lachend.

»Sind Sie so sicher, Gouverneur?« warnte ihn Agnes.

»Seit Tagen hab' ich nichts mehr von den Soldaten gehört, die Sie mir versprochen haben.«

Und abermals sein dröhnendes Lachen. »Ihnen oder dem Prinzen?«

»Das ist doch dasselbe.«

»Für mich nicht, Agnes. Da ist ein Unterschied, auf den ich Wert lege. Und versprochen hab' ich überhaupt noch nichts, nur eine Möglichkeit angedeutet, soweit ich mich erinnere.«

»Also es wird nichts draus, um deutlich zu sein?«

Ihre Stimme hatte eine gewisse Schärfe, und er sah verblüfft auf sie hinunter. »Diesen Ton vertrag' ich nicht, Darling. Merk dir das. Richard Yates pflegt im übrigen erst ja zu sagen, wenn er sicher ist, nicht gleich darauf zu einem Nein gezwungen zu sein.«

»Ich denke, ein Gouverneur braucht nur zu entscheiden«, sagte sie ungeduldig. »Warum entscheiden Sie nicht, Richard?«

»Weil ich dazu Unterlagen brauche, weil so eine Entscheidung Hand und Fuß haben muß. Aber Oberst Jameson hatte sich verspätet mit den Papieren. Heute morgen erst ist er angekommen, und es ist alles entschieden.«

»Wie entschieden? Sagen Sie es mir, Richard. Warum spannen Sie mich so auf die Folter?«

»Mein Gott, diese Ungeduld.« Er lachte. »Ich wollte ihr die Nachricht als Geschenk auf den Balltisch legen. Aber diese Wildkatze reißt mir die Beute aus den Zähnen.«

»Heißt das, wir bekommen die Soldaten?« Ihre Augen blitzten ihn an, sie drängte sich in seine Arme. »Richard, wieviel?«

»Zweihundert Mann, wie vorausgesagt. Sie sind schon auf dem Marsch nach New York. Morgen früh um 10 Uhr liegen die Papiere und üblichen Bedingungen in meinem Büro bereit. Darf ich die Prinzessin Salm zu so früher Stunde schon erwarten?«

»Ob Tag oder Nacht – zu solcher Nachricht komm' ich zu jeder Stunde.«

»Das hätt' ich wissen müssen.«

Sie warf die Arme zurück, ließ sich fast aufheben von seinem Arm, der sie fester noch umklammerte. »Sie sind wunderbar, Richard. Ich könnte Sie küssen.«

»Warum tun Sie's nicht? Was dem Präsidenten recht ist, kann auch ein Gouverneur verlangen.«

»Zu viele Menschen beobachten uns. Nur uns. Alte Weiber mit Drachenblicken.«

»Was gehen uns alte Weiber an?«

»Auch General Fry sieht mich an. Immer noch vorwurfsvoll. Ich werde mit ihm tanzen müssen, um ihn zu versöhnen. Das seh' ich schon.«

»Protest«, sagte der Gouverneur. »Heut abend wirst du nur mit mir tanzen. Mit mir allein und sonst niemand.«

»Aber, Richard, dies ist mein Fest – oder nicht?«

»Ein Fest, das ich dir gebe. Für uns allein, verstehst du, Darling. Die anderen sind nur der Rahmen für deine Schönheit, Prinzessin.«

»Sie sind hochmütig, Richard.«

»Nein, stolz auf dich. Und das sollen sie sehen, die alten gaffenden Weiber da an den Wänden ringsum.«

Und er tat, was er sagte. Wich nicht von ihrer Seite, verscheuchte jeden Tänzer, der sich nur in die Nähe wagte, mit einem Zornesblick. Gab sogar General Frys Adjutanten, der für seinen Chef um den nächsten Tanz mit Agnes zu bitten kam, einen beinahe hohnvollen Korb.

»Mir scheint, Sie sind ein Tyrann, Richard«, protestierte Agnes, »Sie können nicht einfach über mich verfügen.«

Er lachte nur. »Über dich zu verfügen, würd' ich nie wagen. Ich versuche nur meinem Gast diese dauernden Belästigungen vom Leib zu halten.«

»Ein Tanz mit General Fry ist für mich keine Belästigung.«

»Aber ich empfinde das so, Darling.«

»Empfindungen solcher Art sollten Sie mir überlassen, Richard. Ich fange an, mich nicht als Ihr Gast, sondern schon als Ihre Gefangene zu fühlen.«

Er übersah den drohenden Ernst ihrer Augen, füllte ihr Glas mit Champagner und sagte lachend: »Gefangenschaft aus Liebe, ist das so schlimm, Darling? Laß uns trinken, cheerio. Dies ist dein Fest, und –«

Sie sprang auf. »Das *war* mein Fest. Ein hübsches Fest.

Ich danke Ihnen, Richard. Aber ich wünsche jetzt, nach Hause zu gehen.« Denn sie hatte bemerkt, daß der Gouverneur, der Champagner im Grunde als Weiberwasser ansah, schon sehr entschieden wieder zu seinem geliebten Whisky zurückgekehrt war. Und kannte darin wie andere amerikanische Männer keine Grenzen. Sie hielten es für besonders männlich, das braune Zeug, das sie haßte, wie Wasser hinunterzuschütten. Agnes hatte die dann folgende Whisky-Aggressivität, die schon aus seinen Augen drohte, aus seinen Worten torkelte, mehr als einmal fürchten gelernt.

Ohne auf seine Antwort zu warten, lief sie durch den Saal zum Ausgang hin. Eine offensichtliche Flucht, wie Gäste und Reporter mit freudiger Neugier erkannten. Und Richard Yates, der Agnes nachlief, versuchte nicht im geringsten, diesen Eindruck zu vermeiden oder auch nur abzuschwächen.

»Richard, was fällt Ihnen ein!« protestierte sie, als er ihr unbekümmert auch in den Drawing-Room folgte, wo sie sich gerade ihren samtenen Kapuzenmantel über die Schultern warf.

»Bleiben Sie, Agnes!« befahl er mehr, als er bat, und versuchte, ihr den Mantel wieder abzunehmen. »Ich hab' noch mit Ihnen zu reden. Über etwas sehr Wichtiges – das Wichtigste überhaupt.«

Sie trat vor ihm zurück. »Nein, Richard. Sie scheinen mir gar nicht mehr in der Lage zu sein, wichtige Dinge zu besprechen.«

»Wenn das heißen soll, daß Sie mich für betrunken halten, muß ich Ihnen sagen, daß Sie eine verdammte Art haben, einen Mann wieder nüchtern zu machen.«

»Was für eine verdammte Art ist das?«

»Na, diese Augen zum Beispiel, mit denen Sie mich jetzt ansehen.«

Sie schüttelte abweisend den Kopf. »Das bilden Sie sich ein, weil Sie selber fühlen, daß ich im Recht bin, wenn ich jetzt gehe. Was also haben Sie mir Wichtiges zu sagen?«

»Es handelt sich um einen Vorschlag«, sagte er so gelassen, als spräche er über das Wetter, »werden Sie meine Frau.«

Verblüfft sah sie ihn an. »Ich bin verheiratet, Richard. Wie denken Sie sich das?«

»Man kann sich scheiden lassen.«

»Ich nicht.« Sie lächelte. »Ich liebe meinen Mann.«

Mit einem Schritt war er bei ihr, riß kniend ihre beiden Hände an sich, bedeckte sie stammelnd mit Küssen. »Agnes, ich brauche dich, so wie du mich brauchst. Wir gehören zusammen. Du weißt es, und ich will es . . .«

»Nie, niemals«, stieß sie hervor, so als wolle sie damit auch das leiseste Gefühl, das sie einmal für ihn empfunden hatte, in sich ersticken. »Ich gehöre zu meinem Mann. Nur zu ihm.«

»Denk an New York, an das Fest, als wir uns zum erstenmal sahen. Ich liebe dich, Agnes – und . . .«

Sie entriß ihm ihre Hände, trat weit vor ihm zurück. »Du kannst gar nicht lieben, Richard Yates. Du kannst nur besitzen, befehlen, beherrschen. Aber nicht mich. Ich will jetzt nach Hause gehen.«

Er stand auf, ohne sie anzusehen. »Gut, ich werde dich begleiten.«

»Nein, das soll Major Howard tun. Er hat mich auch abgeholt.«

»Wie Sie wollen, Prinzessin«, sagte der Gouverneur, öffnete die Tür und gab ihr den Weg frei.

Als Agnes am nächsten Morgen zur verabredeten Zeit sein Arbeitszimmer betrat, kam ihr Richard Yates mit ausgestreckten Händen entgegen. Lächelnd, als wäre der vorhergehende Abend gar nicht gewesen. »Willkommen, Prinzessin. Ich fürchtete schon, sie könnten unsere Verabredung vergessen.«

»Ich vergesse nichts, Gouverneur.«

Er sah ihr in die Augen. »Ich auch nicht, Prinzessin.« Im nächsten Augenblick wandte er sich seinem Schreibtisch zu und hob ein in Leinwand gebundenes Schriftstück auf. »Hier sind die Papiere und Soldlisten der dem 68. New Yorker Regiment schon überstellten Soldaten aus Illinois. 230 Mann. Darf ich Sie bitten, in diesem Fall mein Kurier an Oberst Salm zu sein?«

»Ich danke Ihnen in seinem Namen«, sagte Agnes bewegt und streckte ihre Hände aus – zitternde Hände –, um die Papiere an sich zu nehmen. Aber er legte sie auf den Schreibtisch zurück.

»Einen Augenblick noch, Prinzessin. Sie sollen wissen, daß mir sehr viel an diesen jungen Männern gelegen ist. Das sind brave Burschen, die ich nicht so ohne weiteres irgendeinem New Yorker Kürbiskopf ausliefern will . . .«

»Oberst Salm ist ein guter Kommandeur«, unterbrach ihn Agnes.

»Das weiß ich.« Yates lächelte ihrem Eifer entgegen. »Aber er ist für das ganze Regiment verantwortlich und kann sich darum nicht so um meine Jungen kümmern, wie ich das möchte. Deshalb hab' ich mich entschlossen, dem Kontingent einen Offizier beizugeben, der mein besonderes Vertrauen hat.«

»Damit wird Oberst Salm bestimmt einverstanden sein«, sagte Agnes.

»Muß er auch«, knurrte Richard Yates, hob sich unvermittelt zu ganzer Größe auf und fuhr feierlich fort: »Agnes Winona Leclerq Salm, mit heutigem Datum ernennt Sie der Gouverneur von Illinois mit allen Rechten und Pflichten und dem diesem Rang entsprechenden Sold zum Kapitän im Illinois-Kontingent der Armee der Vereinigten Staaten von Amerika.«

»Mich?«

»Ja, Sie. Was erschreckt Sie daran?«

»Ich denke . . . ich meine . . .«, stammelte Agnes, »die Leute werden sagen, der Gouverneur von Illinois muß mal wieder betrunken gewesen sein, als er . . .«

»Das geht mich einen Dreck an, was die Leute meinen«, unterbrach er sie wütend, »und außerdem bin ich lange nicht mehr so nüchtern gewesen wie an diesem Morgen, verstanden.«

»Aber – eine Frau als Offizier«, stotterte Agnes weiter, »das ist doch unmöglich, das hat's in der amerikanischen Armee noch niemals gegeben.«

»Von heute an gibt's das eben, und nun keinen Widerspruch mehr!« entschied er und streckte ihr die Hand hin. »Kapitän Agnes Salm, schwören Sie mir, jederzeit tapfer und gehorsam Ihre Pflichten als Offizier zu erfüllen.«

»Ich schwöre«, schlug Agnes ein, hing im nächsten Augenblick an seinem Hals und küßte ihn zwischen die Augen. »Oh, Richard, ist das ein Traum?«

»Kein Traum, Cinderella.« Er lachte und wollte sie fester an sich ziehen.

Da war sie ihm schon zur Tür hin entwischt.

»Kapitän!« donnerte er ihr nach. »Wollen Sie nicht Ihr Patent und diese Soldlisten mitnehmen?«

Agnes blieb an der Tür stehen, wandte sich um. »O mein Gott, ja.«

Er brachte ihr die Papiere nach. »Immer klaren Kopf behalten, Kapitän.«

Sie nahm die Papiere und drückte sie mit beiden Armen

an sich, wobei Richard Yates abermals versuchte, Agnes an sich zu ziehen.

Sie strahlte ihn an. »Immer klaren Kopf behalten, Gouverneur. Man küßt keinen Kapitän!« Und rannte an dem überraschten Major Howard vorüber, der gerade die Tür öffnete, seinem Chef neue Akten zu bringen, lachend auf den Gang hinaus ihrer neuen Zukunft entgegen.

Kapitän Agnes Salm.

Sie lachte vor sich hin.

Was würde Felix sagen?

»*Gott schütze Sie, Kapitän Salm!*«

Agnes nahm ihren neuen Rang sehr ernst. Fühlte sich mit allen Rechten und Pflichten eines Offiziers der Armee zugehörig, in ihr geborgen. Doch wenn sie sich manchmal überraschend im Spiegel begegnete – ein 19jähriger knabenhafter Hauptmann in engsitzender blauer Uniform mit blauem Käppi auf dem dunklen Haar –, glaubte sie zu träumen, lachte ihrem Spiegelbild entgegen, das ihr lächelnd ihre neue Wirklichkeit bestätigte.

Ihre Uniformen, nicht mehr vom »böhmischen Wenzel«, sondern vom besten Schneider der Hauptstadt gearbeitet, erregten Aufsehen bei den jungen Offizieren. Besonders eine zweite Uniform, aus silbergrauem Leinen, für die Hitze des Südens gedacht, fand begeisterte Nachahmer, wurde geradezu zum Modell für neue Offiziersequipierungen.

Felix indes hatte die Beförderung, die von allen Zeitungen in großer Aufmachung gebracht worden war, für einen Witz gehalten. »Darf ich meinen kleinen Kapitän denn noch in die Arme nehmen?« rief er Agnes grinsend entgegen, als er sie bei der Rückkehr aus Washington auf dem Bahnhof in New York empfing.

»Ich erwarte Befehle von Ihnen, Herr Oberst, keine lächerlichen Fragen!« blitzte sie ihn an.

»Dann befehl' ich Ihnen, Kapitän, mich sofort zu küssen.«

Unbekümmert um die Reporter ringsum, warf ihm

Agnes die Arme um den Hals. »Ach, Felix, daß ich wieder bei dir bin.«

Und als sie wenig später im regimentseigenen Dogcart in die Bondstreet fuhren, hörte er lächelnd zu, was sie ihm alles über die aufregenden Tage in Washington zu erzählen hatte.

Ein Bericht, in dem der Name Richard Yates kaum vorkam. Und Felix fragte auch nicht danach, obwohl die Washingtoner Zeitungen nur allzu deutlich über das Verhältnis Gouverneur-Prinzessin zu plaudern wußten. Seine Liebe bestand aus grenzenlosem Vertrauen in Agnes und gab ihr jede Freiheit, die sie für sich als wichtig empfand. Er erkannte nur das als Wahrheit, was Agnes selber ihm sagte, und nicht, was immer die Zeitungen von ihr berichten mochten. Und es kam der Name des Gouverneurs nur einmal von seinen Lippen, als er Agnes zu Hause stolz von seinem 68. Regiment erzählte, das mit 1000 Mann die geforderte Kriegsstärke schon weit überschritten hatte und jeden Tag den Einsatzbefehl erwartete. »Die beiden Illinois-Kompanien von Gouverneur Yates sind die besten Soldaten, die ich je unter meinem Kommando hatte. Ich bin ihm sehr dankbar.«

»Richard Yates ist selber stolz darauf«, sagte Agnes eifrig. »Er hielt es für notwendig, seinen Jungs einen Vertrauensoffizier beizugeben.«

»Den Kapitän Agnes Salm, ich weiß«, bestätigte Felix mit gespieltem Ernst. »Ich habe diesen Offizier mit besonderem Vergnügen in die Stammrolle des Regiments eingetragen.«

»Hoffentlich auch in die Soldliste?«

»Auch in die Soldliste.« Felix nickte und sah Agnes lachend an. »Wenn du so weitermachst, wirst du noch vor mir General. Das wäre furchtbar.«

»Warum?«

»Unsre Ehe wäre gefährdet. Wie könnt' ich dich noch küssen oder gar umarmen, wenn du mit drei Sternen am Nachthemd neben mir im Bett liegst?«

»Kein Problem, Oberst, ich gehe ohne Hemd ins Bett.«

»Aber das tust du doch jetzt schon.«

»Ja eben, mein dummer großer Prinz. Damit will ich dir doch nur sagen, daß sich, was immer geschieht, zwischen uns nichts ändern kann. Auch nicht, wenn du in diesem Jahr noch General werden solltest.«

»Wer das glaubt?«

»Ich«, sagte Agnes entschlossen, »ich verspreche es dir. Ich werde dafür sorgen.«

Er hob die Arme zum Himmel auf. »O großer indianischer Gott, was ist das für eine Armee, in der diese Hexe einfach so herumkommandieren darf!«

»Wer spricht von Kommandieren, Oberst? Ich rede ein wenig da und dort, ich lächle, wenn es sein muß, und überzeuge am Ende.«

»Nein, du verzauberst sie alle, Senatoren, Generäle, den Präsidenten sogar, so wie du mich verzauberst.«

Lachend fielen sie sich in die Arme und küßten sich, bis aus den Küssen Begierde flammte, und es waren der Oberst und sein Kapitän, zu Boden und ineinanderstürzend, nur noch ein Mann und eine Frau. Zwei leidenschaftlich Liebende. Unersättlich.

Am nächsten Tag schon kam der so lange ersehnte Marschbefehl für das 68. New Yorker Freiwilligenregiment. Nach eindrucksvoller Parade wurde es in Washington in die Armee eingemustert und als Verstärkung für General Sherman, der sich im fernen Chattanooga mit dem Rebellengeneral Sheridan herumschlug, zunächst nach Louisville verladen. Erstes Marschziel war sodann General Shermans Hauptquartier in Nashville, von wo aus die Achtundsechziger in die verbissenen Kämpfe am Tennessee eingreifen sollten.

Dumpf und schwül lastete dieser 8. Juni 1864 über Washington, an dem Agnes das Regiment zum Bahnhof geleitete. In grauer Uniform, mit bis zum Knie geschlitztem Reitrock, unter dem die Lackstiefel glänzten, ritt sie neben Felix gleich hinter der Musikband, in deren Takt sie ihren Hunter durch die Straßen tänzeln ließ. Wenn auch Soldaten und Pferde in der brütenden Hitze kaum atmen konnten, sich immer schwerer vorwärts schleppten, Agnes fühlte sich leicht wie selten zuvor. Das Abenteuer vor sich, Felix neben sich, tausend Mann hinter sich – das war Lebenserfüllung, das war Wirklichkeit und Traum zugleich.

In solcher Stimmung fiel ihr der kurzgeplante Abschied von Felix und vom Regiment, den Pflichtgefühl ihr auferlegte, nicht besonders schwer. Sie hatte bemerkt, daß Felix sich zwar erfolgreich um die Bewaffnung des Regiments, weniger aber um dessen sanitäre Ausrüstung gekümmert hatte. Der junge Regimentsarzt Dr. Braun, dem ihre Erfahrung fehlte, hatte sich gerade so mit dem Nötigsten abspeisen lassen. Ihrem Gedächtnis indes waren die Erlebnisse mit Dr. Fröhlich, die blutigen Tage und Nächte von Chantilly so tief eingebrannt, daß sie ähnliches nicht noch einmal erleben wollte. Sie forderte die doppelte Anzahl an Sanitätszelten, um Seuchenkranke und Operationsfälle voneinander trennen zu können. Dazu Verdreifachung der Morphium- und Medikamentenmenge. Außerdem ein Reservezelt.

»Niemand wird dir das bewilligen«, sagte Felix und fand sich schon wenige Tage später mit dem abschlägigen Bescheid des zuständigen Beamten der Sanitätskommission in dieser Ansicht bestätigt.

272

Agnes las den Wisch mit gerunzelter Stirn, kaute eine Weile nachdenklich auf ihrer Unterlippe herum und verkündete sodann: »Nun erst recht. Ich bleibe jetzt so lange in Washington, bis ich bekomme, was das Regiment braucht. Ich werde selber mit Frederick Law Olmstedt sprechen.«

»Wenn er dich empfängt.«

Selbstbewußt warf sie den Kopf auf. »Den Mann gibt's nicht, der mich nicht empfängt. Ich will ja nichts für mich.«

»Das ist wahr.« Felix nickte und befahl, da er an ihrem schließlichen Erfolg nicht zweifeln konnte, daß der Regimentsadjutant Hauptmann von der Gröben und zehn Mann der Sanitätsabteilung bei Agnes zurückbleiben sollten, um ihr beim späteren Transport der Sanitätsgüter behilflich zu sein.

So war alles geregelt, als Agnes zum letzten Abschied noch einmal an den offenen Waggons entlangritt, in denen die Soldaten zusammengepfercht waren. Sie winkten ihr zu und erinnerten in übermütigen Sprechchören daran, als wichtigstes Medikament möglichst zahlreiche Fässer voller Rum und Whisky mitzubringen. Was Agnes genauso übermütig versprach. Ein letztes Händeschütteln den Waggon entlang mit »ihren Söhnen aus Illinois«, die letzte Umarmung mit Felix, und der lange Zug setzte sich in Bewegung. Agnes ritt noch einige hundert Meter neben dem Kommandowagen her, aus dem Felix zu ihr herübersah, bis sie auf einer Anhöhe verhielt. Ein letztes Lächeln, die Hand an den Lippen, und das geliebte Gesicht verschwand im Dunst des Juninachmittags, der mit den Rauchschwaden der beiden Lokomotiven ineinanderschwoll. Gelächter, noch eben so nah, Gestammel des Abschieds – verklungen, verweht, als wären sie nie gewesen. Langsam, in sich versunken, ritt Agnes in Dallahs Haus zurück, wo sie wieder einmal das vertraute Gartenzimmer bezogen hatte. In ein heiteres Haus, das vom plappernden Daseinsglück des kleinen Jan in allen Winkeln widerhallte. Und tiefer als je brach diese, wie sie nun wußte, unerfüllbare Sehnsucht nach einem Kind von dem geliebten Mann, dieser geheimste Schmerz immer dann in ihr auf, wenn Dallah ihr mit dem jauchzenden Sohn auf dem Arm strahlend entgegenkam. Dem zu entgehen, war Agnes entschlossen, ihre selbstgewählte Aufgabe so schnell wie nur möglich hinter sich zu bringen, um dem Regiment endlich folgen zu können. »Du wirst Wochen brauchen, nur die Hälfte von dem zu bekommen, was du dir in den Kopf gesetzt hast«, hatte ihr Felix beim Abschied gesagt. Sie freute sich jetzt schon darauf, ihm zu beweisen, daß sie in Tagen zu erledigen vermochte, was er in Wochen zählte. Doch sollte diese Absicht, ohne ihr Verschulden, schon bald an der grausamsten Wirklichkeit scheitern.

Zunächst indes ließ sich alles gut an. Frederick Law Olmstedt, in ganz Amerika als Schöpfer des New Yorker Centralparks bekannt und gerühmt, empfing sie noch am gleichen Tag, an dem sie ihm ihre Karte hatte zukommen lassen. Er war von Abraham Lincoln seines Organisationstalents wegen gleich nach Kriegsausbruch zum Chef des Sanitätswesens ernannt worden und hatte in diesem Amt schon Wunder vollbracht. Leicht montier- und transportierbare Zelte, ebensolche Tragbahren, federnde Ambulanzwagen, in denen man die Bahren nur einzuhängen brauchte, Eisenbahnzüge mit stoßfreien Achsen, die in ihrer ganzen Ausstattung mit Verpflegungs- und Operationswagen rollenden Lazaretten glichen, sowie die riesige Flotte weißer Hospitalschiffe, die ihre blutige Fracht, über alle Flüsse des

Kampfgebiets hin, schnell errichteten Lazarettzeltstädten entgegentrugen. Dies alles war Frederick Law Olmstedts Werk, das allen Armeen der Welt später zum Vorbild diente.

Bewegt bedankte sich Agnes bei dem auf den ersten Blick so unscheinbaren Mann, daß er so schnell schon Zeit gefunden habe, sie zu empfangen.

Er strahlte sie aus seinen guten Augen an. »Ich bin es, der zu danken hat, Prinzessin. Sie wissen hoffentlich, daß viele Verbesserungen im Sanitätswesen, die wir jetzt eingeführt haben, auf Ihre Anregungen zurückgehen.«

»Nein, davon weiß ich nichts«, erwiderte Agnes erstaunt. »Wir haben uns doch niemals gesprochen, Mister Olmstedt.«

Er lächelte. »Mit genügte es, aufmerksam die Berichte zu studieren, die Sie nach Ihrer Rückkehr von der Rappahannok-Front den New Yorker Reportern gaben, von denen Sie damals heimgesucht wurden.«

»Wahrhaftig, Heimsuchung ist das richtige Wort für diese Überfälle.«

»Immerhin verdanken wir ihr die neuen durchlüftbaren Zelte, die eine bessere Trennung der Seuchen- von den Operationsfällen erlauben. Dazu die leichten Ambulanzwagen, die auf dem Gefechtsfeld besser manövrierbar sind. Und vieles andere noch, für das ich mich tief in Ihrer Schuld fühle, Prinzessin. Was kann ich für Sie tun?«

Oh, sie hatte eine lange Liste von Wünschen, deren Erfüllung er ihr ohne Zögern zusagte. Von allem Material sollte das Regiment ihres Mannes die neueste Ausführung bekommen, wozu es allerdings einiger Geduld bedürfe, bis alles zusammen sei. Agnes versprach solche Geduld aufzubringen, auch wenn sich damit die Voraussage von Felix erfüllen sollte, daß bis zu einem Wiedersehen Wochen und Monate vergehen sollten. Indes war in diesem Fall die Qualität der Lieferung ja wohl ihrer Schnelligkeit vorzuziehen.

Es hatten um diese Zeit Senat und Repräsentantenhaus auf Antrag des Präsidenten den Rang eines Generalleutnants in die Armee wiedereingeführt. Befördert dazu und somit Oberkommandierender an allen Fronten wurde General Ulysses S. Grant, der bei Vicksburg die erste »bedingungslose Übergabe« des Bürgerkriegs von den Rebellen gefordert und erhalten hatte.

Anläßlich der Amtseinführung des neuen Oberkommandierenden gab der Präsident einen Empfang im Weißen Haus, an dem Agnes auf Einladung ihres alten Freundes, des Senators Harris, ebenfalls teilnahm. Und dabei fand sie gute Gelegenheit, Ulysses Grant unbemerkt zu beobachten, wie er breitschultrig gedrungen, eine Zigarre im schmallippigen Mund, finster blickend durch die Zimmer stapfte. Jedem Gespräch, jeder Begegnung, jeder Frage sich aufs unhöflichste verweigernd.

Einige Senatoren traten an Lincoln heran. »Dürfen wir erfahren, Mister Präsident, welches strategische Konzept der neue Oberkommandierende hat, die Rebellen zu schlagen?«

»Danach sollten Sie General Grant selber fragen«, schlug Lincoln vor.

»Das haben wir schon getan. Aber er sagt uns nichts.«

»Dann geht's Ihnen wie mir, Gentlemen, mir sagt er auch nichts.«

Mit ihrer scharfsichtigen Beobachtungsgabe, die manchmal einen Zug jugendlich-naseweiser Arroganz aufwies, schrieb Agnes an Felix: »General Grant saugte an seiner Zigarre und verhielt sich den Leuten gegenüber völlig gleichgültig. Dabei stelzte er durch die Salons, als ob er beim nächsten Schritt auf die Nase fallen wolle. Zäh und brutal, wie er ist, scheint er sich aus dem Leben der anderen nicht das geringste zu machen. Aber er versteht es, den Mund zu halten. Eine Schweigsamkeit, die ihn klüger erscheinen läßt, als er vermutlich ist. Viele, die mit ihm bekannt sind, sagen, er hielte seinen Koffer so sorgsam verschlossen, um nicht verraten zu müssen, wie wenig darin ist.«

Ein Porträt, dessen Grundzüge jene Beobachter bestätigten, die General Grant während der furchtbaren Kämpfe in »The Wilderness«, jenem Sumpfland zwischen Rapidan, Rappahannok und North Anna, erlebten, wo er seine dezimierten, in Auflösung fliehenden Regimenter mit unerschütterlicher Härte immer wieder gegen die stählerne Front General Lees in die blutgetränkten Sümpfe zurücktrieb. »Ich werde es auf dieser Linie ausfechten, und wenn es drei Jahre dauert«, hatte er dem Präsidenten erklärt. Und er setzte es durch. Mit den blutigsten Opfern, die dieser grausamste aller Bürgerkriege bis dahin schon gekostet hatte. Allein in den ersten vier Wochen verlor Grant über fünfzigtausend Mann.

Zuerst kamen die Gerüchte nach Washington, und dann landete die Flotte der weißen Lazarettschiffe Tag um Tag ihre Elendsfracht am Ufer des Potomac. Die Hauptstadt, kochend in der Sommerhitze Virginiens, hielt den Atem an, wenn die Ambulanzen in unaufhörlichem Zug von den Quais herauf der Lazarettstadt entgegenrollten, die Mister Olmstedt hinter Soldiers Home hatte errichten lassen. Das große Sterben nahm kein Ende. Und warf ganz nebenbei auch alle Hoffnungen, Pläne, Berechnungen, die Agnes angestellt hatte, über den Haufen.

Zwei Tage vor der festgesetzten Abreise wurden die Ambulanzwagen, Zelte und Ausrüstungen, die schon an sie ausgeliefert worden waren, wieder beschlagnahmt. Sosehr Olmstedt bedauerte, ihm blieb keine Wahl.

Und auch Agnes blieb keine Wahl. Einmal nur hatte sie die Quais besuchen wollen, um zu helfen, wo Hilfe gebraucht wurde. Und war sogleich in den roten Sterbensstrom hineingesogen worden bis an seinen tiefsten Grund. Draußen auf den Quais, Fallreeps und Niedergängen gab es Helfer genug. Im Bauch der Schiffe jedoch blieben die Sterbenden, die immer nur in den Nächten ausgeschifft wurden, sich selber überlassen. Agnes stieg in ihre Hölle hinunter, tiefer und tiefer. Diesem Gestank entgegen, den sie kannte, der in ihrer Erinnerung brannte, der ihr den Atem nahm und sie vor Ekel schüttelte, dieser heiße Schwall aus Blutgeruch, Todesschweiß, Eiter und Urin. Ihm entgegen, ohne zu fliehen, wie alles in ihr schrie. Und stand ihnen plötzlich wieder gegenüber, den hohlen Augen der Todesangst, der Sterbensmattigkeit. Staunend, ungläubig hoben sich ihr fahle schmale Gesichter entgegen, fieberheiße Hände, von denen sie weitergezogen wurde. Burschen ihres Alters sie alle, noch nicht zwanzigjährig. Geboren, mit ihr zu tanzen, und starben nun an ihrer Hand. Sie strich diesem über das schweißnasse Haar, kühlte dem nächsten die fiebernde Stirn. Schöpfte Wasser aus den großen Fässern im Gang und netzte die trockenen Lippen, die Todesworte stammelten. Grüße an die Mutter daheim, die Agnes sorgsam aufschrieb und der Post zu übergeben versprach. Sie kannte das alles. Wie oft schon hatte sie sich so über eine Bahre gebeugt, dem flüsternden Abschied gelauscht, und es war noch jedesmal ein neues, einmaliges Sterben gewesen. Menschenleid.

»Dort wendet sich einer mir zu, ruft mich zu sich mit
seinen Blicken.
Hart röchelnder Atem, glasig gebrochenes Auge, qual-
volles
Ringen ums Leben.
Doch Sterben mußt du. Es gibt kein Entrinnen für dich.
Sanft leg' ich meine Rechte auf deine Stirn, du mußt sie
fühlen.
Ich rede nicht auf dich ein, beug' mich dir zu, verhülle
halb mein Haupt.
Ruhig sitz' ich bei dir, bin dir Vater und Mutter, sei ohne
Angst, ich bleibe dir treu.«
Mein Gott, wie ferne die Zeit, da dies alles begann, da
wir den Frühling noch sahen, noch lachten und tanzten.
Verloren dies alles, verlorene Zeit der Jugend und auch
wir selber Verlorene nun.
Agnes fühlte sich dem Zusammenbruch nahe, konnte
sich kaum noch auf den Beinen halten, wollte fliehen,
aber neue Hände hielten sie fest, zogen sie immer wieder
in das dunkle Sterben hinein. Als die Bahrenträger in der
Nacht kamen, die Toten hinauszutragen, fanden sie
Agnes im tiefsten Erschöpfungsschlaf neben einem
blonden Jungen, der noch im Tod ihre Hand hielt, auf
einer Bahre liegen. Die Männer weckten sie auf, stützten
die Taumelnde und brachten sie an Land, wo sie tief die
kühle Nachtluft atmete. Wie aus Schreckensträumen erwacht, nahm sie im Zelt der Pfleger etwas Brot und
Milch zu sich, war schon entschlossen, nach Hause zurückzukehren, um auszuschlafen, als im gleichen
Augenblick das nächste Lazarettschiff an der Mole festmachte. Und abermals stieg sie in die rote Hölle hinunter, in die blutdampfende Unterwelt des Todes. Sie
konnte nicht anders.
Sooft es ihm seine Präsidentenpflichten erlaubten, ließ

sich Abraham Lincoln in diesen Tagen zu den Quais hinunterfahren, um die weißen Schiffe zu empfangen, Kapitänen, Ärzten, Pflegern Dank zu sagen und den Verwundeten, die an Land auf die Ambulanzwagen verladen wurden, ein tröstendes Wort. Und meist begleitete er die Leidenszüge dann durch die Straßen der Stadt, barhäuptig im offenen Wagen, bis hinaus nach Soldiers Home. So als wollte er sich ausdrücklich zu den Opfern bekennen, zur blutigen Frucht des Krieges, die auch sein Befehl hatte heranreifen lassen. Mit gebeugtem Haupt, auf breiten Schultern trug er offen seine Schuld und Verantwortung, die Amerikas Zukunft bedeuteten.

Als Agnes zum viertenmal ein Schiff verließ, aus dem man den letzten Toten, der in ihren Armen gestorben war, herausgetragen hatte, war auch der Präsident gekommen. Ging da an einer Reihe Bahren entlang, um den Verwundeten die Hand zu schütteln, Ärzte und Pfleger zu begrüßen. Nicht weit davon, inmitten der Brücke, saß Agnes auf dem sonnenwarmen, verwitterten Bohlenholz im schweren Morgenlicht. Die Nacht hatte kaum Abkühlung gebracht, und schon wieder flirrte die Hitze über das Hafenbecken hin. Teergeruch. Grelles Möwengelächter um sie her, über sie hin. Ein neues Totenschiff schob sich an die Mole heran. Brackwasser hob sich bleiern auf, zerstob dunkel an den Duckdalben, gurgelte wütend unter den Pfosten herauf, als wollte es die zitternde Brücke mit sich reißen. Hinunter in irgendein Nichts.

Agnes hätte sich nicht gewehrt. Es wäre ein Ende gewesen. »Ich kann es nicht mehr ertragen!« Hatte sie das nicht in den Todeszelten von Chantilly geschrien? Jetzt konnte sie nicht einmal mehr schreien.

Todmüde, kaum atmend, hockte sie im lastenden Licht. Nur ein Bad jetzt, dachte sie und hungerte nach Schlaf.

Langem Schlaf ohne Erwachen. Sie war unfähig aufzustehen, auch nur einen Schritt vorwärts zu gehen, ohne gleich wieder hinzustürzen. Und versank immer tiefer in sich selber. Fühllos, wesenlos, körperlos, als ginge der leise Wind durch sie hin.

Über die Bohlen heran langsame Schritte. Immer näher. Und plötzlich über ihr seine dunkle Stimme: »Seit wann gehören Sie denn hier zu den Helfern, Madame?«

Agnes hob ihm das Gesicht entgegen, sah ihn lange an, ehe sie leise sagte: »Seit dem ersten weißen Schiff, das hier ankam, Mister Präsident.« Sie stand nicht auf, machte keine Anstalten zu einem ihrer berühmten Knickse. Sie war viel zu müde dazu. Und es wäre ihr lächerlich erschienen in diesem Augenblick. Dem Präsidenten wohl auch.

»Wie kommt es dann, daß wir uns noch nie getroffen haben hier draußen?«

»Ich denke, es wird daran liegen, daß ich immer im Bauch der Schiffe bin, da unten, wo die Sterbenden liegen, die nur in der Nacht ausgeladen werden.«

»Sie allein?«

Agnes nickte. »Zwei Damen wollten mir helfen. Sie sind in Ohnmacht gefallen.«

»Wollen Sie damit sagen, daß ich nicht alles sehe? Daß ich noch tiefer steigen muß, wenn ich die Schiffe besuche?«

Sie sah ihn an – diese Erschöpfung in seinem Gesicht, diese Einsamkeit in müden Augen, die Schultern vorgebeugt, Schweißtropfen auf seiner Stirn – und sagte: »Sie nicht, Mister Präsident. Sie dürfen das niemals sehen. Es ist unerträglich.«

»Ach, wissen Sie, ich muß so vieles ertragen – und das dazu –«

»Das nicht, Mister Präsident«, unterbrach sie ihn, »das

da unten nicht – sie sterben zu sehen, ohne helfen zu können – sie sind so alt wie ich – Brüder, Freunde – es ist entsetzlich . . . Sie würden nichts mehr entscheiden, keine Befehle mehr geben können, Mister Präsident. Sie würden verstummen.«

Er sah auf sie hinunter, wischte sich mit fahriger Bewegung den Schweiß von der Stirn und setzte seinen Zylinderhut wieder auf, den er in der Hand gehalten hatte. »Ich denke, wir haben uns schon lange nicht mehr gesehen?«

Agnes nickte. »Ja, schon lange nicht mehr.«

Aber sie wußten beide, daß eher das Gegenteil stimmte. Beim Empfang für General Grant hatte Agnes im allgemeinen Gedränge nur wenige Meter entfernt plötzlich vor Lincoln gestanden. Sie wartete darauf, daß er sie, wie üblich, zu sich heranwinken würde. Mußte jedoch erleben, daß er sich im Augenblick, da er sie wahrnahm, auch schon wieder von ihr abwandte. Sehr deutlich und unübersehbar. Sie brauchte nicht nach dem Grund solch offener Brüskierung zu suchen. Mary Lincoln war nicht müde geworden, in aller Welt zu verkünden: »Der Präsident ist wütend über die Komödie, die sich Richard Yates und die Prinzessin Salm da erlaubt haben. Er sagt, eine Kapitänsuniform sei schließlich keine Maskerade. Ich werde die Prinzessin nicht mehr empfangen. Eine verheiratete Frau, die sich von Richard Yates, diesem Schürzenjäger und Trunkenbold, einen Ball im ›Willard‹ geben läßt – nein, das ist geschmacklos, das ist unmöglich. Dafür gibt es keine Entschuldigung, meine Damen.« Und alle stimmten ihr zu.

Ihre Augen begegneten sich, und Agnes wußte, daß der Präsident das gleiche dachte wie sie selbst. »Mister Yates hat mich überrumpelt«, sagte sie. »Was hätte ich tun sollen?«

»Mein Haus ist offen. Sie haben doch sonst immer den Weg zu mir gefunden.«

»Ich dachte, Sie hätten anderes zu tun, Mister Präsident. Wichtigeres, als mir Wünsche zu erfüllen, um die ich mich selbst bekümmern konnte. Es handelte sich um zweihundert Mann, die Oberst Salm noch brauchte, um sein Regiment an die Front führen zu können. Gouverneur Yates gab sie mir. Das ist alles.«

»Um welchen Preis?«

»Um keinen, der ihn oder mich beschämen könnte. Seine einzige Forderung war, mich um diese Jungen aus Illinois zu kümmern.«

»Und warum sind Sie nicht bei Ihrem Regiment?«

»Bei dem Regiment meines Mannes, meinen Sie, Mister Präsident? Das ist ganz einfach. Ich warte darauf, daß Mister Olmstedt unsere Sanitätsausrüstung wieder freigibt, die jetzt hier noch gebraucht wird. Sobald das geschehen ist, breche ich auf nach Nashville.«

Er nickte. »Wir haben schwere Kämpfe am Tennessee.«

»Ich weiß, Mister Präsident. Ich fühle, wie sie dort warten auf mich, auf die Zelte, auf die Medikamente, auf alles. Aber was soll ich tun?«

Er sah auf sie hinunter, auf dieses Häufchen Elend mit müden Augen, eingefallenen Wangen, verschwitztem Haar. Ein kleines gejagtes Mädchen, das nach Schutz zu suchen schien und in nichts mehr an jene strahlend selbstsichere Prinzessin Salm erinnerte, die er von seinen Empfängen kannte.

»Wie lange sind Sie jetzt schon hier unten?«

»Ich glaube, vier Tage und drei Nächte – eine Ewigkeit, scheint mir.«

»Es ist zu viel für Sie, Agnes. Es geht über Ihre Kraft. So erschöpft hab' ich Sie noch nie gesehen. Kommen Sie mit mir jetzt. Mein Wagen bringt Sie nach Hause.«

283

Sie sah ihn an und schüttelte langsam den Kopf. »Was ist Erschöpfung gegen diesen Tod? Gegen dieses Sterben da unten?« Sie stand auf und wandte sich dem weißen Schiff zu, das nun als nächstes an die Brücke geholt wurde. »Ich muß zu ihnen. Ich weiß, sie warten auf mich. Nein, nicht auf mich. Auf irgendeinen, der ihre Hände hält.« Er sah, wie ihr Knabenkörper sich straffte, wie Geist und Kraft ihrer Jugend die Erschöpfung überwanden. Und sah auch das scheue Lächeln in ihren Augen, als sie leise sagte: »Ich danke Ihnen, Mister Präsident, daß Sie wieder mit mir geredet haben.«

Da lächelte er ebenfalls und neigte kaum merklich den Kopf. »Gott schütze Sie, Kapitän Salm!«

Sie ging langsam zu dem Schiff hinüber, auf dem jetzt die Fallreeps ausgeworfen wurden.

Von dorther sah sie sich noch einmal um. Er stand noch immer auf der Brücke – eine hohe schwarze Gestalt im Morgenlicht – und hob nun seinen Zylinder auf. Zu ihr hin.

Sie winkte zurück. Aber das konnte er wohl kaum erkennen. Dann ging er über die lange schwankende Brücke hin zu seinem wartenden Wagen zurück. Sehr langsam, fast ein wenig taumelnd, als könne er die unsichtbare Last auf seinen Schultern kaum noch tragen.

Hexenritt und Höllenfahrt

Eines Morgens aber war alles vergessen. Die weißen Schiffe, der Blutgeruch, das Stöhnen der Sterbenden hinter ihr. Agnes genoß – mit aller Anmut, allem Übermut ihrer neunzehn Jahre – diese blauseidenen Sommertage, in denen der Krieg, trotz aller Opfer, ein Fest zu sein schien, rauschhafte Heiterkeit und Daseinslust. Wohin sie auch kam – »der schönste Kapitän der Armee« wurde von immer neuer Verehrung der Generäle, von der Bewunderung der Stabsoffiziere, von der Anbetung der Leutnants empfangen. Und sie flirtete, was das Zeug hielt, nach allen Seiten, um die Hindernisse zu überwinden, die sich auf der Reise zu ihrem Regiment, zu ihrem Felix immer höher vor ihr aufzurichten schienen.

Mit einigen Augenaufschlägen, gehauchter Verzweiflung, rührend schuldbewußtem Charme hatte sie es zunächst geschafft, General Fry, den Provost-Marschall, nicht nur zu versöhnen, sondern ganz wieder zu ihrem Werkzeug zu machen. Er verschaffte ihr einen Güterwagen, der alles Sanitätsmaterial aufnahm, und einen kleineren Personenwagen, in dem sich neben dem Mannschaftsraum für die zehn Soldaten noch je eine Schlafkoje für Agnes und Hauptmann von der Groeben befanden. General Fry, der zum Abschied selbst auf dem Bahnhof erschien, hatte auch dafür gesorgt, daß der kleine Transport gegen den Widerstand der Nachschuboffiziere kurzfristig einem der langen Munitionszüge angehängt wurde, die man täglich zur Armee Sherman auf Südkurs gehen ließ.

Kaum jedoch war Washington im Spätsommerdunst verschwunden, fand sich Agnes wieder auf sich selbst gestellt. Denn Hauptmann von der Groeben, immer zögernd und ohne Energie, war ihr bald schon mehr Ballast als Hilfe. Agnes sah sich gezwungen, sich selber gegen die Transportoffiziere durchzusetzen, die ihren kleinen Konvoi immer wieder von den Zügen abhängen und auf Nebengleise abschieben wollten. Dabei hielt sie sich nicht lange mit Protesten auf, sondern stürmte zornbebend in das Hauptquartier des nächsten erreichbaren Generals. In Altona in Pennsylvanien war es General Schurz, der ihr weiterhalf, in Pittsburg General Hooker, der es sich nicht nehmen ließ, sie in seinem Stabswagen bis Louisville in Kentucky zu begleiten, wo er dem dortigen Transportoffizier befahl, Agnes und ihren Troß mit dem nächsten planmäßigen Zug nach Nashville weiterzubefördern.

Die kleine Stadt, so romantisch am reißenden Cumberlandfluß gelegen, war nicht nur Bestimmungsort ihres von General Fry ausgestellten Transportbefehls, sondern mehr noch das heißersehnte Ziel ihres Herzens. Hier lag Felix, wie es seine letzten Briefe beschrieben, mit seinem Regiment in einem guten Quartier.

Ach, dieser herrliche, helle Morgen der Ankunft – die Nacht vorher schon hatte sie nicht mehr schlafen können, am Fenster stehend im Licht der aufgehenden Sonne weite Prärien, die grüngolden schimmernden Wälder gesehen, den langgezogenen Sehnsuchtsrufen der beiden Lokomotiven gelauscht – und nun, da der Zug hielt, die Tür aufgestoßen, überzeugt davon, im nächsten Augenblick in seinen Armen zu liegen. Woher auch immer, sie war sicher, daß Felix die Stunde ihrer

Ankunft auf irgendeine Weise erfahren, vielleicht auch nur erahnt habe.

Der Bahnhof und die Stadt, alle Straßen wimmelten von Soldaten. Aber kein Felix darunter und keine Nachricht von ihm.

Obwohl General Thomas, der sein Hauptquartier in der Stadt hatte, vollauf mit den Vorbereitungen zum großen Angriff auf die Tennessee-Front beschäftigt war, mit der er General Shermans Vorstoß nach Georgia an der Flanke absichern sollte, fand er Zeit, Agnes zu empfangen. Oder besser gesagt – er versagte es sich, den »schönen Kapitän« schon im Vorzimmer abweisen zu lassen, wo Agnes seinen Adjutanten die Köpfe verdrehte. Ein Schicksal, das ihm wenig später selber widerfuhr, als Agnes vor ihm stand. Gezeichnet von der langen Fahrt und dennoch hinreißend. Verschwitzt, übermüdet, gereizt und dennoch leuchtend in der wilden Entschlossenheit ihrer Jugend.

Er kannte sie aus Washington, ging mit ausgestreckten Händen auf sie zu. »Wie schön, Sie wiederzusehen, Prinzessin. Und willkommen, auch wenn Nashville nicht Washington ist.«

»Nashville oder sonst was, General, ich suche meinen Mann.«

»Oberst Salm schlägt sich mit seinem Regiment in der Gegend von Alabama mit Lees Vorhuten herum.«

»Dann bitte ich Sie um einen Marschbefehl nach Alabama, General.«

Er schüttelte lächelnd den Kopf. »Unmöglich, Prinzessin. Das Land zwischen Nashville und dem Tennessee wimmelt von Rebellenbanden, die hinter unserer Front operieren. Wir verlieren jeden dritten Munitionstransport. Jeder zweite Zug wird uns aus den Schienen geschossen.«

»Aber einer von zweien kommt doch an, General. Ich muß es eben wagen.«

»Tut mir leid, Prinzessin. Ich kann es Ihnen nicht erlauben.«

»Aber ich bitte nicht als Prinzessin, sondern als ein Offizier, der zu seinem Regiment will. Ich weiß, daß sie dort dringend auf die Zelte und die Medikamente warten, die ich aus Washington mitbringe.«

General Thomas lächelte nicht mehr. »Als Offizier verbiete ich Ihnen, Ihre Reise fortzusetzen. Der Feind würde alles daran setzen, das Material, das Sie mit sich führen, in seine Hand zu bekommen. Er braucht das noch dringender als wir. Sie werden erst aufbrechen, wenn Straßen und Eisenbahnen zum Tennessee freigekämpft sind. Und nicht ohne meine ausdrückliche Erlaubnis. Haben Sie mich verstanden, Kapitän Salm?«

»Jawohl, General. Aber wie lange wird das dauern?«

»Das weiß ich nicht. Soldaten fragen nicht, sondern haben warten zu lernen.«

»Dann werd' ich nie ein Soldat.«

Der General lachte wieder. »Hoffentlich nicht. Sie haben die schönere Bestimmung, unter so viel Männern eine Frau zu sein und zu bleiben. Trotz Ihrer hübschen Uniform.« Er gab ihr die Hand. »Lassen Sie sich von meinem Quartiermeister eines der jetzt verlassenen Häuser über dem Colorado River anweisen. Und sollten Sie dem Obersten Salm irgendeine Meldung zu machen haben, es gehen Kuriere ab zu seinem Regiment.«

»Wunderbar!« jubelte Agnes. »Ich schreibe ihm jeden Tag.«

»Ich sprach von dienstlichen Meldungen, Kapitän.«

»Ich auch, General.«

Er drohte ihr mit dem Finger. »Also denken Sie daran,

ich lasse Sie einsperren bei Wasser und Brot, wenn Sie sich ohne meine Erlaubnis vom Fleck rühren.«

»Ich werd' es nicht wagen, General. Allerdings müssen Sie dann auch die Verantwortung übernehmen für alles, was hier passiert während meiner Anwesenheit.«

»Gott schütze Sie, Kapitän Salm, wollt' ich sagen«, sagte er und lachte, »aber ich sollte besser wohl sagen: Gott schütze mich.«

Das weitläufige Haus, das ihr und ihrer kleinen Truppe angewiesen wurde, befand sich nahe dem Stabsquartier des Generalmajors Rousseau, den Agnes schon aus Washington kannte. Obwohl Amerikaner, glich er in seiner brünetten Geschmeidigkeit eher einem Franzosen und benahm sich auch so. Agnes hatte sich kaum ein wenig eingerichtet, kam schon seine erste Einladung zu einem nachbarlichen Empfangsabend. Sein französischer Koch hatte ein Souper ungeahnter Köstlichkeiten zusammengestellt. Dazu Handküsse, Gelächter, Musik. Auf Strömen von Champagner segelten ihr die schönsten und gewagtesten Komplimente entgegen. Agnes war selig. Tanzte mit dem General, mit jedem Oberst, Major und Kapitän, am längsten und leidenschaftlichsten mit den Leutnants des Stabes, die ihres Alters waren. Und als Rousseau ihr am nächsten Tag seine Vollblutpferde vorführen ließ, damit sie sich eines davon für die Dauer ihrer erzwungenen Anwesenheit zum eigenen Gebrauch aussuche, kannte ihr Glück keine Grenzen. Mit Briefeschreiben an Felix, Whistpartien, abendlichen Champagnerempfängen, Jagd- und Reitausflügen in der näheren Umgebung flogen die Tage so schnell an ihr vorüber wie die Wellen des Cumberland River.

Das ging so fort bis zur Ankunft von Karl Schurz, der mit kleinem Stab ganz in der Nähe von Agnes in einem

schloßartigen Gutshof sein Quartier aufschlug, so daß Agnes höchst überraschend nunmehr in der Mitte zwischen beiden Hauptquartieren wohnte und sich immer wieder neu entschließen mußte, ob sie die Einladung von Osten oder von Westen her annehmen sollte. Zu Rousseaus Ärger wurde Karl Schurz, der ja nicht nur General, sondern darüber hinaus auch einer der einflußreichsten Senatoren der Union war, bei diesem Wettbewerb eindeutiger Sieger. Schurz war im Zuge des Abstimmungskampfes für die Wiederwahl Abraham Lincolns nach Tennessee gekommen. Denn auch mitten im Bürgerkrieg stand das politische Leben nicht still. Der Präsidentenwahl entgegen mußten Vorabstimmungen gewonnen werden, deren Termine auf das Hin und Her der Fronten keine Rücksicht nahmen. Wann immer es die militärische Lage erlaubte, verließ General Schurz sein Armeekorps, um als Senator Schurz in den frontnahen Staaten für Abraham Lincolns Wiederwahl zu kämpfen. Und soweit das möglich war, begleitete ihn Agnes bei solchen Versammlungen in Nashville und Umgegend. Sie schreibt begeistert darüber: »General Schurz war damals ein Mann von etwa 36 Jahren. Sehr blond, groß gewachsen und schlank, ging er immer ein wenig gebückt, als wollte er sich den Menschen zuneigen. Seine dunkelblauen Augen und die hohe Stirn gaben dem ganzen Gesicht einen geistvollen Ausdruck. Er war ein hinreißender Redner. Und obwohl es doch seine Muttersprache nicht war, sprach er das Englische ohne jeden Akzent mit so viel Geist, Eleganz und Überzeugungskraft, wie ich es niemals vorher und nachher wieder von einem Amerikaner gehört habe.
Er war ein Mann von großem Talent und Einfluß, dazu ein amüsanter Gesellschafter und vorzüglicher Reiter. Da es tagsüber unerträglich heiß war, verlegten wir un-

sere Ausritte in die mondhellen Nächte, die das ganze Land und den Fluß in der Tiefe in das Licht unwirklicher Verklärung tauchten. Noch tiefer, noch schöner jedoch haben sich meinem Gedächtnis jene Abende eingeprägt, an denen sich Karl Schurz herbeiließ, seine Kunst am Klavier zu zeigen. Er war ein Pianist, der auch in Konzertsälen seinen Weg hätte machen können. Durch die offenen Fenster erklang dann die Musik seiner Heimat in die Mondnacht hinaus. Beethoven und Mozart spielte er vortrefflich. Am liebsten aber Karl Schumann, den ich durch ihn erst kennengelernt habe.«

Gegen das Klavierspiel und den geistvollen Charme des Generals Schurz hatte General Rousseau einen schweren Stand. So versuchte er es denn wieder bei der größten Schwäche, die Agnes besaß, bei ihrer Liebe zu Pferden, bei ihrem Ehrgeiz, sich immer wieder als hervorragende Reiterin zu bewähren. Er ließ ihr die Nachricht zukommen, daß er ein junges Vollblut gekauft habe, das sich jedem Reiter verweigere. Nicht nur seine beiden erfahrenen Pferdepfleger, auch die besten Reiter unter seinen Offizieren hätten sich nicht im Sattel halten können. Ob Agnes nicht einen Zähmungsversuch wagen wolle?

Karl Schurz warnte, aber Agnes warf den Kopf auf und nahm die Herausforderung an. Noch für den späten Nachmittag des gleichen Tages wurde ein Ausritt festgesetzt, an dem neben beiden Generälen auch alle abkömmlichen Stabsoffiziere teilnahmen. Die Wetten standen 60:40 gegen Agnes, auf die nur ihre Anbeter, die jungen Offiziere, gesetzt hatten. Es handelte sich um einen haselnußbraunen vierjährigen Araberhengst, ein sehr scheues und sensibles Tier namens Cassario, das sofort zurückzuweichen begann, als Agnes ihm langsam entgegenkam. Der Bereiter konnte es kaum halten. Agnes nahm ihm die Zügel ab und begann leise auf den

Hengst einzusprechen. Zauberworte, Hexenformeln, wie Felix sagte, wenn er sie ärgern wollte. Es handelte sich aber um indianische Worte, die Agnes aus ihrer Kindheit kannte, ohne sie selber recht erklären zu können.

Cassario blieb stehen, stellte die Ohren auf und hörte ihr zu. Agnes blies ihm sanft in die Nüstern, klopfte ihm den Hals und gab Karl Schurz dann ein Zeichen, sie in den Sattel zu heben. Zu aller Erstaunen blieb der Hengst, der bisher spätestens in diesem Augenblick zu bocken pflegte, lammfromm stehen. General Rousseau klatschte Beifall und alle Offiziere mit ihm. Die erste Überraschung war gelungen, und die zweite begann mit dem nun folgenden legendären Ritt, der noch auf lange hinaus die Gemüter sämtlicher Reiteroffiziere der Armee bewegen sollte.

Schon beim Anreiten nahm Cassario die Spitze, wobei sich nicht feststellen ließ, ob er von Agnes getrieben wurde oder sie schon sein Opfer war. So schien es aber dem ihr folgenden General Schurz, der sie mit lauten Zurufen warnte. Entweder hörte ihn Agnes nicht, oder sie hatte schon keine Gewalt mehr über das Pferd, das jetzt in einen Waldweg hineinstürmte, der an sich gefahrlos war. Heute aber gab es das erste unglaubliche Hindernis in der dritten abschüssigen Biegung. Eine irgendwo entlaufene Milchkuh sperrte da, friedlich das Böschungsgras wiederkäuend, in ganzer Breite den Weg. Agnes schrie auf und machte die Augen zu, als Cassario mit mächtigem Satz schon das Hindernis nahm und auf der anderen Seite weiterjagte. Und auch General Schurz, der ihr folgte, bewältigte das ungewohnte Hindernis mit etwas Glück in guter Haltung. Erst beim dritten Reiter, Hauptmann von der Groeben, begann die Katastrophe. Sein Pferd prallte in voller Fahrt auf das gewichtige Rindvieh, über das hin der etwas kurzsichtige Groeben im doppelten Salto in das jenseitige Unterholz flog. Und ihm nach alle Reiter, die ihre Tiere nicht mehr bremsen konnten. Um die leicht verärgerte Kuh herum, die sich nicht von der Stelle rührte, gab es ein Chaos von durch die Luft fliegenden Offizieren, herrenlos am Boden strampelnden Pferden.

Indes flog der entfesselte Hengst mit Agnes im Sattel wie eine Kanonenkugel aus dem Walde hinaus über das abschüssige Wiesengelände dahin. Je mehr Agnes die Zügel anzog, um so schneller wurde das Tier, reagierte auf kein Zeichen und jagte eigensinnig auf eine cañonartige Felsenschlucht zu, die das Gelände hier spaltete, wie Agnes nur allzu genau wußte. Auch General Schurz, der noch immer hinter ihr war, kannte diese Gefahr. Er versuchte das durchgehende Tier einzuholen, um es am Zügel zurückzureißen, blieb aber bei dessen Geschwindigkeit immer weiter zurück. So rief er Agnes zu, daß sie um Gottes willen abspringen sollte. Sie dachte selbst schon daran, aber es war unmöglich bei diesem Tempo. Und die gefürchtete Schlucht kam immer näher. Ein Stoßgebet, Agnes schloß die Augen, schrie auf: »Felix, hilf mir!«, und das Unmögliche geschah – Schurz, der erstarrt stehengeblieben war, hat es später als eines der Wunder seines Lebens beschrieben: Der entfesselte Cassario flog in hohem Sprung über die fünf Meter breite Schlucht hinweg und jagte auf der anderen Seite am Colorado River entlang in jenes gefährdete Gebiet hinein, in dem erst in der Nacht vorher die Rebellenreiter einen Unions-Vorposten überfallen hatten. Agnes kannte das Gelände nicht mehr, war Cassario auf Gedeih und Verderb ausgeliefert und nur bestrebt, sich im Sattel zu halten. Irgendwann würde dem Teufelshengst ja einmal die Kraft ausgehen, und er mußte wieder zu lenken sein. Aber noch war es nicht soweit. Ohne zu verhalten, jagte Cassario in einen tiefen Bach hinein, daß das Wasser aufstob, und auf der anderen Seite im gleichen Tempo weiter. Einem Negerdorf entgegen, dessen ärmliche Hütten in breiter Front plötzlich den Weg sperrten. Aber der Hengst raste darauf zu, als wolle er auch hier Zäune und Dächer überspringen. Einige Männer, die in den Feldern arbeiteten, schienen die Gefahr zu erkennen, liefen Agnes entgegen, das Tier aufzuhalten.

Aber kurz vor ihnen wendete Cassario hoch auf der Hinterhand und raste in die Dorfstraße hinein, auf der ganze Pulks von Kindern und Schweinen fröhlich vereint im Straßendreck wühlten. Bei der Wendung war der Hengst indes etwas langsamer geworden, und Agnes entschloß sich abzuspringen. Sie raffte ihren Rock bis zu den Knien auf, sprang ab, ohne die Zügel aus der Hand zu lassen, wurde sofort umgerissen und am Boden mitgeschleift, bis Cassario mit zitternden Flanken kurz vor den Kindern endlich zum Stehen kam.

Aber was war geschehen? Staunend sah Agnes an sich hinunter auf ihre nackten, bis zu den Oberschenkeln hinauf blutig zerschundenen langen Beine. Sie hatte beim Sprung und nachfolgenden Sturz nicht nur den Rock, sondern auch ihre hübschen spitzenbesetzten Pantalons verloren. Kein Wunder in einer Zeit, die das rettende Gummiband noch nicht kannte und alles nur mit bunden Bändern band. Die unter den Röcken der Mädchen hervorrutschenden Hosen waren auch auf den Tanzböden damals ein immer wieder freudig begrüßtes Ereignis. Aber Agnes hatte nun beides auf einmal verloren und nur ihre zum Glück sehr langschößige Uniformjacke verbarg den grinsenden Blicken der Frauen, die jetzt überall aus den Haustüren traten, daß der vermeintliche hosenlose Unions-Hauptmann in Wahrheit eine Frau war. Kinder brachten die verlorenen Kleidungsstücke angeschleppt, Agnes band ihr noch immer zitterndes Pferd an einem Verandagitter fest und zog sich hinter der nächsten Hauswand schnell wieder an. Und abermals staunten die Frauen, als der Hauptmann nun im Weiberrock wieder in den Sattel stieg, grüßend an die Mütze tippte, unter der das aufgesteckte Haar verborgen war, und lachend davonritt.

Cassario, von der eigenen Wildheit erschrocken, trug Agnes lammfrom nun wieder nach Nashville zurück, wo sie, zwar mit zerschundenen Beinen, aber höchst siegesbewußt gegen Mitternacht endlich eintraf. Rechtzeitig genug, um zu verhindern, daß General Rousseau, der sich die schwersten Vorwürfe machte, in der Nacht noch eine Kampfgruppe abfertigte, die nach ihr suchen sollte.

Die Beinwunden entzündeten sich, und Agnes, die kaum noch gehen konnte, war gezwungen, acht Tage lang das Bett zu hüten. Ach, nicht einfach ein Bett, es war ein königliches Lager. Abordnungen ihrer Bewunderer kamen, um der Königin der Amazonen zu huldigen, wie es in einem Festgedicht hieß. Champagnerkörbe und riesige Blumengebinde wurden abgegeben. General Rousseau kam mit einem goldenen Lorbeerkranz und schenkte ihr, worüber sie am glücklichsten war, das von ihr gezähmte Pferd, das ihr von nun an willig diente.

Sogar Andrew Johnson, Gouverneur von Tennessee und Vizepräsident der Union, kam mit Karl Schurz aus Nashville heraus, um die ruhmreiche junge Reiterin kennenzulernen. Eine Bekanntschaft, die ihren Wert in jenen dramatischen Tagen noch zeigen sollte, da Johnson von einer Stunde zur anderen vom Schicksal berufen wurde, das Erbe und den Platz Abraham Lincolns zu übernehmen. Doch fragte er auch heute schon, ob er Agnes nicht einen Wunsch erfüllen könne. Den hatte sie. Einen einzigen nur. Ob er General Thomas nicht bewegen könne, ihr endlich den Marschpaß zu ihrem Regiment auszustellen. Denn Felix hatte ihr geschrieben, daß er nunmehr auf einer Insel im Tennessee in der Nähe von Bridgeport eine feste Vorpostenstellung bezogen habe. Allerdings müsse er sich dort Tag und Nacht gegen die Überfälle der Rebellen behaupten und bitte sie darum, auf keinen Fall zu kommen, ehe sich die Lage beruhigt habe und er sie dazu auffordern würde. Diesen Absatz allerdings verschwieg sie dem Gouverneur.

Und ihr hartnäckiges Bitten hatte endlich Erfolg. Kaum daß sie einigermaßen wieder geheilt war, erhielt sie den so ersehnten, von General Thomas und Gouverneur Johnson gemeinsam unterzeichneten Marschbefehl.

Weniger beglückt davon zeigte sich der immer ängstliche Groeben, der von täglichen Sprengungen der Bahnstrecke und grausamen Überfällen der Rebellen so schaudernd zu berichten wußte, als wäre er jedesmal dabeigewesen. Doch für Agnes gab es kein Zurück mehr. Sie fürchtete, General Thomas würde die Marschordre zurücknehmen, noch ehe sie Nashville verlassen hatte.

»Auf Ihre Verantwortung, Kapitän!« sagte der Transportoffizier, den sie mit fast schon penetranter Überredungskunst dahin gebracht hatte, ihre beiden Waggons an die nächste nach Bridgeport abgehende Patrouillenlokomotive anzuhängen. Diese Maschinen, die in gewissen Abständen die Strecke kontrollierten, waren mit Soldaten besetzt, die mit schußbereiten Gewehren teils oben neben dem Kessel standen, teils auf den Dächern der Wagen und auch auf dem ›Cow-catcher‹ saßen, einem vorgewölbten Eisengestänge dicht über den Schienen und dazu bestimmt, auf der Bahnstrecke liegende oder weidende Rinder zur Seite zu schieben. »Wunderbar!« jubelte Agnes. »Das ist das richtige für mich. Freier Ausblick und frische Luft«, und setzte sich unter die Soldaten, die ihr lachend Platz machten.

»Unmöglich!« protestierte der Transportoffizier. »Setzen Sie sich hinten in Ihr Abteil, Kapitän!«

»Nicht noch einmal«, weigerte sich Agnes. »Da schlägt von allen Seiten der schwarze Rauch herein. Ich will doch nicht als geräucherter Schinken bei meinem Mann ankommen.«

»Sie sollten froh sein, wenn Sie überhaupt ankommen. Das ist ein gefährlicher Platz hier vorn. Die Schützen auf dem Cow-catcher werden von den Rebellen immer zuerst beschossen.«

»Lieber tot als dreckig«, beharrte Agnes und schlug des Transportoffiziers Warnung lachend in den Wind, der ihr bald heftig genug um die Nase wehen sollte.

Um sechs Uhr morgens begann die Fahrt wie ein lustiger Landausflug. Blaßblauer Himmel über einem goldenen Oktobertag. Dichte Ahorn- und Buchenwälder fielen in braunroter Lockenflut über den Nacken der Berghänge hinunter in die Täler. Dann wieder rechts und links der Bahn ausgedehnte Distelfelder mit zartroten und sonnengelben Blüten oder die wogenden Weiten weißblühenden Wollgrases. O herbstschönes, leuchtendes Amerika, meine Heimat, Gottes eigenes Land, dachte Agnes. Hätte immer nur die Arme ausbreiten und singen mögen.

Solche Hochstimmung verging ihr gründlich, als sie unter überhängenden Felsen einen düsteren Waldgrund passierten, in dem vor zwei Tagen erst ein langer Nachschubzug überfallen worden war. Die Guerillas waren von den Felsen herunter auf die Wagendächer gesprungen, hatten die Wachen überwältigt, den Zug ausgeplündert und dann in Brand gesteckt. Rechts und links der Strecke lagen die aus den Schienen gekippten Wagenskelette in langer Reihe hinter der halbverglühten Lokomotive. Dazwischen die verkrümmten Leichen des Begleitkommandos. Die Soldaten neben ihr nahmen jetzt ihre schußbereiten Gewehre zur Hand und spähten aufmerksam in das Walddunkel hinein, das die Fahrt nun für Stunden umdrohte. Hinter jedem Felsen, jeder Biegung glaubte Agnes jetzt Rebellen hervorbrechen zu sehen. Sie bereute, dem Rat des Transportoffiziers nicht gefolgt zu sein, und dachte, Rauchschwaden im Abteil wären besser gewesen als diese vorausahnende Angst. Und sie atmete erst auf, als die Fahrt aus den Wäldern hinaus wieder in freies Wiesengelände ging.

Doch da erst nahte wirkliche Gefahr. In einer Biegung, die in eine jähe Steigung überging, erkannte Agnes plötzlich eine den Berg herabdonnernde Lokomotive vor sich, die ihnen mit heiserem Sirenenschrei feuerspeiend auf dem gleichen Gleis entgegenkam. Sie schrie auf und sah sich schon zwischen beiden Maschinen zerquetscht. Da bremste die entgegenkommende Lokomotive aber schon und fuhr sodann bis zur nächsten Ausweichstelle im Rückwärtsgang vor ihnen her. Wobei Agnes, hustend und prustend, genau in die Rauchschwaden eingehüllt wurde, denen sie hatte entgehen wollen.

»Das ist die Südpatrouille«, sagte ein Soldat neben ihr gleichmütig, »die Ausweichstellen sind genau ausgerechnet, aber wir begegnen uns trotzdem immer auf freier Strecke.«

Und dann ging es abermals bergauf in die Wälder hinein, über schwindeltiefe Schluchten hinweg auf drei und vier

Etagen hohen Streichholzbrücken, die unter den rumpelnden Stößen der Achsen ständig zusammenzubrechen drohten, nach beiden Seiten hin weit ausschwangen. Eine Höllenfahrt, bei der Agnes schmerzlich erkennen mußte, daß ihres Felix' Warnungen nur allzu berechtigt gewesen waren. Erkenntnis, die sich noch verstärkte, als sie in der Abenddämmerung die Lichter von Bridgeport glühwürmchengleich weit voraus aufleuchten sahen. Und dahinter, mitten im schimmernden Tennessee, die langgestreckte Insel, auf der Felix hausen sollte, ohne ihr Kommen auch nur zu ahnen. Auf den jenseitigen Hängen überm Fluß blitzten in kurzen Abständen seltsame Feuerschläge auf, und es knallte wie von Peitschenschlägen das Tal entlang.

»Was ist das?«

»Der übliche Abendüberfall der Rebs«, sagte der Soldat neben ihr, »daran werden Sie sich auf der Insel gewöhnen müssen, Kapitän.«

Agnes nickte stumm, mit einem gewissen Würgen im Hals. Sosehr ihr Herz Felix entgegenschlug, sie fürchtete seinen Zorn, der manchmal steinbockhart und maßlos sein konnte. Sie kannte das von sich selbst.

Ein ungeheures Lärmen erhob sich. Vereinzelte Schüsse dazwischen. Und Lärmen wieder. Näher und näher.

Salm, der sich gerade Schweiß und Dreck eines ausgedehnten Patrouillenritts von der Haut gespült hatte, warf das Handtuch zur Seite, griff nach seiner Pistole und rannte, halbnackt und naß noch, aus seinem Kommandeurbretterhaus in den frühen Abend hinaus. »Wache, sie kommen!«

Kein Zweifel, der übliche Nachtüberfall der Rebellen, die hier jede Furt im Fluß kannten. Heute nur ein wenig vorverlegt.

Aber was war das? Sie trugen Fackeln in den Fäusten. Stürmten in dunklen Haufen schon den Hügel herauf, auf dem, sicher vor Überschwemmung, sein Haus gebaut war. Schrien seinen Namen. Und über allen eine Stimme, die er kannte, hier zu hören nicht zu glauben wagte.

Er lud die Pistole durch, hob langam den Arm. Zielte und erkannte im Flackern der Fackeln die Gesichter seiner Soldaten, die auf ihren Schultern eine schmale dunkle Gestalt trugen. Näher und näher. Eine Gestalt, die jubelnd die Arme aufwarf. »Felix! Felix!«

Noch wollte er seinen Augen nicht trauen, da hatte sie sich schon von den Schultern der Männer herunter in seine Arme fallen lassen, bedeckte mit wilden Küssen sein Gesicht, seine nackte, nasse Brust.

Die Männer jubelten: »Kapitän! Kapitän Salm!«

Und Felix, zwischen Zorn und Staunen: »Agnes, wo kommst du her?«

»Von Nashville, Oberst.«

»Von Nashville, bist du verrückt?«

Und wieder Küsse. »Ja, verrückt vor Sehnsucht, verrückt nach dir.«

»Aber ich hatte dir doch geschrieben, daß . . .«

». . . ja, daß ich nicht kommen darf, daß alles zu gefährlich wäre. Den Brief hab' ich gleich verbrannt.«

»Das sieht dir ähnlich. Aber damit kommst du nicht durch. Diesmal nicht. Das ist kein Sommerhaus hier. Jeden Tag greifen uns die Rebellen an. Du kannst hier nicht bleiben. Du wirst nach Nashville zurückkehren.«

»Unmöglich, Felix. Die Reise ist viel zu gefährlich. Hast du mir selber geschrieben. Die mach' ich nicht noch mal. Ich bleibe hier. Ich bleibe, wo du bist. Für immer. Außerdem gehört ein Offizier zu seinem Regiment.«

Sein Zorn löste sich auf unter ihren Küssen, ihren streichelnden Händen. Er fühlte ihren geschmeidigen jungen Leib, der sich an ihn drängte, ihre festen Mädchenbrüste unter der Uniform. Atmete den Duft ihrer Haut, ihres Haares. Und trug sie schnell in das stille Haus hinein. Das Fackellicht und das Lachen der jungen Soldaten blieben zurück. Endlich allein mit ihr, ließ er sich, Agnes noch immer in Armen haltend, in den alten Lederstuhl am Kamin fallen, in dem dicke Ahornscheite glühten. »Wie konntest du es nur wagen, allein auf diese Reise zu gehen?«

»Aber ich bin nicht allein gekommen. Groeben und die zehn Sanitäter sind noch drüben in Bridgeport. Ich wollte nicht warten, bis alles ausgeladen ist, und bin mit der Regimentsambulanz mitgefahren, die gerade auf dem Bahnhof war. Meine Jungen aus Illinois waren das. Ganz außer sich vor Freude, als sie mich entdeckten.«

Er schüttelte den Kopf. »Und was hast du da mitgebracht? Was wird da ausgeladen?«

»Na, all das Zeug, was ich schon seit Washington mit mir herumschleppe: Sanitätszelte, Medikamente, Verbandsmaterial, einen unmöglichen Hauptmann Groeben, zehn faule Sanitäter und einen herrlichen Vollbluthengst namens Cassario.«

»Cassario?« sagte er, während er langsam schon die Knöpfe ihrer Uniformjacke aufnestelte, mit zärtlicher Hand ihre Brust suchte. »Ist das dieses Teufelspferd, auf dem eine gewisse Hexe in Nashville durch die Luft geflogen sein soll, wie die ganze Armee zu erzählen weiß?«

»Ach, die übertreiben ja alle.«

»Das ist bei dir unmöglich. Alles ist immer noch schlimmer, als es erzählt wird.«

»Ach was. Cassario ist eben ein Wunderpferd. Dem gelingt, wovon andre Pferde nur träumen können.«
»Hast du ihn darum gekauft?«
»Nein, General Rousseau hat ihn mir geschenkt.«
»Wahrscheinlich war er froh, ihn loszuwerden.«
»Das ist es, mein Prinz.«
»Ich bin wirklich neugierig auf dieses Biest.«
Agnes lachte. »Sie werden staunen, Herr Oberst. Aber glauben Sie ja nicht, daß Sie ihn jemals reiten dürfen.«
»Warum denn nicht?«
Sie küßte das dunkle Haar auf seiner Brust. »Weil ich dann immer nur Angst hätte um dich.«
»Warum leg' ich dich nicht eigentlich jeden Tag übers Knie?« Sein Mund suchte ihre immer ein wenig scheuen Lippen, glitt über das schöne Kinn, den schmalen Hals zu den rosig harten Spitzen ihrer Brüste hinunter.
»Mein Gott, Agnes, daß du da bist! Ich lass' dich nie wieder gehen.«
Schüsse in der Ferne. Aufkommendes und wieder verklingendes Geschrei. Abermals Schüsse über das Tal hin. Seine Lippen auf ihrem Mund, seine Hand in ihrem Haar – was kümmerten ihn die Rebellen noch.

Und vom nächsten Morgen ab war die Insel ihre neue Heimat. Ein Paradies, leuchtend im Oktoberlicht. Umrauscht von den Fluten des Tennessee, seinem hellen Taglied, seinem dunkleren Nachtgesang. Der ab und an auch über die Ufer trat und alles dann mit sich riß, was ihm entgegenstand. Weshalb Salm die Verteidigungsforts an allen strategischen Punkten sowie auch die Wohnbaracken des Regiments hoch auf natürlichen Warften hatte anlegen lassen. Die waren dann manchmal, vom hochgehenden Tennessee umwütet, tagelang auf sich allein gestellt.

Hauptaufgabe des Regiments war auf viele Kilometer hin die Überwachung und ständige Verteidigung der wichtigen nach Chatanooga führenden Eisenbahnlinie. Deren neuralgischen Punkt die beiden vom Festland auf die Insel und von da wieder aufs Festland führenden schwindelnd hohen Holzbrücken bildeten. Merkwürdige Bauwerke insofern, als ihre beängstigend dünnen Verstrebungen zwei Fahrbahnen zugleich zu tragen hatten. Ganz oben, wo die langen Züge in den Himmel hineinzufahren schienen, die Geleise der Eisenbahn, etwa fünfzehn Meter darunter der Bohlenweg für Fußgänger, Pferde und schwerbeladene Fuhrwerke. Nacht für Nacht versuchten die Rebellen, eine dieser Brücken zu sprengen, und mußten dann, unter oft sehr schweren Verlusten für beide Seiten, wieder zurückgeschlagen werden.

Tagsüber schliefen die Kämpfe ein, und Agnes konnte Salm ohne große Gefahr auf seinen ausgedehnten Inspektionsritten begleiten, die ihn von Fort Salm bei Whiteside am Nordufer bis hinunter nach Fort Lincoln an der Südspitze führten. Fort Salm wurde von Hauptmann Steuernagel, einem philosophisch ernsthaften Frankfurter, Fort Lincoln von Hauptmann von Fritsch, einem ehemaligen sächsischen Gardeoffizier, befehligt. Die Aufenthalte bei ihm pflegten sich besonders auszudehnen, weil der agile Sachse immer wieder mit neuen Überraschungen aufzuwarten pflegte. Köstliche Champagnerfrühstücke wechselten ab mit zünftigen Jagdgelagen, bei denen Rehrücken und Bärenkeulen am offenen Feuer brieten und Ströme von Burgunderwein aus soliden Eichenfässern gezapft wurden. Salm belästigte den Gastgeber nicht weiter mit peinlichen Fragen nach der geheimnisvollen Herkunft solcher Köstlichkeiten, denn der Hauptmann war die Zuverlässigkeit selbst, ein tapferer, oftmals tollkühner Offizier, der den Rebellen immer wieder Gefangene abnahm. Man genoß auf der Insel den Tag und die Stunde und fragte nicht nach einem Morgen, dessen Lose der Kriegsgott noch in seiner Schicksalsfaust verbarg.

Glücklich wieder bei ihrem Regiment, ihrem Felix zu sein, neben ihm über die stillen Waldpfade oder an einer verborgenen Furt in den Fluß zu reiten, sich nachts unter der Büffelfelldecke an seinen mageren muskelharten Körper zu schmiegen, unersättlich seinen Umarmungen hingegeben – besonders wenn er von plötzlichen Kämpfen zurückkam, heiß von Wut und Leidenschaft mit diesem Geruch von Pulver, Leder und gesunder Männerhaut –, war Agnes darüber hinaus von ständiger Sorge um Tätigkeit für ihn und ihre Soldaten erfüllt.

Zunächst galt es den hochtrabend »Kommandeursbau« genannten Bretterbungalow überhaupt wohnlich zu gestalten. Denn die von Felix ersonnene Einrichtung fand sie so entsetzlich, daß sie Stück um Stück davon an die Soldaten verschenkte. Und ließ sich von den Tischlern, die es unter ihnen gab, Möbel nach eigenen Entwürfen schreinern. Denn die in Bridgeport arbeitende Sägemühle lieferte Bretterholz im Überfluß. Bald gab es ein breites Bett im Schlafzimmer. Mit Laubsäcken gefüllt und reichlich mit Büffeldecken belegt. Sogar ein Badezimmer entstand, dessen Wanne ein lang ausgehöhlter Baumstamm bildete, der jeden Abend mit heißem Wasser angefüllt wurde.

In breiten Bahnen genagelte blaue und rote Leinwand gab den rohen Holzwänden wohnliche Wärme. Vor dem großen Kamin warteten büffellederbespannte Schaukelstühle genauso auf Gäste wie die mit Champagner-, Wein- und Whiskyflaschen angefüllten Schränke, die Agnes aufstellen ließ.

All diese Kostbarkeiten, Stoffe, Geschirr, Getränke und Gläser hatte sie dem Regimentsmarketender Augstein, einem gebürtigen Wiener, entrissen, der seine Schätze sonst wohl zu hüten wußte. Mit Agnes aber sprach er, als wäre sie die Kaiserin von Österreich, nur mit gebeugtem Knie, las ihr jeden Wunsch von den Lippen ab. Dies in der Hoffnung, daß sie allein ihn künftig vor den rohen Späßen, die das Soldatenvolk mit ihm trieb, bewahren könne. Denn Friedemann Augstein, dieser riesige Fettkloß, von dem die Soldaten sagten, er äße all seine Vorräte selber auf, hatte das Herz eines Hasen in der Brust. Nahe Schüsse versetzten ihn in Todesangst. Er verschwand dann sofort im Keller unter seinem Warenbungalow. Das nützten die Soldaten aus, wenn sie kostenlos einkaufen wollten. Zwei, drei Mann schossen hinter Augsteins Haus wild in die Luft, Friedemann flüchtete und gab sein Lager zur Auswahl frei.

Später beschwerte er sich dann untertänig bei Salm.

»Herr Oberst, ich bitte um Schutz. Bei mir wird geplündert.«

»Das kann ich nicht glauben, Augstein. Wann wurde geplündert?«

»Heute nachmittag, als ich nicht im Laden war.«

»Da haben wir's. Der Fehler liegt bei dir. Du bist Soldat, Augstein, du mußt deine Waren verteidigen wie die anderen die Fahne.«

»Aber wie kann ich das allein, Herr Oberst?«

»Ein Mann allein kann viel, wenn er will. Wer hat geplündert?«

»Unsre, Herr Oberst. Soldaten aus unserm Regiment.«

»Wer? Sag mir die Kompanie und die Namen.«

»Das kann ich nicht, Herr Oberst. Ich hab' sie nicht gesehen.«

»Tut mir leid, Augstein, dann kann ich sie auch nicht bestrafen.«

Dabei blieb es dann, und Salm verbiß sich das Lachen, wenn Augstein beinahe weinend wieder davonwankte. Er wußte, daß der Marketender bei diesen Plünderungen kaum Verluste erlitt, weil Offiziere und Soldaten mit Zins und Zinseszins bei ihm hoch in der Kreide standen. Denn seit Wochen schon war kein Sold mehr ausgezahlt worden, da die Rebellen den zuständigen Zahlmeister mit der Kriegskasse des Regiments entführt und aufgehängt hatten. Weshalb sich sein Nachfolger, obwohl ebenso sehnlichst erwartet wie verflucht, nicht auf die Insel traute und noch immer mit der Ersatzkasse in Nashville saß.

In der Hauptsache aber widmete sich Agnes mit großem Einsatz wieder dem Sanitätswesen, in dem sie sich sachverständig fühlte. Ihre mitgebrachten Zelte und Medikamente kamen zur rechten Zeit, um die im Lager wütende Malaria und Ruhr zu bekämpfen.

»Mein erster Gang auf der Insel galt den Lazarettbaracken, die ich in jammervollem Zustand fand. Denn der junge Regimentsarzt hatte sich gegen den korrupten Verwalter und seine Krankenwärter nicht durchsetzen können. Ich entdeckte, daß sich diese Burschen all die guten Dinge aneigneten, die für die Kranken geliefert wurden, und sorgte für ihre Ablösung. Zum Glück hatte ich warme Decken, Kleider und die nötigen Arzneien mitgebracht, so daß sich die Lage der Kranken bald schon besserte. Die schwächsten von ihnen – ich kannte den todesblassen Ausdruck dieser fiebernden Augen – ließ ich in das große Hospital nach Bridgeport bringen, wo sie zum überwiegenden Teil gerettet wurden, um später gesund und dankbar zum Regiment zurückzukehren.«

Und nicht lange danach, als ihr die weitläufige Insel immer vertrauter geworden war, entdeckte Agnes eine andere Gruppe im Elend verlassener Menschen, die stumm ihr Schicksal trugen. Südstaatler, die in irgendeinem Winkel ihrer zerstörten Häuser zurückgeblieben waren. Frauen und Kinder zumeist, deren Gatten, Söhne und Väter entweder in den Rebellenregimentern kämpften oder von den Unionstruppen als mögliche Spione vorsorglich erschossen worden waren.

Apathisch und halb verhungert, zerlumpt, mit hohlen Augen saßen sie vor den verkohlten, verfallenen Wänden ihrer Häuser und wandten sich ab, wenn Agnes herangeritten kam. Kein Gruß, kein Scherzwort erreichte sie. Ihr Stolz war noch größer als ihr Hunger und Haß.

».. . diese armen Rebellenfrauen waren alle von ihrem Unglück gezeichnet. Obwohl ich wußte, daß sie uns haßten, empfand ich tiefstes Mitleid mit ihnen, so blaß, so verhungert, so verlassen und zerlumpt, wie sie alle waren. Nichts Traurigeres gab es unter der grellen Sonne des Südens als diese – männerlosen – im Elend hausenden Familien. Niemals hört' ich ein Lachen von ihnen, sah nie auch nur ein Lächeln in einem Kindergesicht. Und sie trugen ihr Schicksal mit einer Würde, die tiefen Eindruck auf mich machte.«

So nachhaltigen Eindruck, daß Agnes ihre immer ausgedehnteren Ritte fast nur noch in den Dienst dieser verlassenen Frauen und Kinder stellte. Jedesmal war Cassario so schwer mit Hilfsmitteln aller Art beladen, daß ihm sein tänzelnder Gang abhanden kam: zurechtgeschnittene Stoff- und Lederteile für Kleider und Schuhe; prall gefüllte Säckchen mit Bohnen und Mehl und vor allem Salz und immer wieder Salz, das die Frauen brauchten, ihre geringen Fleischvorräte über Wochen und Monate hin vor dem Verderben zu bewahren.

Da die eine Seite zu stolz war, auch nur eine Hand auszustrecken, die andere jedoch sich nicht aufdrängen wollte, hatte sich zwischen den Nehmenden und Gebenden bald schon ein seltsames Zeremoniell herausgebildet.

Sobald Agnes aus der Ferne heranritt, drehten ihr die Frauen den Rücken zu, sprachen eifrig zueinander, schienen nicht zu bemerken, wie die Reiterin hinter ihnen ihre Gaben ablud und wieder verschwand.

Sechs Sammelstellen hatten sich auf diese Weise wie von selbst gebildet – verbrannte Farmen, deren Brunnen noch Wasser gaben –, wo die Frauen zusammenkamen und Agnes in einem gewissen Turnus vorüberritt.

Indes, so geschickt sie auch vorging in ihren Hilfsaktionen, der Verpflegungsoffizier konnte den beachtlichen Schwund seiner Vorräte nicht übersehen und erstattete dem Kommandanten eine Meldung darüber. Nicht ohne diskreten Hinweis auf den vermutlichen Täter.

Und Salm blieb nichts anderes übrig, als Agnes zur Rede zu stellen. Sie gab alles zu. »Ich kann nicht anders. Ich kann nicht zusehen, wie sie langsam verhungern. Sie sind für mich wie meine Schwestern, meine Kinder. Sie tragen unsre Namen, sie sind geboren in meinem Land, sie sprechen meine Sprache. Was können sie dafür, daß sie zu den Besiegten gehören und ich zu den Siegern? Sie haben diesen Krieg sowenig gewollt wie ich auch. Ich kann nicht anders. Ich werde ihnen helfen – ich muß ihnen helfen.«

Einige Soldaten, die zu dieser Stunde am Kommandeursbau vorübergekommen waren, wußten später im Lager zu berichten, daß sie Wort für Wort die donnernde Strafrede des Kommandeurs durch die offenen Fenstern mit angehört hätten. »Befehle gelten auch für Sie, Kapitän. Für jeden Offizier und Soldaten ohne

Ausnahme. Besonders der Armeebefehl von General Grant über den Verkehr mit der Südstaatenbevölkerung. Frauen und Kinder kämpfen hier genauso fanatisch gegen uns wie ihre Soldaten und sind darum genauso zu behandeln. Als Feinde nämlich. Ich bitte das in Zukunft zu beachten, Kapitän. Wir sind Soldaten und keine Heilsarmee.«

Diese Zuhörer wußten allerdings nichts von dem Lächeln in Salms Augen, das Agnes allein bei seinem großen Auftritt vor sich sah.

Sie zelebrierte einen höchst unmilitärischen Knicks. »Jawohl, Herr Oberst«, und ging fortan nur noch vorsichtiger zu Werke. Während Felix die Nachschubforderungen des Stabsintendanten an die Armee mit einem Hinweis auf die hitzebedingte Verderbnis der Vorräte und besonders starken Rattenfraß nachdrücklich unterstützte.

Leichter fiel es Agnes, bei Krankheiten zu helfen, da sie zu den wichtigsten Hilfsmitteln einen kaum kontrollierten Zugang hatte. Besonders der auf der Insel grassierenden blutigen Ruhr galt ihr ständiger Kampf. Am Eingang der betroffenen Häuser legte sie kleine Gaben von Morphium nieder, dazu Flaschen mit stärkendem Wein, die in Papier eingewickelt waren, auf dem sie die Frauen zu größter Sauberkeit anhielt.

Als sie in einem Holzschuppen eine haßverstummte Mutter mit ihren beiden fieberheißen, maserkranken Kindern fand, brachte sie am nächsten Tag einen Kessel voll ›Many Tea‹ mit, den sie auf Holzfeuer wieder erhitzte. Das war ein dreifacher Sud aus Hammelkot, wie man ihn auch in Vermont den Kindern gegeben hatte. Und wirklich – drei Tage später waren der kleine Junge und seine Schwester wieder gesund, liefen ihr auf der

Wiese entgegen, und die glückliche Mutter küßte ihrer Retterin die Hand.

Ähnlich erging es ihr mit einem vierzehnjährigen Mädchen, das sie inmitten ratloser kleiner Geschwister, für die es zu sorgen hatte, auf dem Laublager einer verfallenen Hütte fand. Das Mädchen fieberte an einer schweren Rippenfellentzündung dahin. Agnes flößte ihm Pfefferminztee mit Knabenkraut ein und bedeckte Brust und Rücken mit einem fast noch kochenden Brei aus Brennnessel, wie sie es zu Hause gelernt hatte. Der Erfolg blieb nicht aus. Einige Tage später stand das Mädchen fieberfrei wieder auf den Beinen und konnte sein, was sie sein mußte: die Mutter ihrer kleinen Geschwister, Agnes dankbar und hingebungsvoll vertrauend.

In all diesen Dingen ließ sich Agnes allein von ihrer Empfindung und ihrer nüchtern-natürlichen Bauernweisheit führen, die sich auch immer wieder durch Weisheiten bestätigt fand, wie sie der Doktor Oliver Wendell Holmes damals in den Zeitungen schrieb: »Wenn man alle Medikamente ins Meer werfen würde, stünde es besser um die Gesundheit der Menschen, und es kämen allenfalls die Fische dabei um.«

Mit den ersten Novembertagen kam der große Regen. Tennesseefluten überschwemmten die Insel, erstickten die Kämpfe. Angreifer und Verteidiger mußten in ihren Stellungen verharren, und auch Agnes fand weder Weg noch Steg, zu helfen, wo Hilfe nötig war.

Indes erfüllte sich damit endlich ein alter Wunsch, der bisher immer nur Traum gewesen war: daß Felix einmal nur einen ganzen Tag lang ungefährdet und nah bei ihr sein dürfe. Aber was war das nun für ein Mann? Mißmutig und kampfbegierig in den Regen hinausstarrend, genoß er schon am zweiten Tag nicht mehr ihre Nähe, sondern verfluchte den Regen, der ihn zur Tatenlosigkeit verdammte.

Bis eisiger Wind von einem Tag zum andern die Regenwolken über Tennessee heulend davonblies und der letzte Akt des großen Kriegsdramas auf der Bühne der Geschichte seine Fahnen entrollte.

General Grant hatte den Plan zu einer großen Zangenbewegung entworfen, in der – ohne Rücksicht auf Verluste – der Gegner endlich erdrückt werden mußte.

Lincolns Auftrag an General Grant lautete dahin, den Bürgerkrieg, der schon viel zu lange gedauert hatte, bis zum nächsten Frühjahr siegreich zu Ende zu bringen – koste es, was es wolle. Der General bekam alle Vollmachten und an Menschen und Material, was immer er verlangte. Viele Anzeichen deuteten darauf hin, daß der Süden schon zu wanken begann. Den Konföderierten fehlte es an Waffen, Munition, Kleidung und Nahrung.

Und Grant war ein nüchterner Rechner. Wo *er* es sich leisten konnte, im Vormarsch 80 000 Mann zu opfern, durfte der Süden in der Verteidigung nicht einmal 1000 Mann verlieren. Das Ende war abzusehen. Grant versprach dem Präsidenten den Sieg in die Hand.

Mit bis dahin ungekannter Heeresmacht begann er Anfang November, jeden Widerstand niederwalzend, den Vormarsch auf Richmond. Mit 55 000 Mann, 65 Geschützen und 2500 Troßwagen brach am 15. November 1864 auch General Sherman über die alte Dekaturstraße nach Osten auf in das Herz von Georgia hinein. Als Fakkeln an seinem Wege gingen Dörfer und Städte, Farmen und weiße Herrenhäuser, der Reichtum des Südens, die weiß wehenden Baumwollfelder in Flammen auf. Unter dem Marschtritt seiner Regimenter erstarb jeder Widerstand, nicht Mensch noch Tier blieb lebend zurück – nur tote, verkohlte, zerstörte Erde, die an keine Auferstehung glauben ließ.

Allein auf der Insel im Tennessee änderte sich nichts. Die Achtundsechziger lagen in ihren Stellungen einem unberechenbaren Feind gegenüber, der nicht zu fassen war. »Ein Dreckskommando ist das hier«, schrie Felix, der jeden Tag wieder durch sein Haus tobte. »Überall geht es vorwärts, überall gibt es herrliche Angriffe, nur wir liegen vergessen hier im Morast. Ich sage dir, der Krieg ist plötzlich aus, und wir werden es nicht einmal erfahren.«

Stumm lächelnd sah ihn Agnes an. Sie hatte es längst aufgegeben, seinen Jähzorn durch den ihr angeborenen naseweisen Spott immer noch mehr auflodern zu lassen.

Doch Felix ahnte, was sie dachte, las es von ihrer glatten Mädchenstirn ab: Diese großen Männer werden wieder zu kleinen Jungen, wenn die Welt nicht nach ihrem Willen tanzt. Am schlimmsten aber sind diese Soldaten, die eines Tages erkennen müssen, daß der Krieg auch ohne sie gewonnen werden kann. Ich glaube, die haben besonders wenig Gehirn im Kopf – so wie mein Felix!

Er erkannte die Irrlichter geheimen Spotts auf dem Hintergrund ihrer grünen Augen und stampfte mit dem Fuß auf. »Ja, ich will dabeisein bei der letzten Schlacht. Da kannst du sagen, was du willst, du Hexe.«

»Aber Felix, ich sage doch gar nichts.«

»Das brauchst du auch nicht. Ich weiß, was du denkst. Oh, ich hasse dich!« Und riß sie in seine Arme, und sie küßten sich wie Verdurstende, Rasende, wild ineinander verschlungen. Im Kamin loderte das Feuer, und draußen rauschte der Tennessee.

Felix war es nicht gegeben, in Resignation zu versinken,

sich widrigen Umständen zu fügen. In plötzlichem Entschluß setzte er ein Bittgesuch an General Grant auf, ihn mit einer Kampfgruppe seiner Achtundsechziger am Vormarsch General Shermans teilnehmen zu lassen.

Doch war der Kurier mit diesem Schreiben kaum aus dem Lager geritten, als der schon so lange ersehnte Einsatzbefehl für Felix und seine Soldaten eintraf. Das Schicksal in Gestalt seines Armeeführers, des Generals Thomas, hatte ihn keineswegs vergessen.

Feindbeobachtung und Überläuferberichte ließen erkennen, daß Rebellengeneral Hood seine letzten Reserven zusammenzog, um in einem einzigen Stoß die Tennesseefront zu durchbrechen. Damit wollte er den Generälen Grant und Sherman in den Rücken fallen und sie, bei einem möglichen Vormarsch auf Washington, von ihrer Basis abschneiden. Ein Verzweiflungsplan, aber der Kühnheit des Generals Hood durchaus angemessen. Sein Vorstoß zielte auf das zum Übergang über den Tennessee hervorragend geeignete Gelände um Nashville. Daran gab es bald schon keinen Zweifel mehr.

General Thomas befestigte seine Stellungen und versammelte die besten Regimenter seiner Armeegruppe in bogenförmig tiefer Staffelung um Nashville. Er war entschlossen, Hoods ersten Angriff schon mit einem wuchtigen Gegenstoß zu beantworten.

Auf Felix wirkte der Marschbefehl wie endliche Befreiung aus langer Gefangenschaft. Neun Monate hatten sie im Morast der Insel aushalten müssen – und nun wieder Bewegung. Aussicht auf Angriff, Kampf und Sieg. Er sang und tanzte durch das Haus, ölte eigenhändig seine Waffen, ohne Agnes' bekümmertes Gesicht zu beachten, ohne ihre Fragen zu hören. Und als er das Regiment dann aus dem Lager führte, wandte er sich nur einmal aus dem Sattel flüchtig zu ihr um. Sie aber winkte ihm von der Veranda nach, solange er nur zu sehen war.

Tage der Verzweiflung und Einsamkeit folgten, nachdem Felix mit dem Regiment das Lager verlassen hatte. In ihrem Tagebuch heißt es:
»Das leere Lager bot einen traurigen Anblick. Außer den Kranken war auf unserer Insel nur eine Wache von zwanzig halbinvaliden Soldaten zurückgeblieben. Regen löschte das Feuer im Kamin und füllte mit Rauch das Haus. Finster die Nächte, und der Regen rauschte ohne Unterlaß . . .«
Tapfer kämpfte Agnes gegen ihre Angst und Verzweiflung an. Erinnerte sich und die anderen immer daran, daß sie nicht als hilfloses Weib, sondern als ein Offizier der Bundestruppen, der seine Verantwortung kannte, hier auf der Insel zurückgeblieben war.
Nacht für Nacht saß sie, das Gewehr auf den Knien, auf der Veranda der Kommandobaracke. Lauschte in die Dunkelheit hinaus, in den Regen, in das Rauschen des Tennessee, das weiche Summen der Wälder.
Da – ein Häherschrei.
In der Ferne ein Schuß.
Knirschte da nicht ein landendes Boot auf dem Sand der kleinen Bucht?
Angriff der Rebellen?
Traum?
Täuschung der Sinne?
Nach einigen Tagen zitterte sie an allen Gliedern. Ihre Nerven waren überreizt, in ihren Augen schimmerten Tränen. Wie hatte Felix sie nur hier allein zurücklassen können? Aber sie hatte es selber herausgefordert. Ihm war keine Wahl geblieben.
Erst als aus Bridgeport endlich die ersten Siegesnach-

richten auf die Insel herüberklangen, besserte sich ihr Zustand.

Am 15. und 16. Dezember hatte General Thomas seinen Angreifer Hood in zwei großen Schlachten bei Nashville zurückgeschlagen. 5000 Gefangene und 54 Kanonen blieben in der Hand des Siegers. Ein Erfolg, der den Süden vernichtend traf.

Wie glaubhafte Gerüchte besagten, sollte Felix mit einer Stoßbrigade, die General Thomas ihm anvertraut hatte, großen Anteil an diesem Erfolg gehabt haben. In kühn geführten Angriffen hatte er Hoods Verbände immer wieder von der Flanke her angegriffen und ihnen den Angriffsschwung genommen, noch ehe sie auf die befestigten Stellungen in Nashville stießen.

Stolz auf ihren Felix, arrangierte Agnes eine Siegesfeier, braute für den Rest der Inselbesatzung eine männermordende Bowle und hielt eine Rede auf Oberst Salm, die von den Männern mit wilden Hurra-Rufen begleitet wurde. Sie warfen die Fackeln in den Fluß und verschossen ihre Munition in den Nachthimmel hinauf, denn mit General Hoods Niederlage zugleich waren auch die Guerilleros am jenseitigen Ufer verschwunden.

Wieder allein im verlassenen Haus, hockte Agnes vor dem flackernden Feuer am Kamin, kaute auf ihrer Unterlippe und dachte in sich hinein.

Wie sie da saß in Lederrock und Lederwams, mit gekreuzten Beinen, das schwarze Haar lang über die Schultern fließend, Widerschein der Holzglut in den braunen Augen – schien sie das Urbild eines Indianermädchens am Lagerfeuer zu sein.

Doch so war es immer, wenn sie in die Zukunft dachte, wenn irgendeine Entscheidung in ihr reifte.

Und abermals ging es um Felix.

Sie empfand es als höchst ungerecht, daß er nach zwei

Jahren tapferster Bewährung noch immer nur Oberst war, während den unfähigsten Männern, die keine Ahnung von Truppenführung hatten, aus politischen Gründen die Generalspatente nur so nachgeworfen wurden.

Ihr Entschluß stand fest. Sollte Felix auch fernerhin von Kriegsminister Stanton bei den Beförderungen übergangen werden, wollte sie ihm auf ihre Weise sein längst fälliges Patent verschaffen. Und so schrieb sie es auch in ihr Tagebuch: »Ich werde es durchsetzen, und wenn es mein Leben kostet.«

Am 23. Dezember wurde die Insel geräumt. Felix schickte einen Sonderzug mit großem Begleitdetachement, der Agnes mit dem Rest der Inselbesatzung nach Stevenson holte, wo er mit seiner Brigade im Befehlsstand seines unmittelbaren Vorgesetzten, des Generals Steedman, im Quartier lag. Glückliches Wiedersehen nach kampfharten Tagen.

»Steedman und Salm sahen mehr Räubern ähnlich als Offizieren«, heißt es im Tagebuch. »Ihre Bärte waren seit über einer Woche unrasiert, ihre zerrissenen Uniformen starrten vor Schmutz. Steedman fand nicht Worte genug, Salms Tapferkeit und gute Truppenführung zu loben. Er bedauerte, daß es in der amerikanischen Armee keine Orden gab. Salm vor allen anderen hätte die höchste Auszeichnung für Tapferkeit vor dem Feind verdient.«

Feststellungen, die Agnes in ihrer geheimen Absicht, Felix zum General zu machen, nur bestärkten.

Doch zunächst galt es am 25. Dezember den gemeinsamen Geburtstag zu feiern. Agnes wurde 20, Felix 37 Jahre alt. Drei Tage lang jubelte das Fest champagnerselig durch die Räume des Hauptquartiers, die üppig mit

Stechpalmen- und Mistelzweigen ausgeschmückt waren. Küsse, Umarmungen und Gelächter, Tänze, Musik ohne Ende. Und Agnes, Kapitän Agnes Salm, unermüdlich Mitte und Motor dieser unvergeßlichen Tage und Nächte.

Aber dann hielt sie nichts mehr in Stevenson zurück. Ihr Zielt war Washington. Felix gegenüber begründete sie die Reise damit, daß sie Dallah beistehen müsse, die gerade in diesen Tagen ihren zweiten Sohn geboren hatte.

Felix war um so mehr damit einverstanden, als die Brigade unter seiner Führung den schweren Angriffsmarsch nach Georgia hinein mitmachen sollte, dessen Strapazen er Agnes nicht zumuten wollte.

General Felix Salm

In Washington bezog sie in Dallahs Haus ihr kleines Zimmer wieder. In jedem Winkel schwebte hier noch Erinnerung an die Zeit ihrer ersten wilden Liebe zu Felix.

In den Fächern des kleinen Sekretärs lagen die farbigen Kärtchen voller Liebesschwüre, die seine täglichen Blumengrüße begleitet hatten.

Was für ein Sommer war das gewesen! So voller Glück und Träume. Hatten sich die Hoffnungen von damals erfüllt? O ja. Mehr, als es einem Menschen sonst vergönnt war, hatte Agnes Liebe, Leidenschaft und Abenteuer in vollen Zügen atmen dürfen. Felix war der Mann ihres Lebens. Sie liebten einander wie am ersten Tag. Und es gab noch immer Augenblicke, in denen sie sich an den Händen hielten, einander ansahen und wußten: Gott hat dich für mich gemacht.

Einzig unerfüllt war nur die Sehnsucht, dieser tiefste Wunsch nach einem Kind von Felix geblieben. Damit mußte sie sich abfinden.

Um so entschlossener, in ihrer spontanen Wildheit, stürzte sie sich auf Dallahs eben geborenen zweiten Sohn, verlangte, daß die Schwester ihn ihr schenke.

Dallah lächelte und sagte ihr abermals: »Nein, Agnes. Ein Kind braucht Haus und Heimat. Du hast ihm nur deine Unruhe und immer andere Kriegslager zu bieten.«

Eine Wahrheit, die Agnes kaum bestreiten konnte. So

willigte sie denn in Dallahs Vorschlag ein, Agnes möge Patin des Neugeborenen werden, der den Namen Felix bekommen sollte.

»Später wird er ein Prinz werden«, sagte Agnes. »Ich werde dafür sorgen, daß Felix ihn adoptiert.«

Und Dallah lächelte wieder. Sie kannte ihre Schwester. Für Agnes gab es kein »Später«, sie lebte mit ihren spontanen Eingebungen immer nur in der Gegenwart.

Inzwischen hatten die Zeitungen der Hauptstadt ausführlich darauf hingewiesen, daß die »liebliche Prinzessin Cinderella« oder auch »Captain Agnes Salm« von der Tennessee-Front wieder in der Hauptstadt eingetroffen sei.

Und schon kamen die ersten Grüße und Blumengebinde von den alten Freunden ins Haus. Die Senatoren Harris, Wilson und Nesmith ließen sich unverzüglich bei ihr melden. Gouverneur Yates, der nicht nachtragend war, kam in jungenhafter Wiedersehensfreude, ihr die Hand zu küssen. Die Generäle Fry und Hooker schickten ihre Adjutanten, der Prinzessin ihre Dienste anzubieten. Genau die Männer also, die sie brauchte, Minister Stanton das Generalspatent für Felix zu entreißen. Und dies alles, bevor sie auch nur eine einzige Bitte in dieser Richtung ausgesprochen hatte.

Überraschend meldete sich auch Freund Corvin bei ihr, der seine Kriegsberichtertätigkeit bei der Londoner »Times« aufgegeben hatte. Im Sinne der neuen englischen Politik war die Zeitung auf die Seite des Südens übergegangen und verlangte von ihrem Korrespondenten, den Krieg fortan aus der Sicht der Barone zu beschreiben. Eine Forderung, die der begeisterte Demokrat Corvin entrüstet von sich wies. Auf Vorschlag seiner Gönnerin, Kätchen Chase, kündigte er seinen Londoner Vertrag und trat bei Kätchens Vater als Sekretär ins Schatzamt ein, wo er die Ausgabe der neuen Banknoten zu überwachen hatte.

Er sprach zuversichtlich vom baldigen Kriegsende und wußte auch, wie Felix sich bei den Kämpfen um Nashville ausgezeichnet hatte.

»General Thomas hat ihn zum General vorgeschlagen, hab' ich gehört?«

»Ja, es wurde Zeit. Aber Stanton weigert sich, das Patent zu unterschreiben.«

»Armer Felix, dann hat er verloren.«

»Noch nicht«, sagte Agnes. »Stanton unterschreibt. Dafür werde ich sorgen.«

Zweifelnd sah er sie an. »Wie wollen Sie das schaffen, Prinzessin?«

»Das lassen Sie nur meine Sorge sein, Corvin. Ich bin Amerikanerin.«

Er beugte sich über ihre Hand. »Ich glaube, Felix weiß noch immer nicht, was er an Ihnen hat.«

Agnes lachte. »So genau soll er das auch gar nicht wissen.«

Und wie zur Rechtfertigung schrieb sie in ihr Tagebuch, gleich nachdem Corvin sie verlassen hatte:

»Europäer werden ein solches Eingreifen von Frauen in militärische Angelegenheiten kaum begreifen. Aber jedes Land hat seine Eigenheiten, und daß man den Frauen dort alles erlaubt, ist eine der Eigentümlichkeiten Amerikas. Es gehen mehr Dinge durch ihre Hände, als Uneingeweihte sich träumen lassen, und die Beamten in den verschiedenen Ämtern sind keineswegs darüber erstaunt, wenn sich eine Frau der Geschäfte ihres Mannes entschieden annimmt.«

Agnes mischte Entschiedenheit mit List, um den Kriegsminister auszumanövrieren. Sie forderte die Generäle Thomas und Steedman in diesen naiv-charmanten Briefen, die für sie typisch waren, nachdrücklich auf, ihre Beförderungsvorschläge für Felix nicht nun nochmals an Stanton, sondern auch an den Senat zu richten. Denn von Gouverneur Yates, der sich in unverminderter Bewunderung wieder zu ihrem Sklaven machte, hatte sie erfahren, daß ein Offizier, den der Senat zum General vorschlug, nicht mehr vom Minister abgelehnt werden konnte.

Thomas und Steedman reagierten wunschgemäß mit ausführlichen Telegrammen an Stanton und an den Senat.

Mit diesen Dokumenten in der Hand stellten die Senatoren Harris, Wilson und Nesmith den offiziellen Antrag, Felix zum General zu befördern, und der Senat stimmte mit großer Mehrheit zu.

Täglich wartete Agnes nun darauf, ins Kriegsministerium gerufen zu werden, aber Stanton rührte sich nicht. Alles deutete darauf hin, daß er den Antrag blockieren wollte.

Agnes zitterte am ganzen Körper, brach in Tränen aus, als Yates eines Morgens mit seinem täglichen Rosenstrauß zu ihr kam.

»Warum weinen Sie, Prinzessin?«

»Aus Wut, aus Zorn, aus Empörung. Stellen Sie sich vor, Richard, Oberst von Corvin hat mir berichtet, daß Stanton gegen die Beförderung von Felix beim Senat Einspruch einlegen will.«

»Dann wird er jetzt meinen Spruch hören!« sagte Yates, nahm seinen Zehn-Gallonen-Hut vom Haken und ritt zum Kriegsministerium in die Stadt hinunter, wo er, ohne sich von Adjutanten und Sekretären aufhalten zu lassen, in Stantons Zimmer stürmte. Als Gouverneur eines Staates, dessen Truppen teilweise auch unter Salm dienten, hatte er unmittelbares Vorschlagsrecht für die Beförderung der Offiziere.

»Warum unterschreiben Sie das Generalspatent für Oberst Salm nicht, Mister Stanton?«

»Der Oberst ist dienstrangmäßig noch nicht an der Reihe und braucht meines Erachtens noch eine gewisse Zeit der Bewährung.«

»Salm hat sich drei- und vierfach bewährt. Ihre Weigerung ist reine Schikane. Alle Welt weiß, daß Sie ihm nur nicht vergessen können, wie er sich damals für General Blenker eingesetzt hat. Ich hoffe, Sie wollen es nicht wagen, den Senat herauszufordern?«

Stanton sah Richard Yates an, der breitbeinig vor seinem Schreibtisch stand, die Hand an der silberbeschlagenen Pistole, suchte unter seinen Formularen das schon ausgeschriebene Patent hervor und setzte schweigend seinen Namen darunter.

»Bitte, Gouverneur, ich hoffe, die Prinzessin Salm wird jetzt zufrieden sein.«

Ohne Antwort stürmte Yates aus dem Zimmer, um Agnes das so heiß umkämpfte Dokument zu bringen. Er fand sie noch in ihrem Zimmer.

»Sind Sie nun zufrieden, Cinderella?«

Schweigend überflog sie zwei-, dreimal das Papier, das er vor sie hin auf den Tisch gelegt hatte, las mit Genugtuung Stantons Unterschrift und sprang endlich mit einem Freudenschrei von ihrem Stuhl auf, warf Richard Yates die Arme um den Hals und küßte ihn wild auf die schmalen Lippen.

»Ach, Sie sind wunderbar, Richard.«

Er hielt sie lächelnd fest, sah ihr nah in die Augen.

»Als ich das Regiment des Obersten mit meinen Soldaten auf Kriegsstärke brachte, bekam ich einen Kuß auf die Stirn. Für das Generalspatent einen Kuß auf den

Mund. Was bekomme ich, wenn ich ihm jetzt ein Armeekorps verschaffe, Cinderella?«

Sie löste sich von ihm, tauchte in das Licht seiner Rosen hinunter und sagte mit lächelndem Aufblick: »Daß er nun General ist, genügt mir, Richard.«

Am gleichen Tag noch schickte sie eine übermütige Depesche langer Liebesgrüße an ›General Felix Salm‹.

Und in ihr Tagebuch schrieb sie stolz:

»Er hatte mir seinen Namen gegeben und mich zur Prinzessin gemacht. Dafür verschaffte ich ihm das Kommando über das achte Regiment und schuf für ihn das achtundsechzigste; und nun war er durch meine Bemühungen General geworden.«

Beim besten Schneider der Hauptstadt bestellte sie drei Generalsuniformen, mit denen sie Felix überraschen wollte, der sich um diese Zeit unter General Steedman auf dem Vormarsch nach Atlanta befand.

Doch sollte ihre Abreise an die Front durch unvorhersehbare schreckliche Ereignisse verzögert werden.

Der Mord

Der Krieg war zu Ende, die Schlacht geschlagen. Washington erzitterte unter dem Siegessalut von achthundert Geschützen. Richmond war gefallen, und General Lee hatte inmitten der Pfirsichblüte des Dörfchens Appomattox die Kapitulation unterzeichnen müssen. Im Zugriff von Grants überlegenen Armeen blieb ihm keine Wahl, denn seine halbverhungerten dezimierten Regimenter hatten sämtliche Munition verschossen, hatten sich nur mit dem Bajonett verteidigen können.

»Mir bleibt nichts anderes übrig«, hatte Lee vor seinen Offizieren resigniert, »aber lieber würde ich tausend Tode sterben.«

Am Abend des 10. April, noch unter dem Donner der Geschütze, war die Pennsylvania Avenue schwarz von Menschen. Mit Fahnen und Kapellen unter jubelnden Gesängen zogen die Bewohner der Hauptstadt zu Tausenden zum Weißen Haus, um Lincoln zu feiern, ihn sprechen zu hören. Ein vieltausendstimmiger Chor rief ihn ans Fenster.

»Old Abe came out of the wilderness« klang wie ein Choral zum Himmel hinauf.

Und plötzlich sahen sie ihn. Die große dunkle Gestalt, den ganzen Rahmen ausfüllend. Nacken und Schultern gebeugt von der Last der Verantwortung, die die Geschichte ihm auferlegt hatte.

Er hob die Hand und sprach zu ihnen. Dankesworte an die Vorsehung, die ihm den Sieg geschenkt, sich seinem beharrlichen Willen gebeugt hatte, die Einheit der Union in die Zukunft hinüberzuretten. Und er schloß mit Worten des Gedenkens an die Toten. Brüder sie alle und dennoch Feinde im blutigsten Krieg dieses Kontinents. Seine dunkle Stimme wurde vom Frühlingswind, der vom Potomac herüberwehte, in den sternenhohen Nachthimmel hinaufgetragen.

Agnes und Dallah standen Arm in Arm unter dem Fenster, aus dem Lincoln sprach. Sie hatten vergeblich versucht, ins Haus hineinzugelangen. Aber das Portal war von Soldaten und Menschen wie vermauert gewesen.

Bewegt sah Agnes zu ihm auf. Das unendlich müde Gesicht, das vom Flackerlicht der von seinen Dienern gehaltenen Fackeln wie eine helle Maske immer wieder aus der Dunkelheit gerissen wurde. Seine schwere dröhnende Stimme. Der zärtliche Atem des Frühlings ringsum. Das ehrfürchtige Schweigen der Menge, die in den hinteren Reihen seine Worte schon nicht mehr verstand.

»Sein Gesicht strahlte von unendlicher Güte und von Wohlwollen gegen jedermann. Ich konnte ihn nicht ansehen, ohne daß mir die Tränen in die Augen traten, denn über sein ganzes Gesicht war ein melancholischer Hauch gebreitet, wie man ihn auf den Gesichtern solcher Personen erkennen kann, die dazu bestimmt sind, eines nahen gewaltsamen Todes zu sterben.«

Agnes verfluchte sich selbst, ihre Kassandravisionen, die sich schon drei Tage später fürchterlich bewahrheiten sollten.

An diesem 14. April 1865 besuchte Lincoln mit seiner Frau Fords Theater, wo er mit Ovationen empfangen wurde, die in den Pausen des belanglosen Lustspiels, das an diesem Abend auf dem Programm stand, immer aufs neue losbrachen. In diesen Jubel hinein sprang der Schauspieler Booth von der Bühne her in die Loge des Präsidenten und schoß ihn aus nächster Nähe nieder, so daß er rettungslos verblutete. Ausgerechnet jener Booth, für den Agnes in der ersten Washingtoner Zeit so geschwärmt hatte und von Felix deshalb ausgelacht worden war. In fassungslosem Entsetzen hielt die Nation den Atem an. Inmitten des Sieges dieser Schicksalsschlag. So sinnlos. Eine Verschwörung des Südens, wie das Gerücht wissen wollte.

Corvin beschreibt in seinen Erinnerungen, wie er Agnes am nächsten Tag die Schreckensnachricht brachte: »Noch selber ganz verwirrt von der Mordtat, drang ich am frühen Morgen des 15. April in das noch schlafende Haus ihrer Schwester ein und stürmte ohne Aufenthalt in das mir bekannte Schlafzimmer der Prinzessin hinein, wo sie noch im Bett lag. Erschrocken fuhr sie aus dem Schlaf und wollte meine gestammelte Unglücksnachricht im ersten Augenblick nicht glauben, um im nächsten auszurufen: ›Das ist Johnsons Werk!‹ Und es waren viele Amerikaner damals mit ihr der unbegründeten Meinung, der Vizepräsident sei an der Verschwörung gegen Lincoln beteiligt gewesen. Allerdings erreichten die Verschwörer mit diesem Mord das genaue Gegenteil ihrer Absichten. Die amerikanische Nation rückte nur noch enger zusammen. Das ganze Land glich einem Trauerhaus, in dem der Vater gestorben war. Nicht nur die öffentlichen Gebäude, auch die Wohnhäuser in Washington waren schwarz verhängt, und Abertausende besuchten das Weiße Haus, um noch ein letztesmal das Gesicht des guten Präsidenten zu sehen, dessen Leiche dort im offenen Sarg ausgestellt war. Kein Kaiser und kein König hat jemals eine solche Leichenfeier gehabt. Millionen säumten den Weg des Trauerzuges, der drei Wochen lang von Washington durch das ganze Land in das ferne Springfield ging. ›Old Abe‹ kam heim nach Illinois.«

Klaren Frühlingswochen folgte der große Regen, in dem Washington zu ertrinken drohte.

Schlaff hing die Präsidentenfahne über dem Weißen Haus, in dem Andrew Johnson unverzüglich die Regierungsgeschäfte übernommen hatte.

Agnes bereitete ihre Abreise vor. Nichts hielt sie mehr in der Hauptstadt außer dem festen Entschluß, dem neuen Präsidenten vorher noch einen Abschiedsbesuch zu machen. Zunächst schien das unmöglich zu sein, dann aber bekam sie doch noch eine von Andrew Johnson selbst unterzeichnete Einladung, die auch für Otto von Corvin galt, der für die »Augsburger Allgemeine Zeitung« ein Interview mit dem Präsidenten erbeten hatte.

Als sie am Morgen des 24. April in einer Mietdroschke zum Weißen Haus hinüberfuhren, warf Corvin plötzlich den Kopf herum, sah Agnes lange von der Seite an, wie sie da angespannt auf ihrem Sitz hockte, ständig zum Aufsprung bereit, wie sie auf ihrer Unterlippe kaute, Gedanken nachhängend, die er nicht zu ahnen vermochte, und sagte in seiner höflich-leisen Art:

»Darf ich Ihnen eine Frage stellen, Agnes? Aber Sie dürfen sich nicht ärgern darüber.«

»Blödsinn, Corvin. Wie sollt’ ich mich ärgern? Schießen Sie los.«

»Warum suchen Sie Andrew Johnson auf, von dem Sie doch vor einigen Tagen noch behaupteten, er sei mit Lincolns Mördern im Bunde gewesen?«

»Das ist doch ganz einfach, Corvin. Er ist der neue Präsident, und ich werde ihn bald schon brauchen für meine Pläne.«

327

»Was für Pläne? Darf ich das erfahren?«

»Aber ja, Corvin. Richard Yates hat mir gesagt, daß nach der Abmusterung der Freiwilligen höchstens 120 der Kriegsgeneräle in die reguläre Armee übernommen werden. Und ich will, daß Felix darunter ist. Dafür brauch' ich den Präsidenten oder sein Amt oder seine Macht. Dabei ist es mir gleichgültig, ob der Mann im Weißen Haus nun gerade Johnsohn, Smith oder Miller heißt.«

Corvin strahlte. »Eine gute Antwort, Agnes. Opportunismus reinsten Wassers.«

»Opportunismus? Was ist das, Corvin?«

»Opportunist ist ein Mann, der sich ohne Rücksicht auf seine Überzeugungen in die herrschenden Verhältnisse einfügt. Ein Mann ohne Charakter.«

Sie schnippte verächtlich mit den Fingern. »Ach, hören Sie mir doch auf mit diesen Charaktermännern und Prinzipienreitern, die der Welt alle zehn Jahre eine Revolution oder einen neuen Krieg bereiten. Männer sind dumm.«

»Felix auch?«

Agnes lachte. »Der ist der dümmste von allen. Aber auch der liebste.«

Corvin sah ihr bewundernd in die braunen Augen. »Ich glaube, er weiß bis heute noch nicht, was für eine Frau er in Ihnen gefunden hat.«

»Ach, ich glaube, er weiß es, Corvin.«

»Wie ein Blinder hat er sie im Vorbeigehen an der Hand festgehalten.«

»Ich hab' sie ihm aber auch dicht vor die Nase gehalten.«

Sie lachten, und Corvin beugte sich über ihre Hand. »Diese kleine kräftige Hand. Ach, Agnes – Sie sind die schönste Opportunistin auf der Welt.«

»Danke, Corvin – und Sie sind ein wunderbarer Freund.«

Da hielt der Wagen, der vor dem Weißen Haus angekommen war, und sie sprang aus dem Sitz, den Rock bis zu den Knien aufschürzend, ohne die Hand des Kutschers zu beachten.

Leichtfüßig lief sie, Corvin voraus, die Stufen zum Eingang hinauf, in beiden Händen ein mit Frühlingsblumen für den Präsidenten gefülltes Bastkörbchen balancierend, »das«, wie es im Tagebuch heißt, »sehr gnädig aufgenommen wurde . . .«

Die große Illusion

Zerstörte Eisenbahnlinien, verwüstete Dörfer und Felder, verbrannte Städte – nichts anderes sah Agnes, als sie auf den Spuren des großen Feldzugs, zu Pferd, zu Wagen und manchmal auch auf dem Cow-catcher einer Lokomotive, Felix zu suchen begann, der nacheinander Distriktsgouverneur von Dalton in Georgia, von Atlanta und Augusta gewesen und immer tiefer in den Süden befohlen worden war.

In Savannah fand sie ihn endlich mit seinen Achtundsechzigern. Glückliches Wiedersehen, bei dem ihr auffiel, daß sein jungenhaftes Lächeln von einer Maske seltsamen Mißmuts überdeckt war, dessen Herkunft sie sich nicht erklären konnte, auch bald nicht mehr erklären wollte. Nur allzugern versank sie im Strudel sommerlicher Feste, die den Yankee-Offizieren von den großen Familien der schönen im Krieg unzerstört gebliebenen Stadt in unermüdlicher Folge gegeben wurden. Musik-Empfänge, Tanzfeste, Modeschauen, Champagnerpfropfen knallten in den Sternenhimmel hinauf, jagten den Tag in die Nacht und diese wieder in den nächsten Tag. Prinz und Prinzessin Salm galten als das schönste Paar der Stadt. Wenn sie – Felix in der neuen Generalsuniform, die seine stählerne Schlankheit eng umschloß, Agnes im kurzwippenden Krinolinenkleid neuesten Pariser Schnitts – den Festsaal betraten, wurden sie jedesmal mit Beifall empfangen. Wenn Felix hin und wieder mit einem Kommando zu kurzen Kampfeinsätzen ausrücken mußte, gab sich Agnes diesen Einladungen nur noch rückhaltloser hin. Sie sang, tanzte, lachte, flirtete nach allen Seiten. Scharen junger Leutnants fielen in ihrem Schlepptau in die Tanzsäle ein. Es war, als wollte sie in Wochen und Monaten vergessen, was sie an Jahren ihrer Jugend in den Todesnächten des Krieges verloren hatte. »Kleine närrische Prinzessin« hieß es in der Gesellschaft, die ihr alles erlaubte, alles verzieh.

Felix indes kam von seinen Einsätzen jedesmal mißmutiger zurück. Da es ihm nicht gegeben war, sich auszusprechen, da er von jeher schon allen Kummer und Ärger in sich hineinfraß, fragte sie ihn eines Tages geradezu nach den Ursachen seiner Verstimmung.

»Ich hasse diesen Besatzungsdienst«, brach es aus ihm heraus, »ich bin hier kein Soldat mehr, sondern nur noch Polizist. General Sherman hat so strenge Befehle erlassen, daß ich tatsächlich jedes zweite Dorf niederbrennen müßte, weil wir aus irgendeinem Haus beschossen wurden. Ich versuche zu übersehen, was immer möglich ist. Aber manchmal geht es eben nicht. In Augusta mußte ich eine ganze Straße niederbrennen, weil zwei Damen von einem Balkon aus die ›Stars and Stripes‹ bespuckt hatten. Kurze Zeit vorher war ich ein verwöhnter Gast in ihrem Haus gewesen.«

»Sie heucheln Freundschaft, aber in Wahrheit hassen sie uns«, sagte Agnes.

»Ja, sie hassen uns. Auch die Bürger von Savannah hassen uns, obwohl sie uns Freundschaft und Verbrüderung vorspielen.« Er brach ab, obwohl ihn ständig ein Problem beschäftigte, mit dem er nicht fertig wurde. Je länger er im Süden lebte, um so mehr gefiel ihm der verschwenderisch-freie Lebensstil seiner Menschen. Und es schien ihm manchmal, er habe während des Krieges auf der falschen Seite gekämpft. Mit der hemdsärmeligen

Unbekümmertheit der Yankees im Norden war er in seiner ihm angeborenen verbindlichen Höflichkeit bis heute noch nicht zurechtgekommen. Wollte er aber dann den Menschen des Südens seine Sympathie zeigen, indem er auf die verdienten Strafen verzichtete, forderten sie ihn um so offener heraus, zeigten ihm ihre Verachtung, die sie jeder Unionsuniform entgegenbrachten. Er hatte wegen solcher Milde schon manche Rüge von General Sherman einstecken müssen.

»Nein, ich ertrage das nicht mehr, ich gebe auf«, sagte er aus solchen Gedankengängen heraus.

»Was erträgst du nicht mehr?« fragte Agnes.

»Diesen verdammten Polizeidienst hier.«

»Du mußt es aber ertragen«, sagte sie scharf, »du mußt dich sogar bewähren darin.«

»Bewähren?« wiederholte er spöttisch. »Wie kommst du denn darauf?«

»Deine Zukunft, unsere Zukunft hängt davon ab«, sagte sie nachdrücklich, »ich habe nämlich in Washington schon alles dafür vorbereitet, daß du als General in die reguläre Armee übernommen wirst. Auch mit Präsident Johnson habe ich darüber gesprochen. Er ist dafür, und auch im Senat ist die Stimmung gut für dich. Du mußt nur noch den üblichen Bewerbungsbrief einreichen, mit General Shermans Unterschrift natürlich. Ich bin ganz sicher, daß es keine Schwierigkeiten geben wird.«

»Bis auf die eine, daß ich diesen Brief nicht schreiben werde.«

Sie warf ihren Kopf auf, zwang sich zur Ruhe.

»Warum nicht, Felix?«

»Weil ich es satt habe, von dir auf diese Weise immer wieder vorwärtsgeschoben zu werden.«

»So ein Blödsinn!« Sie stampfte mit dem Fuß auf.

»Willst du lieber auf der Straße liegen?«

»Auf jeden Fall will ich diesen Polizeidienst hier nicht mehr weitermachen. Nicht einen Tag länger als nötig.«

»So lange wird das nicht dauern. Ein paar Monate vielleicht.«

»General Sherman rechnet mit fünf Jahren.«

Sie trat nahe an ihn heran und sagte bittend: »Felix, du wirst den Brief schreiben, nicht wahr?«

»Nein«, sagte er hart.

Sie standen sich kampfbereit gegenüber. Stirn an Stirn. Zwei im Zeichen des Steinbocks Geborene. Keiner zum Nachgeben gewillt.

»Bitte, schreib den Brief, Felix«, bat sie noch einmal.

»Nein, Agnes.«

Da trommelte sie mit beiden kleinen Fäusten gegen seine Brust.

»Ich will aber, daß du den Brief schreibst!«

»Nein, Agnes.«

Plötzlich hatte sie Tränen in den Augen, hob das Gesicht zu ihm auf. »Willst du denn, daß alles verloren sein soll, was ich für dich getan habe, für deine Zukunft?«

»Ich will meine Zukunft von jetzt an selber bestimmen«, sagte er ungerührt, »das ist alles.«

Sie wischte sich die Tränen aus den Augen. »Darf ich wenigstens erfahren, was für eine Zukunft das ist?«

»Wir gehen zu Maximilian nach Mexiko.«

Mit großen Augen sah sie ihn an. »Wer ist Maximilian?«

»Der jüngere Bruder des Kaisers von Österreich. Seit zwei Jahren Kaiser von Mexiko.«

»Und was willst du bei ihm?«

»Ich trete in seine Armee ein. Er kämpft gegen Benito Juarez, den Führer der Republikaner, um die Herrschaft in Mexiko.«

Sie rümpfte die kleine Nase. »Mexiko, brrr! Hitze und

Dreck. Aber wennschon, solltest du für diesen Juarez kämpfen. Ich glaube nicht, daß sich irgendein Kaiser hier in Amerika halten kann.«

»Das laß nur meine Sorge sein«, sagte er obenhin, »außerdem habe ich gar keine Wahl. Ich kenne Maximilian aus Wien, und unsere Väter haben schon vor 600 Jahren während der Kreuzzüge Schulter an Schulter um Jerusalem gekämpft.«

Sie lächelte aus tränenverschmiertem Gesicht. »Das ist allerdings eine alte Bekanntschaft. Aber welchen Nutzen hast du heute davon?«

Er schüttelte heftig den Kopf. »Daß ihr Amerikaner immer nach dem Nutzen fragen müßt! Aber du kannst dich beruhigen, Baron von Wydenbruch, der österreichische Gesandte in Washington, der mich und noch einige andere Offiziere für Maximilian angeworben hat, ist nicht mit leeren Händen gekommen. Großartige Konditionen, sage ich dir: Ich werde im Generalsrang übernommen, bekomme eine Division und etwa das Doppelte an Sold, was mir der Präsident der Vereinigten Staaten zahlt.«

»Klingt nicht schlecht«, sagte sie kühl, »hast du Verträge darüber?«

»Verträge?« Erstaunt, beinahe verächtlich sah er sie an. »Das Ehrenwort eines Edelmannes genügt mir.«

Sie lachte. »Entschuldige, wenn ich da zweifle, aber ich bin nun mal eine nüchterne Amerikanerin . . .«

». . . eine verdammt süße, nüchterne Amerikanerin!«

Unwillig winkte sie ab, legte die Arme auf den Rücken und wippte vor ihm auf den Zehenspitzen wie eine Bachstelze. »Und wenn mir das nun zu unsicher ist, wenn ich nicht mitkomme nach Mexiko, was machst du dann?«

Überrascht sah er sie an und lächelte. »Dann bind' ich

dich eben einfach hinter meinem Sattel aufs Pferd, Indianerin.«

Sie ließ die Arme fallen. »Nun gut, ich komme freiwillig mit.«

»Na also, ich wußte es doch«, triumphierte er und riß sie an sich.

Glücklich sah sie auf zu ihm, zu diesem Träumer, der wie ein Kind war in der Welt.

Sie wußte, sie ahnte voraus, daß diese Reise nach Mexiko ein Ritt in den Abgrund sein würde.

Todesschatten wehten über sie hin.

Er ahnte nichts davon.

Aber gerade so liebte sie ihn.

Dunkle Vorzeichen

Sosehr Agnes irgendwelchen Aberglauben anderer Menschen zu verspotten pflegte, sie selber war davon bis in die Fingerspitzen erfüllt.

Wolkenzug, Vogelflug, Wind von rechts oder links, die erste Begegnung am Morgen – nichts gab es bei ihr, was nicht für den kommenden Tag voller Bedeutung gewesen wäre. Die Vorzeichen ihrer Ankunft in Mexiko ließen Unheil, Leid und Verzweiflung erwarten. Sofortige Umkehr wäre das beste gewesen.

Mit angehaltenem Atem blickte sie über die Reling der ›Manhattan‹ auf die Stadt Vera Cruz hinüber, deren weiße Häuser wie Grabsteine eines riesigen Friedhofs die sonnverbrannten Hänge der weiten Bucht hinaufstiegen.

Darüber in dunklen Geschwadern die Aasgeier, die Totenvögel, die Zapilotes.

Indes wurde das Schiff, das soeben in großer Fahrt den Golf von Mexiko hinter sich gebracht hatte, so als wollte es angesichts des Zieles seine zweitägige Verspätung wiedergutmachen, langsamer und langsamer. Und stoppte plötzlich inmitten eines Pulks anderer Schiffe schon draußen auf der Reede.

Mit einem Ausdruck ohnmächtigen Erstaunens, das Kreischen der niederfahrenden Ankerketten noch schmerzhaft im Ohr, streckte Agnes die Arme aus. Vera Cruz lag im grellen Licht der Augustsonne zum Greifen nah vor ihr. In einem dieser weißen Häuser, in der Familie des amerikanischen Konsuls, wartete Felix schon seit drei Tagen auf sie. Sie mußte an Land. Sie mußte zu ihm.

Auch in der Gruppe der mitreisenden Geschäftsleute, Offiziere, Diplomaten, die mit gepackten Koffern hinter ihr zum Aussteigen bereitstanden, brach Unruhe aus. Fragen, Flüche, Ratlosigkeit. Jeder Tag, jede Stunde Verspätung brachte den Kaufleuten Tausende von Dollars Verlust.

Endlich kam der Erste Offizier von der Brücke.

»Wir wollen von Bord. Warum gehen wir nicht an die Pier?« schrien sie ihm entgegen.

Er hob beschwichtigend die Hände. »Der Kapitän läßt Sie um Geduld bitten, meine Herrschaften. Er möchte nicht Ihr Leben und das der Mannschaft aufs Spiel setzen. An der Pier sind die gelben Fahnen gesetzt. In Vera Cruz wütet das gelbe Fieber.«

Betretenes Schweigen ringsum. Sie alle wußten, daß im mörderischen Klima der weißen Stadt alljährlich Tausende von Europäern und Nordamerikanern ihr Leben lassen mußten. Ein gewichtiger New Yorker Geschäftsmann setzte der schlimmen Nachricht seinen Optimismus entgegen, brüllte über alle hinweg:

»Der ›Yellow Jack‹ weht in Vera Cruz zwölf Monate im Jahr. Das ist doch nichts Neues, Sir. Wir wollen an Land. Sagen Sie das Ihrem Kapitän!«

»Wir wollen an Land!« unterstützte der Chor seiner Kollegen den dicken Vorsprecher.

Das machte ihm Mut, und er schrie: »Das Fieberrisiko ist bei unseren Preisen eingerechnet.«

Allgemeines Gelächter, während der Erste Offizier schon wieder auf der Brücke verschwand.

Indes hatte Agnes, die das lärmende Wesen ihrer Landsleute von jeher verachtete, kaum zugehört und allein

darüber nachgedacht, wie sie am schnellsten von Bord
kommen könnte.

Einen Offizier, einige Matrosen bestechen?

Dazu hätte sie allein ihren Schmuck verwenden können,
denn ihre Taschen waren leer, sie besaß keinen Pfennig
mehr.

Oder einfach über Bord springen und den Ruderbooten
entgegenschwimmen, die jetzt von der Stadt her auf die
›Manhattan‹ zuhielten? Sie war bereit dazu.

Ein schlankes Boot mit vier Mann an den Riemen war,
den anderen weit voraus, schon bald in Rufweite angekommen. Noch während das Boot austrieb, die Ruderer
erschöpft über den Riemen hingen, stand der Steuer-
mann auf und rief zur ›Manhattan‹ hinauf: »Princesa
Salm! Princesa Salm!«

Agnes band ihr rotseidenes Kopftuch los und ließ es als
Signal über der Reling flattern. Der Mann verstand sie
sogleich und erklärte brüllend, er sei vom Prinzen Salm
beauftragt, sie mitsamt ihrem Gepäck an Land zu holen.

Einige Matrosen, die sich schon seit der Abfahrt in New
York ständig um die berühmte Prinzeß Cinderella bemüht hatten, ließen sogleich das Fallreep nieder, an dem
das Ruderboot unten festmachte. Andere seilten ihre
Koffer ab, während Agnes Stufe um Stufe das schwin-
gende Reep hinunterstieg.

Aber dies alles drang kaum in ihr Bewußtsein. Verloren
auf der Bank kauernd, das taktmäßige Keuchen der Ruderer hinter sich, konnte sie sich wenig später nicht mehr
erklären, wie sie von der hohen ›Manhattan‹ herunter in
dieses schmale Boot gekommen war.

Ein erstaunter Blick zum Schiff zurück, wo ihre Mitreisenden von der Reling aus noch immer gestikulierend
mit den anderen Ruderern verhandelten, und sie warf

338

den Kopf herum – dem Neuen, der Zukunft, Felix entgegen.

Sie erkannte ihn mit dem ersten Blick vorn auf der Mole. Er ragte hoch unter den kleinwüchsigen Mexikanern hervor, die sich in ihren weißen Anzügen am Molenrand drängten. In den goldenen Knöpfen seiner blauen Uniform spiegelte sich die Sonne, als wolle sie ihn aufheben in ihrer Strahlung. Agnes stieg auf eine Ruderbank, obwohl sie Mühe hatte, sich im schwankenden Boot zu halten, ließ das rote Tuch abermals über sich hinflattern. Felix winkte mit seiner blauen Kappe zurück. Glück des Wiedersehens nach langer Trennung. Sehnsucht, die sich erfüllte. Wie sie ihn liebte, immer wieder diesen einen dort unter Tausenden.

Fünf Monate waren vergangen seit ihrer letzten Umarmung.

Denn Felix war im Frühling schon von Savannah aus unmittelbar nach Mexico City gereist, um »seine Chancen« wahrzunehmen, um rechtzeitig an Ort und Stelle zu sein. Unruhe hatte ihn nach Süden getrieben, während Agnes die Achtundsechziger zur Ausmusterung und zur großen Siegesparade nach New York begleitet hatte. Fünf Monate drängender Erwartung, bis endlich das Telegramm von Felix gekommen war, das sie nach Vera Cruz rief. Aber auch fünf Monate klug genützter Information, die sie von Gordon Bennett, in dessen New Yorker Haus sie wohnte, und aus erster Hand zudem von Mr. Seward, dem amerikanischen Außenminister, bekommen hatte. Sie wußte über die Verhältnisse in Mexiko Bescheid, war auf das Schlimmste gefaßt. Und brannte vor Neugier auf das, was Felix schon erreicht, was er ihr zu berichten hatte. Seine Briefe waren voller geheimnisvoller Andeutungen gewesen.

»A–gnes!« schrie er über das Wasser hin, winkte ihr mit

beiden Armen zu, und sie ließ höher noch ihr rotes Kopftuch flattern, während sie zwischen den Männern hin über die Ruderbänke nach vorn stieg, um ihm näher zu sein.

Indes kämpfte er sich in der Menge durch und riß Agnes, kaum berührte das Boot die moosüberwachsene Mauer, in einem einzigen Ruck mit beiden Armen zu sich herauf. In wortloser Umschlingung fühlten sie einander, als wäre es ihre erste Umarmung.

Agnes wollte ihn nicht demütigen, aber diese Beobachtung des ersten Augenblicks, von der sie tief getroffen war, brach aus ihr heraus: »Was hat General Salm verbrochen, daß man ihn zum Oberst degradiert hat?«

Verblüfft sah er sie an und wischte flüchtig mit der Hand über seine goldbesternten Achselstücke hin. »Dir bleibt auch nichts verborgen.«

»Ich hatte damals einen Vertrag vorgeschlagen, aber du hieltest das Ehrenwort eines Edelmanns für sicherer.«

»Aber das ist doch alles nur Übergang«, sagte er leichthin, während er die Ruderer auszahlte, die das Gepäck schon in einer Droschke aufgetürmt hatten, die von Felix für die Fahrt zum Diligencias-Hotel gemietet worden war. Er küßte ihre Hände. »Mach dir keine Sorgen, Liebling. Das kommt alles in Ordnung«, und versuchte dem skeptischen Blick ihrer Augen auszuweichen, denen seine Verlegenheit nicht entging. Agnes wußte genau, daß sich keine seiner Hoffnungen erfüllt hatte, daß er von einer Enttäuschung in die andere gestolpert war. Er verschwieg ihr, daß er von Maximilian, als dessen Lehnsmann er sich doch fühlte, in diesen fünf Monaten nicht ein einziges Mal empfangen, geschweige denn eines einzigen Wortes gewürdigt worden war.

»Meine Brigade wird gerade aufgestellt, in ein paar Tagen bekomme ich das Generalspatent«, log er drauflos.

Agnes nickte, als glaube sie ihm. »Dann ist es ja gut, Felix.«

Er nahm ihre Hand, wie immer, wenn er ratlos war, sah an ihr vorüber in die menschenwimmelnde, verdreckte, stinkende Straße hinaus. »Die Hitze ist unerträglich.«

»Ganz Mexiko ist unerträglich.«

Er lachte. »Das kann ich dir sagen . . .«, und schwieg unvermittelt, als sei er in Gefahr, ihr schon zu viel zu verraten: daß er nämlich in den vergangenen Monaten von seinen Ersparnissen hatte leben müssen, weil er aus der kaiserlichen Kriegskasse noch keinen Pfennig bekommen hatte; daß er sich auch keine Hoffnung mehr machen konnte, überhaupt in die kaiserliche Armee aufgenommen zu werden. Denn noch vor seiner Ankunft hatte Graf Thun, der Gesandte Österreichs, der sich zugleich als eine Art Hofmarschall Maximilians betrachtete, dem Kaiser ein Memorandum der Salmschen Übeltaten überreicht. Minutiös war darin aufgezeichnet, welch schamlose Liebesaffären, wieviel blutige Duelle und was für eine Schuldenlast Felix hinter sich gelassen hatte, als er bei Nacht und Nebel, so wie einst aus Berlin, schließlich auch aus Wien geflohen war, um Amerika mit seiner Gegenwart zu beglücken. Graf Thun, der mit Felix zusammen im gleichen k. u. k. Ulanenregiment gedient hatte, nahm sich der Denkschrift über Kamerad Salm auch darum mit besonderer Sorgfalt an, weil seine schöne junge Frau damals eines der unglücklichsten Opfer des prinzlichen Leichtsinns geworden war. Nach wilden Liebeswochen in seinen Armen hatte sich die später von Felix Verlassene auf der Straße vor seinem Haus in einem großen Auftritt theatralisch erschossen. Auch das ein Anstoß für den Prinzen Salm, Hals über Kopf aus Wien zu fliehen. Das fällige Duell mit dem gebrochenen Ehemann war gar nicht mehr ausgetragen worden. Nein, solange Graf Thun noch einigen Einfluß auf den Kaiser besaß, gab es für Felix keine Zukunft in Mexiko. Maximilian hatte in seiner bigotten Art bereits entschieden, daß dieser berüchtigte Prinz Salm ihm nicht vor die Augen kommen dürfe.

»Irgendwie wird sich alles richten«, sagte Felix aus seinen Gedanken heraus. Er vertraute wie immer seinem guten Stern.

»Ja, irgendwie«, wiederholte Agnes lächelnd. Das war nun mal seine Art, Schwierigkeiten auszuweichen. Und sie hatte ihm manchmal schon den Vorschlag gemacht, dieses »Irgendwie!« als neuen Wappenspruch zu wählen.

Sie lehnte ihren Kopf an seine Schulter. Felix war nicht zu ändern, und gerade so liebte sie ihn, wie er eben war. Ein Kindskopf mit Größe, furchtlos und geradeaus. Und immer entscheidungsfroh, auch wenn seine Entscheidungen zumeist die dümmsten waren, die man im jeweiligen Augenblick treffen konnte. Daß er siebzehn Jahre älter sein sollte als sie selber, hatte sie bis heute noch nicht begreifen können. Ihr leuchtete eher das Gegenteil ein.

Er legte den Arm um ihren Nacken, drückte sie an sich. »Die Hauptsache ist doch, daß du wieder bei mir bist.«

Sie sah zu ihm auf. »Ja, das ist die Hauptsache.«

Er lachte zufrieden. »Nun wird es schon wieder werden mit uns.«

Sie nickte stumm und kniff ihre Katzenaugen ein. Er würde sich noch wundern, was aus seinen Utopien vom Heldenkampf in Mexiko werden sollte. Nichts! Überhaupt nichts! Bald schon würde er, von den Tatsachen gezwungen, Mexiko verlassen müssen, so wie alle anderen Europäer auch.

Außenminister Seward hatte Agnes in Washington mit

allen Hintergründen des Kampfes um Mexiko vertraut gemacht. Sie wußte Einzelheiten, die Felix nicht einmal zu ahnen vermochte. Es schien ihr auch nicht nötig, ihn darüber aufzuklären. Sie würden ihm bitter genug noch aufstoßen, wenn sie Schritt für Schritt zur Lösung anstanden. Die gewaltsame Besetzung Mexikos durch die europäischen Mächte war ein Einfall des Kaisers von Frankreich, Napoleons III., gewesen. Er wollte, während sich die Vereinigten Staaten im Bürgerkrieg zerfleischten, vollendete Tatsachen schaffen, das kupfer- und silberreiche Land als eine Art Kolonie in europäische, vor allem französische Hände bringen. Getreu der Aufforderung, die er den Franzosen bei seiner Thronbesteigung zugerufen hatte: »Enrichez vous! Bereichert euch, Franzosen.«

Eine Marionettendelegation mexikanischer Prälaten und Großgrundbesitzer wählte auf Betreiben Napoleons den beschäftigungslosen, willensschwach-schwärmerischen Erzherzog Maximilian, den jüngeren Bruder des Kaisers von Österreich, zum Kaiser von Mexiko. Als der kaum Dreißigjährige mit seiner ehrgeizigen Frau Charlotte, einer Prinzessin von Belgien, in seinem neuen Reich eintraf, war er voller liberaler Ideen und zur Volksbeglückung entschlossen. Mußte aber bald schon einsehen, daß er ein machtloser Gefangener in den Händen der französischen Besatzung war, die unter Marschall Bazaine das Land auszuplündern begann. Wofür die Mexikaner allein Maximilian verantwortlich machten.

Indes war der Bürgerkrieg in den Vereinigten Staaten zu Ende gegangen, und Amerika hatte sein Selbstbewußtsein wiedergewonnen.

Präsident Johnson unterrichtete die europäischen Höfe in feierlichen Botschaften davon, daß die Vereinigten

Staaten allein Benito Juarez, den Führer der Republikaner, als rechtmäßig gewähltes Oberhaupt Mexikos anerkennen und fortan mit Geld und Waffen in seinem Kampf gegen den Usurpator Maximilian unterstützen würden. Die Mächte wurden aufgefordert, unverzüglich ihre Truppen aus Mexiko abzuziehen, weil sich Washington andernfalls zum Eingreifen gezwungen sähe.

»Sie haben uns verstanden«, hatte Mr. Seward zufrieden erklärt, »der Abzug der Truppen hat schon begonnen. Auch Marschall Bazaine mit seinen 25 000 Franzosen wird Mexiko verlassen. Und dieser Kaiser Maximilian, ob er will oder nicht, wird ihm folgen müssen.«

»Und wann wird das sein, Mister Seward?«

»Ich denke, im Frühsommer des nächsten Jahres wird diese Kaiserkomödie ausgestanden sein, und wir haben wieder Ruhe im Süden«, hatte ihr der Außenminister erklärt.

Und auch Felix mußte dann heimkehren mit ihr, obwohl er noch nichts ahnte davon. Lächelnd sah sie ihn von der Seite an, während die Kutsche noch durch die engen Straßen von Vera Cruz dem Hotel entgegenrumpelte. So eifrig er ihr auch hatte beweisen wollen, daß er sein Schicksal selber bestimmen könne, war sie es doch wieder, die seiner Zukunft die Richtung gab. Es war ihr gelungen, Präsident Johnson das Versprechen abzugewinnen, Felix, wann immer er zurückkehre, im Rang eines aktiven Brigadegenerals in die amerikanische Armee wiedereinzustellen. Darum war ihr sein mexikanisches Abenteuer gar nicht so unlieb, wenn Felix nun daraus lernte, ihr allein mehr als sich selber zu trauen.

Und übermütig fragte sie ihn: »Die Uniform welch stolzen Regiments trägt Oberst Salm eigentlich?«

»Die Uniform des Leibregiments der Kaiserin Charlotte«, sagte er in etwas verlegenem Stolz, »Stabsoffizier der belgischen Legion à la suite ihres Kommandeurs, General van der Smissen.«

Wie elektrisiert fuhr Agnes auf. »General van der Smissen? Oh, den möchte ich kennenlernen.«

»Warum denn das?« amüsierte sich Felix. »Was weißt du von ihm?«

»In Godey's Lady Book hab' ich gelesen, daß er ein faszinierender, gutaussehender Mann sein soll und . . .«

»Vor allem ist er ein ausgezeichneter Truppenführer und Kamerad«, unterbrach er sie unwillig. »Übrigens legt er genauso Wert darauf, dich recht bald kennenzulernen.«

Agnes lachte. »Das sollte keine Schwierigkeiten machen«, und fiel wieder in ihr erwartungsvolles Schweigen zurück.

Sie kannte van der Smissen durchaus nicht aus Godey's Journal, sondern aus den vertraulichen Konsulatsberichten, die ihr Mr. Seward in seinem Mexiko-Dossier beflissen aufgeblättert hatte. Daraus ging hervor, daß General van der Smissen allgemein als Geliebter der schönen Charlotte galt und nur dieser Beziehung das Kommando über die belgische Legion verdankte.

»Alle Welt weiß es«, sagte Mr. Seward süffisant, »nur Kaiser Maximilian hat keine Ahnung von den Seitensprüngen seiner Frau. Aber das ist ja wohl so üblich.«

Zur Zeit befand sich die Kaiserin auf einer Bittreise durch Europa. Ihr Ehrgeiz konnte es nicht verwinden, daß der mexikanische Kaisertraum so bald schon ausgeträumt sein sollte. Die europäischen Kaiser und Könige waren sämtlich mit ihr verwandt. Ihrer Schönheit, ihrem Charme, ihrer Beredsamkeit vertrauend, schien es ihr ein leichtes, die Vettern auf dem Thron dahin zu bringen, das amerikanische Ultimatum zurückzuweisen und die Expeditionstruppen unter Maximilians Oberbefehl zu stellen. Jedoch sie sammelte nur hübsch verpackte

Körbe ein, wurde zum Teil nicht einmal empfangen. Sogar Napoleon III., der beim ersten Besuch von Schmeicheleien und Versprechungen überfloß, ließ sich schon bei ihrem zweiten Besuch verleugnen. Als ihr das auch in Wien widerfuhr, brach die schöne Charlotte mit einem Weinkrampf zusammen, fiel tief in geistige Umnachtung, aus der heraus sie nur hin und wieder den Namen ihres verlorenen Gatten in den hellen Tag der Geschichte hinausrief. Rufe, die ohne Echo, ohne Hilfe, ohne Antwort blieben. Die unglückliche Kaiserin dämmerte ihr junges Leben in den leuchtenden Mauern des Schlosses Miramar hoch über der Adria hin. In der fürsorglichen Bewachung eines Irrenarztes und einiger besonders ausgesuchter vertrauter Hofdamen. Eine gebrochene Frau.

Doch war das die Wahrheit?

In Mr. Sewards Akten befand sich noch ein zweiter Bericht von äußerster Vertraulichkeit, den Agnes schon überblättern wollte, als der Minister sie ausdrücklich darauf hinwies. Nach dieser glaubwürdigen Denkschrift eines Wiener Vertrauensmannes hatte sich Charlotte in Wahrheit auf die Europareise begeben und nach Miramar zurückgezogen, weil sie von General van der Smissen schwanger war. Die Hofdamen, zur Verschwiegenheit verpflichtet und ausdrücklich als Hebammen ausgebildet, hatten ihr beigestanden, als sie in Miramar mit einem Kind ihres Geliebten niederkam. Der kleine Sohn wurde mit hoher Belohnung sogleich einer verarmten belgischen Adelsfamilie in Pflege gegeben, bis er in späteren Mannesjahren als französischer General Weygand bei den Waffenstillstands-Verhandlungen in Compiègne wieder in das Licht der Weltgeschichte eintrat.

Eingeweihte Psychiater erklärten späterhin Charlottes

346

Geistesverwirrung, aus der sie zeitlebens nicht mehr erwachen sollte, allein aus dem belasteten Gewissen der frommen Katholikin. Sie wurde nicht fertig mit der Tatsache, ihren Mann betrogen und, fern von ihrem Geliebten, ein Kind zur Welt gebracht zu haben, das sie nicht einmal sehen durfte.

Um ihn ganz zu begreifen, hatte Agnes den Bericht zweimal lesen müssen und dann gedankenvoll vor sich hin gestarrt, bis sie von Mr. Sewards lachendem Kommentar aufgeschreckt wurde.

»Unglaublich, nicht wahr? Kaiserinnen und Küchenmädchen scheinen doch vieles gemeinsam zu haben.«

»Sind Menschen wie alle«, hatte Agnes geantwortet.

Und nun wollte sie den Mann erleben, diesen General van der Smissen, der einer Kaiserin zum Schicksal geworden war. Wollte sich dabei selber prüfen in einem Zustand tiefster Unruhe – da sie an Felix zu zweifeln begann.

Der schöne General

Prickelnder Reiz, den Geliebten einer anderen Frau zu umflirten, einzukreisen, zu verwirren. Auf hohem Seil über den Abgrund hin zu tanzen, den heißen Hauch der Verführung nahe im Nacken.

»Wie lange willst du das noch treiben mit ihm?« sagte Felix.

Sie sah auf zu ihm, unschuldsvolles Staunen. »Von wem sprichst du?«

»Von deinem Opfer. Vom armen Carl Smissen natürlich.«

Agnes strich mit der Hand über ihr Kleid. »Mein Gott, das ist ein Spiel – so harmlos.«

»Deine Spiele waren noch niemals harmlos – außerdem ist es unfair.«

»Nein – das nun bestimmt nicht.«

»Agnes, die Frau, die er liebt, ist weit weg in Europa. Wie soll er sich so allein wehren gegen dich?«

Sie schloß die Augen und sagte nach einer Weile ernst: »Wenn ich auch so weit von dir wäre – ich hoffe, du könntest dich dann genauso wehren gegen eine andere Frau wie er.«

»Ich glaube schon.« Er lachte. »Vorausgesetzt, es wäre nicht so eine Hexe wie du.«

»Ich bin Agnes . . .«

»Allerdings – dich gibt's nur einmal.«

Sie sprachen langsam, schlürften zwischen den Worten milchige Pulque, das in gegorenem Zustand zärtlich berauschende Herzblut riesiger Agaven, die überall in Mexiko auf den steinigen Böden wuchsen.

Herbst und Winter waren hingegangen wie in einem einzigen Rausch – »im Pulque-Rausch«, sagte Felix –, ohne daß sich irgend etwas an seinem Schwebezustand ändern wollte. Vom Kaiser geflissentlich übersehen, von der Gesellschaft mehr oder minder gemieden, schlossen sich die Salms immer enger an Carl van der Smissen an, der sich als einzig aufrichtiger Freund und Helfer erwies. Von Maximilian zunächst verabschiedet, dann wieder gehalten, hatte sich der General dem allgemeinen Abzug der europäischen Truppen noch nicht angeschlossen, fühlte sich vielmehr, wohl gerade auch als Charlottes Geliebter, für das Schicksal des Kaisers verantwortlich. Darum auch hielt er seine Brigade als einzig noch intakten europäischen Verband mit Hilfe von Felix in ständiger Gefechtsbereitschaft.

»Die drei Unzertrennlichen«, sagte die Gesellschaft mit deutlichem Nebensinn, wenn Agnes jeden Morgen wieder zwischen Felix und van der Smissen aus irgendeinem Stadttor auf die leuchtende Hochebene hinausritt. Van der Smissen hatte ihr sein schönstes Pferd geschenkt und dazu einen Damensattel anfertigen lassen, da sie mit den harten mexikanischen Holzsätteln nicht zurechtkam.

Mrs. Sarah Stevenson, die Frau des englischen Attachés, hielt in ihren Tagebucheintragungen den Eindruck fest, den Agnes damals auf die Damen der Gesellschaft machte:

»In der Nähe des belgischen Lagers begegnete uns die von allerlei Gerüchten umwehte Prinzessin Salm in der silbergrauen Uniform eines US-Kapitäns. Eine kühne junge Amazone zu Pferde. Ihr weißwehender, in der südlichen Sonne leuchtender Nackenschleier gab der ganzen Erscheinung einen gewissen magischen Glanz von bewegter Schönheit, von pittoresker Abenteuerlichkeit.«

Agnes liebte die wilden Ausritte in die Morgenklarheit der Hochebene hinein, die in der Ferne von den Schneegipfeln des Popocatepetl und des Iztaccihuatl begrenzt wurde. »Im Licht baden« nannte sie dieses Gefühl glücklicher Freiheit, wenn sie zwischen Salm und van der Smissen, die Serape über der Schulter, immer neuen Zielen entgegenflog. In der Nähe die schönen Dörfer Mixcoai Florido, Padierno, San Angel und Coyoacom und wie sie alle hießen, weit dahinter die Stadt Mexiko mit ihren hundert Türmen. Übermütige von Smissen vorbereitete Picknicks an irgendeinem der zahlreichen Kanäle, auf denen die »Chinapas«, schwimmende Blumeninseln, zwischen den schmalen Booten singender Indianer der fernen Stadt entgegenschwebten. Oder auch unter dunkelgrünen Zypressen und roten Kastanien, in deren ausladenden Zweigen Tausende von Kolibris leuchteten, schwirrten und schwätzten.

In solchen Morgenstunden vergaß Agnes ihre wirtschaftlichen Sorgen, die schon verlorenen Ersparnisse, die düsteren Schatten einer ungewissen Zukunft, da sich der Kaiser weiterhin hartnäckig weigerte, Felix in seine Armee aufzunehmen, ihm auch nur Versprechungen zu machen.

Agnes gab sich dem Augenblick hin, dem leuchtenden Morgen, des leichtsinnigen Felix' lächelnder Liebe, der bewundernden Verehrung van der Smissens, der ihr jeden Wunsch von den übermütigen Augen ablas.

Sie brachte ihm gegenüber all die ihr angeborenen Waffen offener und geheimer Verführung ins Spiel. Nur um die Grenzen seiner äußersten Beherrschung zu erfahren. Grenzen, die manchmal schon überschritten schienen, wenn seine Lippen nach fordernden Küssen auf ihre Hand, ihre Schulter, ihr Haar gefährlich nah über ihrem Munde schwebten. Oder wenn sie, wie es sich auf schmalen Wegen hin und wieder ergab, Knie an Knie, Schenkel an Schenkel nebeneinander ritten, die Augen tief ineinander getaucht.

Doch gerade in solchen Augenblicken, da Agnes den nächsten Kuß, die nächste, die höchste Zärtlichkeit erwartete, gab es jedesmal eine merkwürdige Sperre bei van der Smissen. Seufzend sah er sie an und fiel in sich selber zurück. Und sie erfuhr niemals, ob Rücksicht auf Felix, den er seinen einzigen Freund nannte, oder Erinnerung an die ferne, in ihrem Wahnsinn hindämmernde Charlotte dem schönen General so seltsame Fesseln anlegte.

Überdrüssig der sich ständig widersprechenden Befehle, die er vom Kaiser bekam, war van der Smissen Anfang des Jahres 1867 entschlossen, Maximilian zu einer endgültigen Entscheidung über sein und seiner Soldaten künftiges Schicksal zu zwingen. Die Gelegenheit dazu bot sich, als die Belgische Legion im Februar nach Buena Vista befohlen wurde, um den Kaiser, der mit seinem Hofstaat von Orizava kam, auf dem letzten Stück des Weges in die Hauptstadt zu geleiten.

»Das scheint mir der richtige Augenblick, unseren großen Kaiser mal nachdrücklich auf die unsichere Existenz eines gewissen Oberst Salm hinzuweisen«, sagte Agnes, die sich der Legion angeschlossen hatte, in ihrer burschikosen Art.

Felix unterbrach sie heftig: »Diesen Zeitpunkt zu bestimmen wird Seine Majestät wohl selber geruhen.«

»Na, hör mal, das zu geruhen hat er über ein Jahr lang Zeit gehabt.«

»Find' ich auch«, stimmte ihr van der Smissen zu. »Wenn ich ihm nachher die Legion melde, werdet ihr an meiner Seite sein, und dann soll er es doch mal wagen, euch wie Luft zu behandeln.«

Dieses Gespräch ereignete sich um die Mittagszeit des 5. Februar auf der Hochebene vor Buena Vista, als im gleichen Zeitpunkt Alarmsignale den Anmarsch republikanischer Truppen auf der Nationalstraße von Norden her meldeten. Augenscheinlich hatten sie den Auftrag, den Kaiser mit seinem Hofstaat zu überfallen und gefangenzunehmen.

Van der Smissen, der von jeher im Angriff die beste Verteidigung sah, alarmierte seine Kavallerie und stürmte an ihrer Spitze mit Trompetengeschmetter unter entrollten Fahnen dem Feind entgegen, der sich noch nicht zum Angriff entwickelt hatte.

Wie immer, wenn es Gelegenheit gab, sich im Kampf zu bewähren, ritt Felix an van der Smissens Seite, und beide waren unwillig überrascht, als sich im vollen Galopp auch Agnes nun auf ihrem kleinen Vollblut wie selbstverständlich zwischen sie schob.

»Was willst du hier? Bist du verrückt geworden!« bremste Felix ihren Übermut. »Reite sofort zurück!«

»Fällt mir gar nicht ein. Ich gehöre zu euch.«

»Aber das ist kein Weiberkram. Hier wird geschossen.«

»Na, wennschon – ich bin keine Sonntagsreiterin«, sagte Agnes und riß ihre kleine sechsschüssige Silberpistole, die ihr Felix in Washington einmal geschenkt hatte, aus der Satteltasche.

»Was ist denn das für 'ne Kanone?« sagte van der Smissen erstaunt.

»Nur keinen Spott, General, ich hab' schon getroffen damit.«

»Das glaube ich«, rief van der Smissen lachend, »indem du damit nach dem Feind geworfen hast.«

»Das werd’ ich dir beweisen«, trotzte Agnes, die sich von ihren überheblichen Helden nicht ernstgenommen sah.

Im gleichen Moment fiel van der Smissen aus dem Galopp in Trab und gab das Zeichen zum Halten.

»Das sind doch keine Republikaner, die da vor uns ausreißen. Schau mal genau hin, Felix – das sind doch Österreicher.«

Felix hob sich im Sattel auf. »Tatsächlich – Oberst Pollaks Husaren, wenn ich nicht irre.«

»Kein Wunder, daß die so ausreißen«, erklärte van der Smissen, »die sind auf dem Weg nach Vera Cruz und wollen kurz vor der Heimkehr nach Wien nicht mehr den Heldentod riskieren.«

»Lassen wir sie laufen«, entschied Felix.

»Ich meine, man sollte sie aufhalten«, sagte Agnes, militärischer Logik ungewohnt, höchst vernünftig.

Van der Smissen lachte. »Die werden schon irgendwann merken, daß niemand mehr hinter ihnen her ist.«

»Aber so grausames Spiel mit der Angst der armen Österreicher wollte ich nicht mitmachen«, schreibt Agnes in ihrem Tagebuch über diese Episode. »Ich spornte mein Pferd und ritt den Fliehenden nach, um ihnen zu sagen, als ich ihre Nachhut endlich erreicht hatte, daß wir gut Freund seien und sie ihren Marsch nach Vera Cruz unbehelligt fortsetzen könnten. Als sie mein holpriges Deutsch endlich verstanden hatten, schienen mich die jungen Soldaten für einen Engel zu Pferde oder die heilige Jungfrau selber zu halten. Sie umringten mich, küßten mir die Hände und lachten durcheinander, da sie sich so wunderbar gerettet sahen. Einige riefen und ritten nach vorn, um das Regiment aufzuhalten, das wenig später in gewohnter Ordnung seinen so jäh unterbrochenen Marsch wiederaufnahm. Es war die merkwürdigste Parade, die ich je abgenommen habe, als sie auf der Straße nach Vera Cruz an mir vorüberritten. Die Offiziere salutierten, die Soldaten winkten mir zu, und als sie schon nicht mehr zu sehen waren, hörte ich über die Hochebene hin noch immer ihre jubelnden, jodelnden Lieder, mit denen sie der Heimat entgegenzogen.«

Erbarmungslose Hitze, in der sich die Stunden mühsam bis zum frühen Nachmittag hinschleppten, ehe ausgesandte Späher endlich die Nachricht vom Herannahen der kaiserlichen Kavalkade nach Buena Vista brachten.

Van der Smissen alarmierte die Legion und ließ sie beiderseits der Hauptstraße durch den ganzen Ort hindurch ein waffenstarrendes Spalier bilden. Er selber nahm mit seinem Stab auf der Alameda Aufstellung, wo neben ihm auch der Bürgermeister mit seinen Vertretern den Kaiser auf efeu- und fahnengeschmückter Empore zu begrüßen gedachte.

Gellende Fanfaren kündigten mit dem Kaisersignal aus der Ferne an, daß der Herrscher die Stadtgrenze überschritten hatte.

Und wenig später Hufgetrappel und Wagenrollen die Straße herauf, zwischen niedrigen Häusern dahin, in deren Fenstern sich niemand zeigte, so als sei die Stadt ausgestorben.

Hinter einer Abteilung berittener kaiserlicher Gendarmerie, die recht verwahrlost wirkte, rumpelte das mit der Standarte geschmückte herrscherliche Gefährt, von gutberittener mexikanischer Generalität umgeben, auf die Alameda herein, deren großes Viereck von belgischer Infanterie abgesperrt war. Agnes traute ihren Augen nicht, als sie den armseligen, von vier weißen Maultieren gezogenen Karren sah, in dem Maximilian auf roten Samtkissen saß. Auch die Maultiere trugen rotsamtene Schabracken und Ohrenschützer. Der Habsburger, der im Sitzen weit über den Karrenrand herausragte, konnte mit seiner langen Nase und der sinnlich fleischigen Unterlippe seine Herkunft nicht verleugnen. Er trug ein mexikanisches Gewand, das seine schmalbrüstige Länge wie ein Theaterkostüm umschlotterte. Ein Eindruck, der sich noch verstärkte, als er im Wagen aufstand und mit dem goldverschnürten Sombrero weit in die Runde grüßte. Fremdartig leuchteten sein blondes Haar und der lange blonde Kinnbart in der mexikanischen Sonne. Sosehr er sich auch verkleidete und anzupassen suchte, zwischen den dunkelhaarigen, kleinwüchsigen Offizieren blieb er schon äußerlich der Fremdling, den dieses Land niemals aufnehmen würde.

Agnes, die sich nur mühsam das Lachen verbeißen konnte, war sicher, dieses Bild schon früher einmal gesehen zu haben. Den Karren mit den rotbezipfelten Maultieren davor, die Fanfarenreiter zur Seite. Genauso. Aber wann? Aber wo?

Und plötzlich sah sie Señor Valdez wieder vor sich, den unvergessenen Direktor ihrer Zirkusprinzessinnenzeit, wie er sich, seinen Sombrero schwenkend, im fahnenbewimpelten Maultierkarren, von Fanfarenreitern begleitet, aufmachte, den Bürgern der nächsten kleinen Stadt die Sensationen seines nahenden Unternehmens anzukündigen: Hohe Schule mit Señorita Agnes auf ihrem Pony Joy!

Und großer Zirkus, imperialer Zirkus war auch das, was sich da nun vor ihren Augen auf der Alameda von Buena Vista an gravitätischem Hin und Her, Auf und Ab in armseligem Gepränge zu entwickeln begann.

Wie da der lange blonde Kaiser in seinem schlotternden Gewand zwischen den kleinen mexikanischen Offizieren, die mit untertassengroßen silbernen Sporenrädern an den kurzen Beinen neben ihm einherklirrten, hastig die Straße überquerte, um dem dicken Bürgermeister, der mit seinen Begleitern in schwitzender Verbeugung stand, die Hand zu schütteln –

wie General van der Smissen sich beim Kaiser zu melden suchte, aber beleidigend schroff übersehen wurde –

wie Felix seinen hochgeborenen Kaiser anstarrte, als sei da ein blonder Gott auf die Erde gestiegen.

Sosehr Agnes sich auch zurückzuhalten suchte, plötzlich platzte sie dennoch mit dem übermütigen Gelächter eines Schulmädchens heraus, einem Gelächter, das herausfordernd über den Platz hin gellte und reihenweise auch die jungen Soldaten des belgischen Spaliers ansteckte.

Vorwurfsvolle Blicke von allen Seiten. Van der Smissen und Felix, Maximilian sogar, sahen strafend auf die schöne junge Frau im Sattel eines nervös tänzelnden Pferdes, die sich von dem ernsten Zeremoniell der Kaiserbegrüßung so gar nicht beeindruckt zeigte. Militärische Grußformeln und Knabenspiele ausgewachsener Männer waren ihr von jeher lächerlich vorgekommen. Noch nie aber so komisch wie heute dieses klägliche Kaiserspiel im erbarmungslosen Licht der mexikanischen Hochebene. Sie lachte, bis ihr der Atem ausblieb und Felix und van der Smissen endlich an ihre Seite zurückkehrten, um sie zu beruhigen. Der General mit der längst erwarteten und doch nun bestürzenden Nachricht, daß bald schon für sie alle die Stunde des Abschieds gekommen sei. Denn er hatte soeben vom kaiserlichen Zahlmeister »ohne Geld«, General Vidaurri, erfahren, daß in Orizaba beschlossen worden sei, es solle sich Maximilian, nachdem er sämtliche europäische Hilfstruppen endgültig nach Hause geschickt habe, an die Spitze seiner mexikanischen Regimenter stellen und Benito Juarez mit seinen »Banditen«, wie die republikanischen Truppen allgemein abgewertet wurden, in der Provinz Querétaro zur Entscheidungsschlacht stellen. Denn die Bevölkerung der Provinz und vor allem der Stadt Querétaro galt als opferbereit und kaisertreu. In ihrer Mitte, mit ihrer Unterstützung war der Sieg sicher. Maximilian hatte diesem von Marquez und Miramon, seinen fähigsten Generälen, entwickelten Plan nach einigem Zögern zugestimmt und sogleich auch die Konsequenzen gezogen. Er trug nur noch mexikanische Kleidung, sprach nur noch spanisch, duldete nur noch mexikanische Offiziere und Truppen um sich. Das belgische Geleit war der letzte Dienst einer europäischen Truppe, den er noch annehmen wollte. Das Volk sollte von nun an sehen, wie sehr sein Kaiser zu ihm gehörte.

Van der Smissen schien sich schon mit dieser kaiserlichen Entscheidung abgefunden zu haben, die ihm erlaubte, seine Legion ohne wesentliche Verluste wieder in die Heimat zurückzuführen.

Allein Felix ließ den Kopf hängen, da er nun endgültig einsehen mußte, daß im schmutzigen Bürgerkrieg dieses schmutzigen Landes Ruhm, Ehre und Geld für ihn nicht zu gewinnen waren.

Eine Tatsache, die Agnes indes mit glücklicher Genugtuung zur Kenntnis nahm. Ohne ihr Zutun war ihr Träumer da wieder gelandet, wo sie ihn hatte hinhaben wollen: auf dem harten Boden der Wirklichkeit. Ihm blieb gar nichts anderes übrig, als nach Washington zurückzukehren, mit beiden Händen nach dem ihm angebotenen Generalspatent zu greifen. Auch wenn sie im Augenblick nicht wußte, wovon sie die Schiffspassage bezahlen sollten. Zuletzt hatten sie noch immer einen großherzigen Wohltäter und Verehrer gefunden.

Lachend sah sie van der Smissen an und heiterer noch ihren verstörten Felix, als ihr im nächsten Augenblick das Lachen im Hals steckenblieb. Denn nah an ihr vorüber setzte Maximilian, der den kaiserlichen Karren wieder bestiegen hatte, seine Reise fort.

Ohne die salutierenden Offiziere, ohne van der Smissen und Felix zu beachten, wendete er seine Aufmerksamkeit, die schon mehr erstaunte Neugier war, allein Agnes zu. Sie sah nicht seine pittoreske, fast donquichotteske Würde, nicht das schmale Gesicht mit der hohen Stirn, der fleischigen Unterlippe, dem fliehenden Kinn, sie sah allein seine Augen. »Große tiefblaue Augen voll melancholischer Schönheit«, in deren Hintergrund sie den Todesschatten erkannte, der sie abermals ihre Kassandragaben verfluchen ließ.

Und sie wußte im gleichen Augenblick, daß sie dieses Land nicht verlassen würde, nicht verlassen konnte, ehe sie ihn vor dem Verhängnis gerettet hatte, das so sichtbar schon seine dunklen Zeichen über ihn warf. Sie fühlte sich gefesselt an ihn, den sie von sich selber befreien wollte. O Licht dieser melancholischen Augen, die eine Welt widerspiegelten, die es so nicht gab und nie gegeben hatte. Erfüllt von Träumen, aus jener Schwäche geboren, die unüberwindlich macht.

O Licht dieser Augen – Irrlicht in ungewisse Zukunft hinein.

Im Feuer

Agnes war wütend auf Felix und insgeheim doch stolz auf ihn. Höchst souverän hatte er ihren Plan zur Rückkehr nach Washington durchkreuzt, indem er seinen Überzeugungen treu geblieben war. Während sich die Mehrzahl der europäischen Truppen und Offiziere schon auf dem Marsch nach Vera Cruz befand oder die Heimkehr in ihre verschiedenen Vaterländer vorbereitete, war es Felix gelungen, in den Stab des Generalzahlmeisters Vidaurri aufgenommen zu werden, der in den nächsten Tagen dem Kaiser nach Querétaro folgen sollte, wo die Entscheidungsschlacht gegen Benito Juarez geplant war.

»Aber der Kaiser will doch gar nichts wissen von dir«, sagte Agnes.

»Ob er will oder nicht, er wird noch froh sein, daß ich bei ihm bin, wenn ihn seine neuen mexikanischen Freunde verraten.«

»Soll er die Suppe doch auslöffeln, die er sich eingebrockt hat«, sagte Agnes.

Er sah sie stirnrunzelnd an. »Ich will nicht seinen Untergang, ich will seine Rettung. Wenn *er* nicht mehr weiß, was Lehnstreue ist – *ich* werd' es ihm zeigen.«

»Treue, die nicht anerkannt, geschweige denn bezahlt wird. Was soll das, Felix?«

Er zog einige Säckchen voller Goldstücke aus seinen Taschen, warf sie vor ihr auf den Tisch. »Genügt dir das?« Staunend sah sie ihn an.

»Nach dem Abzug der Franzosen fließen die Zoll- und Steuereinnahmen wieder dem Kaiser zu«, erklärte er seinen plötzlichen Reichtum. »General Vidaurri hat mir meinen Sold für ein ganzes Jahr nachgezahlt.«

Agnes schloß die Augen, atmete tief. Sollten diese Wochen und Monate beständigen Darbens, erzwungenen Verzichts, da sie allein von der Hilfe van der Smissens und anderer Freunde gelebt hatten, wahrhaftig nun vorüber sein? Sollten Kleider und Stiefel, Pelze und Schmuck, in den eleganten Läden der Hauptstadt so lange unerschwinglich, nun wieder erreichbar sein für ihre Wünsche? Sie konnte es nicht fassen.

Zögernd öffnete sie die Augen. Die Goldstücke lagen noch immer auf dem Tisch.

»Das wird ja wohl reichen für dich allein in den nächsten zwei, drei Monaten«, sagte Felix.

Mißtrauisch sah sie ihn an. »Was soll das heißen – für mich allein?«

»Ich habe dir doch gesagt, daß ich mit General Vidaurri nach Querétaro reiten werde. Spätestens morgen muß ich mich bei ihm in Mexiko melden. Er hat mir, mit Einverständnis der Generäle Marquez und Miramon, ein Kommando versprochen, wahrscheinlich werd' ich Kommandeur eines Cazadores-Regiments.«

»Sehr schön, Felix – und weiter?«

»Nichts weiter, Liebling. Man rechnet, daß der Feldzug bis zur siegreichen Rückkehr des Kaisers in die Hauptstadt etwa sechs Wochen dauern wird. Das ist ja keine Ewigkeit und auch nichts Neues für dich. Schließlich bist du eine Soldatenfrau.«

Entschlossen sprang sie aus ihrem Schaukelstuhl hoch. »Ich werde dich begleiten nach Querétaro.«

»Nein«, sagte er hart, »du bleibst hier.«

»Warum?«

»Es ist zu gefährlich für dich.«

»Nicht gefährlicher als für dich. Ich lasse dich nicht allein.«

»Bitte, kein Theater, Agnes. Bei Buena Vista hast du mir bewiesen, wie töricht du dich in schwierigen Situationen verhältst. Nur die Tatsache, daß wir damals nicht ins Gefecht gekommen sind, hat schließlich Schlimmeres verhütet.«

»Mag sein«, sagte sie sanft, »ich hab' auch gelernt daraus. So etwas wird nie wieder vorkommen. Das verspreche ich dir.«

Er winkte ab. »Du kannst reden, was du willst, Agnes. Mein Entschluß steht fest: Du bleibst hier.«

Sie weinte, drohte, flehte, stampfte mit dem Fuß auf – er blieb unerschütterlich.

»Ich erwartete natürlich, daß ich Salm nach Querétaro begleiten würde«, schreibt sie im Tagebuch, »allein diesmal weigerte er sich in der allerbestimmtesten Weise und blieb taub gegen meine Bitten. Ich glaubte, närrisch werden zu müssen, weil ich sicher war, daß er wieder einmal in sein Unglück rannte, wie immer, wenn ich nicht bei ihm sein durfte. Ich weinte und schrie, daß man es zwei Blöcke weit über die Straße hörte, doch er ließ sich nicht erweichen. Unvermittelt lief er aus dem Zimmer, aus dem Haus, eine Straße entlang, wo er mich nicht mehr hören und ich ihn nicht sehen konnte.«

Diese Szene ereignete sich in Tacubaya, einem kleinen Ort vor den Toren Mexikos im Haus des hamburgischen Generalkonsuls Hube, der das von ihm verehrte Prinzenpaar gleich nach der Rückkehr aus Buena Vista bei sich aufgenommen hatte. Eine Gastfreundschaft, deren sich die Salms um so freudiger bedienten, da ihnen das weitläufige Landhaus des reichen Kaufmanns mit seiner guterzogenen Dienerschaft auf Monate hin ohne die geringsten Kosten zur Verfügung stand. Und obwohl der alte Hube, im Gegensatz zum überzeugten Monarchisten Felix, seiner hanseatischen Herkunft gemäß ein in der Wolle gefärbter Demokrat war und Maximilians Kaisertum »ein kindisches Abenteuer und Unglück für Mexiko« nannte, tat das der gegenseitigen Freundschaft keinen Abbruch.

Indes saß die verlassene Agnes mit gekreuzten Beinen auf dem Boden ihres Schlafzimmers, kaute auf der Unterlippe, sah durch das offene Fenster den weißen Wolken nach, die über die Hochebene hinsegelten, und wartete Stunde um Stunde auf die Nachricht ihres entschwundenen Prinzen, daß er sie bald schon abholen und mit nach Querétaro nehmen werde. Unvorstellbar erschien es ihr, allein zurückzubleiben, während er irgendwo für seinen Märchenkaiser kämpfte, der ihn wie Luft behandelte. Und zuletzt hatte Felix noch immer nachgegeben.

Hin und wieder dachte sie im Ablauf ihres krausen Denkens auch der Frage nach, warum Salms Weigerung, sie mitzunehmen, sie so besonders hart getroffen hatte. Und sie konnte sich dabei der Erkenntnis nicht verschließen, daß sie seit jener Begegnung in Buena Vista unentwegt der Hoffnung gelebt hatte, den Kaiser, dessen melancholische Augen sie nicht vergessen konnte, bald schon wiederzusehen. Sie war überzeugt davon, daß Maximilian ähnlichen Empfindungen ausgeliefert war. Jenem Zauber, jener Magie, die entgegengesetzte Naturen selbst aus der Ferne noch zwingt, aufeinander zuzugehen.

War es denkbar, daß ihr sonst so phantasieloser Felix ihren Zustand diesmal erkannt hatte und sie nur darum nicht mit nach Querétaro nehmen wollte, um ihr abermaliges Zusammentreffen mit dem Kaiser zu verhindern?

Zwei Tage schon hatte sie, wirren Gedanken solcher Art nachgrübelnd und einer Nachricht von Salm entgegenwartend, allein in ihrem Zimmer hingebracht, als plötzlicher Gefechtslärm in den Straßen sie ans Fenster rief. Vor ihren Augen wurden die demoralisierten kaiserlichen Verteidiger von den disziplinierten Regimentern des liberalen Generals Porfirio Diaz beinahe mühelos aus Tacubaya vertrieben und auf die Hauptstadt zurückgeworfen. Ein Eindruck, den Konsul Hube bestätigte, als er gegen Abend mit der Nachricht aus Mexiko zurückkam, es sei die Stadt von den liberalen Truppen rettungslos eingeschlossen. Ihr Fall sei nur noch eine Frage von Tagen, denn weder die zerschlagenen kaiserlichen Verbände unter den Generalen Marquez und Vidaurri noch die letzten lustlos kämpfenden österreichischen Kontingente unter den Obersten Graf Kodolitsch und Graf Khevenhüller hätten Macht und Mittel zu wirksamem Widerstand.

Zunächst freute sich Agnes über die Nachricht, daß General Vidaurri sich noch in der Hauptstadt befinden sollte. So war auch Felix für sie noch nah und erreichbar. Doch je mehr sie darüber nachdachte, um so mehr wandelte sich ihre Freude in würgende Angst. Denn General Porfirio Diaz hatte in öffentlichen Anschlägen verkündet, daß er jeden ausländischen Offizier, der ihm in die Hände falle, als Rebell behandeln und sofort erschießen lassen werde.

Da klagendes Nichtstun, hilfloses Weinen nicht ihrem Wesen entsprachen, entschloß sie sich im Lauf der Nacht, Felix mit den ihr verfügbaren Mitteln aus einer Gefahr zu befreien, in die er sich durch seinen Eigensinn wieder einmal selber hineingestürzt hatte.

Schon im Morgengrauen des nächsten Tages ritt sie, allein ihrer Geistesgegenwart und ihrem Charme vertrauend, der umlagerten Hauptstadt entgegen. Oft genug hatte sie erlebt, daß mexikanische Männer vor einer schönen Frau in die Knie gingen. Warum sollte ihr berühmtes Lächeln diesmal versagen?

Nachdem sie die einsame Landstraße ohne Zwischenfall hinter sich gebracht hatte, legte angesichts der Stadttore der Außenposten einer Artilleriestellung sein Gewehr auf sie an und zwang sie, aus dem Sattel zu steigen. Ohne seine Fragen nach Woher und Wohin zu beantworten, verlangte sie, sofort zum Batteriechef geführt zu werden. Das war ein junger Oberleutnant, den ihr Anblick sichtlich verwirrte. Dies um so mehr, als er ihre Bitte, sie den Belagerungsring passieren zu lassen, da sie in der Hauptstadt ihren Gatten zu suchen gedenke, für ein schlecht erfundenes Märchen hielt. Er hatte schon in der Schule gelernt, daß schöne Frauen zwischen den Fronten im Zweifelsfall immer Spioninnen sind, und verweigerte ihr mit einer Art entschiedener Verlegenheit die Passage. Lächelnd verlangte sie nunmehr, seinen Kommandeur sprechen zu dürfen. Er hielt diese Forderung für berechtigt, ließ sein Pferd kommen und führte Agnes, ohne auf ihre Fragen einzugehen, auf verschlungenen Wegen in den wirkungsvoll getarnten Artilleriegefechtsstand hinüber, wo sie der zweiten Überraschung dieses Morgens begegnete. Der Kommandeur, der ihr sporenklirrend entgegenkam, war niemand anders als Oberst Leone, der im Bürgerkrieg in Salms Brigade ein Jahr lang Artillerieführer gewesen war. Wie alle anderen Offiziere der Brigade hatte auch er die junge Frau seines Chefs bewundert und verehrt.

Er küßte ihr die Hand, überschüttete sie mit den landesüblichen Komplimenten und wollte ihr ohne weiteres behilflich sein, in die Stadt zu gelangen, um den Prinzen zu finden. »Allerdings kann ich Sie nicht vor den Gefahren schützen, Prinzessin, die Ihnen von den ebenso ängstlichen wie schießwütigen Verteidigern der Stadt drohen.«

»Mit denen werd' ich schon fertig«, sagte Agnes. »Ich werde den Prinzen von Ihrer Hilfsbereitschaft unterrichten, Oberst.«

Leone verneigte sich. »Das Selbstverständliche bedarf keiner Erwähnung, Princesa. Traurig macht mich nur, daß ich meinem verehrten Kommandeur diesmal als Gegner gegenüberstehen muß. Aber ich glaube nun einmal, daß Mexiko nur als Republik lebensfähig ist.«

»Das ist auch meine Überzeugung«, stimmte Agnes nachdrücklich zu. »Der Prinz achtet Ihre Entscheidung, Oberst, soviel ich weiß. Allerdings müssen auch Sie ihn zu verstehen suchen.«

Leone verneigte sich abermals. »Erziehung und Tradition führen ihn an die Seite Maximilians, das ist seine Bestimmung. Doch wünschte ich, der Kampf würde nicht gerade in meinem Vaterland ausgetragen.«

»Wir müssen uns dem Schicksal fügen«, sagte Agnes, die darauf brannte, endlich in die Stadt zu kommen, Felix zu finden.

Leone, der ihre Ungeduld fühlte, gab dem Oberleutnant den Befehl, die Prinzessin auf der Landstraße bis auf Flintenschußweite an das Guadalupe-Tor heranzuführen.

Der junge Offizier half Agnes in den Sattel und ritt schweigsam vor ihr her, bis sie wieder in seiner Stellung angelangt waren, wo er sein Pferd zurückließ, um nun zu Fuß neben Agnes herzugehen, deren nervösen Araber er am Trensenriemen führte.

Etwa hundert Meter vor dem befestigten Tor flog ihnen

mitten auf der Straße der erste Warnschuß der Verteidiger um die Ohren.

»Bis hierher und nicht weiter«, rief Agnes lachend vom Sattel herunter.

»Ich bedaure sehr, Sie nicht weiter geleiten zu können«, sagte der junge Offizier, der etwa ihres Alters war.

»Sie haben mir sehr geholfen, Herr Oberleutnant, ich danke Ihnen.«

In diesem Augenblick donnerte der zweite Warnschuß über sie hin.

»Wollen Sie nicht lieber umkehren, Princesa?«

»Zurückweichen ist gefährlicher als vorwärts gehen, pflegt mein Mann zu sagen«, antwortete Agnes unbekümmert. »Das ist die einzige militärische Weisheit, die ich von ihm übernommen habe, und sie hat sich noch immer bewährt.«

Er legte salutierend die Hand an die Mütze, und sie sah, wie er errötete. »Gott schütze Sie, Princesa.«

Agnes lachte. »Es sollte nicht nötig sein, wegen dieser Kleinigkeit Gott zu bemühen. Aber ich danke Ihnen, mein Lieber, und werde Sie ebenfalls Seiner Aufmerksamkeit empfehlen.«

Dabei knüpfte sie ihren weißen Spitzenschal als Parlamentärszeichen an den goldenen Knopf der Reitpeitsche und trieb ihr Pferd sodann im Galopp dem befestigten Stadttor entgegen.

»Als ich über die Bohlen einer kleinen Brücke nah vor der Straßensperre hindonnerte«, schreibt sie ins Tagebuch, »jagte der Posten den dritten Warnschuß über mich hin, was ich als Zeichen begriff, sofort anzuhalten. Zwanzig Schritt vor der Straßensperre kam ich zum Stehen und wartete darauf, daß, wie üblich, der wachhabende Offizier heraustreten werde, um meine Papiere zu prüfen. Indes besetzte schon die restliche Wache die

Brustwehr und schoß ohne jede Warnung eine ganze Salve auf mich ab. Die Kugeln pfiffen um meinen Kopf, eine streifte mein Haar, andere schlugen neben mir in den Boden ein. Ich war darüber mehr ärgerlich als erschrocken, denn es schien mir gar zu dumm, auf eine einzelne Frau zu feuern, so als hätt' ich ihre Stellung stürmen wollen. Mein erster Impuls war, auf die Feiglinge einzureiten und ihnen meine Reitpeitsche um die langen Ohren zu schlagen. Als ich aber sah, daß sie zum zweiten Male die Gewehre luden, schien mir schnelle Flucht der bessere Teil der Tapferkeit zu sein. Ich wendete mein braves Pferd, das sogleich begriff, wie nur höchste Schnelligkeit uns jetzt retten könnte. Ihm allein verdanke ich es, daß die zweite Salve, die jene Dummköpfe auf mich abfeuerten, keinen Schaden mehr anrichten konnte. Viel später erst hörte ich zufällig, daß die Guadalupe-Torwache an jenem Tag mit indianischen Rekruten besetzt war, die noch nie etwas von einer Parlamentärsflagge gehört hatten. Ihren Offizier auch nicht danach fragen konnten, weil der sich um diese Zeit in das nächste Wirtshaus verdrückt hatte.«

In vollem Galopp jagte Agnes zurück und an den Kanonen des Oberleutnants vorüber, der mit beiden Armen winkte und ihr Glückwünsche zurief, denn er hatte ihr Abenteuer aus der Ferne mit angesehen.

Völlig erschöpft kam sie endlich wieder in Tacubaya an, wo sie von den um sie besorgten Hubes mit der überraschenden Nachricht empfangen wurde, daß Felix im Gefolge des Generals Vidaurri aus der belagerten Hauptstadt entkommen und wohlbehalten in Querétaro eingetroffen sei.

Ein Bote Salms, der sich glücklich durch das von Rebellenbanden verunsicherte Land hindurchgeschlagen hatte, war am späten Nachmittag mit entsprechenden

Briefen eingetroffen. Aus dem verliebten Schreiben, das im Schlafzimmer auf ihrem Bett lag, erfuhr Agnes, daß Felix von Maximilian eine lange Aussprache gewährt worden war, in deren Folge ihn der Kaiser als Kommandeur eines Cazadores-Regiments bestätigt habe. Die Armee sei guter Stimmung, die Bevölkerung opferbereit, und der Sieg über die Rebellen stehe nahe bevor. Er versicherte sie seiner Liebe und beschwor sie, nein, befahl ihr, in Tacubaya in Konsul Hubes sicherem Haus seine baldige Rückkehr abzuwarten.

Anscheinend traute er seiner wilden Agnes aber doch nicht über den Weg, denn in einem zweiten Brief, der allein für den Konsul bestimmt war, bat er den Freund, die Prinzessin nicht aus den Augen, geschweige denn aus dem Haus zu lassen. Er möge sich auch nicht scheuen, Gewalt anzuwenden und Agnes in ihrem Zimmer einzuschließen, wenn die Umstände das erfordern sollten.

Der alte Mann las den Brief, der seine Möglichkeiten weit überforderte, drei-, viermal, seufzte tief auf und machte sich auf das Schlimmste gefaßt.

Rufe in der Nacht

»In der folgenden Nacht träumte mir, ich sehe meinen Mann sterben. Der Kaiser hatte sich über ihn gebeugt, hielt seine Hand und sagte tief bewegt: ›Nein, mein lieber Freund, Sie dürfen mich nicht im Stich lassen!‹ Mein Mann rief laut meinen Namen. Ringsum wütete der Kampf, überall floß Blut, tobten die Schrecken des Krieges.

In der nächsten Nacht wiederholte sich der Traum. Wieder sah ich meinen Mann sterben und hörte ihn laut nach mir rufen. Ringsum die Schlacht, alles war finster, um so greller die Feuerblitze der Salven. Und in der dritten Nacht den gleichen Traum noch einmal, in dem wilder noch als vorher mein Mann nach mir rief.

Für mich, die jeden einzelnen Traum schon als Anruf, als Warnung, Vorzeichen und Wahrspruch begreift, war die dreifache Wiederholung des gleichen Traumes der unmittelbare Befehl des Schicksals, sofort nach Querétaro aufzubrechen, meinem Mann zu helfen, der nach mir rief.«

Noch in der Nacht füllte Agnes die Packtaschen ihres Pferdes mit dem Nötigsten, was eine Frau braucht, um auch mitten in Kriegswirren Männern willkommen und eine Augenweide zu sein. Sie dachte nicht nur an Felix, sie dachte auch an Maximilian.

Im Morgengrauen schlich sie, die schweren Packtaschen über beiden Schultern, die knarrenden Treppen des Hubeschen Hauses hinunter, fand aber nicht nur das

Haupttor, sondern auch alle Nebeneingänge verschlossen.

Plötzlich, sich aus der Dunkelheit lösend, stand der alte Hube vor ihr.

»Wohin wollen Sie, Prinzessin?«

»Nach Querétaro. Mein Mann ruft nach mir. Schon drei Nächte lang. Ich habe schreckliche Träume.«

»Träume sind Träume.«

»Träume sind Vorzeichen, Wahrheit, Warnung. Schließen Sie das Tor auf, Herr Hube.«

»Nein, Prinzessin. Ihr Mann hat mir geschrieben, hat mir befohlen, Sie nicht aus dem Haus zu lassen.«

»Soll das heißen, daß ich Ihre Gefangene bin?«

»Ich kann Sie nicht hindern, das anzunehmen. So lange jedenfalls, bis der Prinz von Querétaro zurückkommt, werde ich mich für Sie verantwortlich fühlen.«

»Aber er ist in Gefahr, Herr Hube. Er braucht mich.«

Der Konsul zuckte mit der Schulter. »Ich kann mich nur an seinen Brief halten, nicht an Ihre Träume. Tut mir leid, Prinzessin.«

»Es ist nicht nur mein Recht, sondern auch meine Pflicht als seine Frau, zu ihm zu gehen, wenn er in Gefahr ist.«

»Und meine Pflicht als Freund ist es, seine Frau vor den Gefahren der Reise nach Querétaro zu bewahren. Hundertsechzig Kilometer durch Rebellenland, Sie wissen nicht, was das bedeutet.«

»Ich hab' schon andere Gefahren überstanden. Außerdem weiß ich mich zu verteidigen.«

»Die Rebellen pflegen allein reisende Frauen nicht nur auszuplündern, sondern auch zu schänden. Sie können reden, was Sie wollen, Prinzessin, ich werde Sie nicht aus dem Haus lassen.«

So flogen die Worte hin und her, immer entschiedener

den Standpunkt jedes einzelnen befestigend. Was immer Agnes auch vorbrachte, der alte Mann ließ sich nicht umstimmen, verstärkte ihre unerwartete Gefangenschaft sogar noch damit, daß er von nun an jede Tür seines Hauses durch ausgesuchte Diener überwachen ließ.

Agnes gab nicht nach, redete so lange, bis der entnervte Konsul am dritten Tag endlich in einen Kompromiß einwilligte. Als Parteigänger der Republikaner erklärte er sich bereit, bei dem ihm befreundeten General Porfirio Diaz einen Geleitbrief, vielleicht auch Geleitschutz zu erwirken, unter dem es Agnes wagen konnte, die gefährliche Reise nach Querétaro anzutreten. Dem alten Mann war klar, daß er diese fürstliche Wildkatze nicht lange mehr in seinem Haus zurückhalten konnte. Aber das gerade erwartete nicht nur Salm von ihm, sondern auch Porfirio Diaz, dem, wie der Konsul zuverlässig gehört hatte, »die kaiserliche Spionin eingesperrt am besten gefiel«.

Mit erheblichen Zweifeln am Erfolg seiner Unternehmung, die auch Agnes teilte, ritt Hube in das Hauptquartier des Generals, der ihn überraschenderweise sogleich empfing und ihm mehr noch bewilligte, als der Konsul zu bitten gewagt hatte. Es schien so, als hätte Porfirio Diaz nur darauf gewartet, die unberechenbare Prinzessin mit einleuchtender Begründung aus seinem Befehlsbereich abschieben zu können. Denn er sah in ihr eine höchst gefährliche Agentin Maximilians, über deren künftiges Schicksal am besten Benito Juarez selbst entscheiden sollte. Allein zu ihm, in das Hauptquartier des Präsidenten, nach San Luis de Potosi, stellte Porfirio eigenhändig den Reisebrief für die Prinzessin aus, den Hube nach Querétaro gefordert hatte. Agnes wollte im ersten Augenblick gegen das ihr nun befohlene neue Reiseziel bei Porfirio Diaz selber protestieren, fand sich nach einiger Überlegung aber schnell damit ab. Schon immer hatte sie in wichtigen Lebensfragen ganz instinktiv nicht die zögernden Empfehlungen nachgeordneter Instanzen, sondern immer gleich die Entscheidung der wirklichen Machthaber gesucht. So bei Präsident Lincoln wie bei Präsident Johnson. Und auf Benito Juarez war sie schon lange neugierig gewesen. Was immer sie von seiner Grausamkeit gehört hatte, sie war bereit, ihm gegenüberzutreten, ihm Aug in Aug zu widerstehen. Männer wie er – ganz das Gegenteil des weichen, romantisch-verträumten Maximilian – weckten alle weiblichen Instinkte und Kräfte in ihr.

Lächelnd steckte sie den Geleitbrief, nachdem sie ihn zwei-, dreimal langsam durchgelesen hatte, zu ihren Papieren.

»Porfirio Diaz will mich nicht nach Querétaro hineinlassen?«

»Er scheut die Verantwortung für eine solche Entscheidung«, sagte der Konsul.

»Er hat Angst vor seinem Präsidenten«, spottete Agnes.

»Vor Juarez haben alle Angst.«

»Ich nicht«, sagte Agnes übermütig, »im Gegenteil, ich kann es gar nicht mehr erwarten, ›den Teufel‹ zu sehen und . . .«

»Die Kaiserlichen nennen ihn so«, fiel ihr Hube ins Wort, »er ist ein Patriot.«

»Und ein Mann«, sagte Agnes nachdenklich. »Immer habe ich darüber nachgedacht, wie ich ihn sprechen könnte. Und plötzlich öffnet mir das Schicksal die Tür zu ihm.«

»Das ist wirklich unfaßbar«, sagte Hube erstaunt, »wie Sie immer wieder erreichen, was Sie wollen. Wie machen Sie das nur?«

Agnes lachte ihr übermütiges Mädchenlachen. »Ganz einfach, Herr Hube – ich will immer das Unmögliche, und dann bleibt das Mögliche übrig.«

Am nächsten Tag meldete sich Señor Para bei ihr, ein junger Kaufmann, der ihr im Einverständnis mit General Porfirio Diaz anbot, sie in seinem gut bespannten Reisewagen mit nach San Luis de Potosi zu nehmen, wohin ihn wichtige Geschäfte riefen. Für die Sicherheit der Reise verbürgte er sich, da ihn drei schwerbewaffnete Diener begleiteten.

Obwohl Agnes auf den ersten Blick erkannte, daß der vermeintliche Kaufmann in Wahrheit ein Geheimpolizist und die Diener verkleidete Soldaten waren, nahm sie das Angebot an, gab sich freiwillig in diese getarnte Gefangenschaft. Nur über Benito Juarez führte der Weg nach Querétaro. Ihr blieb keine Wahl.

Furchtlos ihrem Glück vertrauend, den silbernen Revolver in der einen, zehn Golddollar in der anderen Rocktasche, nahm sie tränenreichen Abschied von der Familie Hube. Obwohl sich Señor Para aufopfernd um Agnes bemühte, in die er schon von der ersten Stunde an verliebt war, entwickelte sich die siebentägige Reise über die licht- und windüberwehte Hochebene hin zu einer kräftezehrenden Strapaze. Denn auch die Nächte brachten keine Ruhe und Erholung von den Anstrengungen des Tages, weil gegen die umherziehenden Freischärlerbanden ständige Kampfbereitschaft erforderlich war.

»Schon am Nachmittag des ersten Reisetages hatten wir ein warnendes Erlebnis. Im Licht der sinkenden Sonne sah ich undeutlich einen dunklen Gegenstand von einem Baum herabhängen. Den Kopf aus dem Wagen steckend, erkannte ich zu meinem Entsetzen, daß es ein Offizier der Liberalen war, dessen Kopf eine schwarze Kappe bedeckte, während ihm das Blut noch am Körper herunterlief. Von Ekel erfüllt beugte ich mich zum anderen Fenster hinaus und sah dort am nächsten Baum einen zweiten Offizier hängen, der, von dicken Fliegen umschwärmt, einen noch scheußlicheren Anblick bot. Beide Verbrecher hatten ein junges Mädchen geschändet und dessen Vater, als er versuchte, sein Kind zu rächen, kurzerhand erschossen und ihm die Zunge herausgeschnitten. Dafür waren sie von den Nachbarn des armen Landmanns mit der gleichen Grausamkeit gerichtet worden. Lange noch verfolgten mich die Bilder dieses schauderhaften, aber doch wohl gerechten Volksurteils.«

Es war damals üblich, solchen Frauenschändern die Geschlechtsteile abzutrennen und die noch zuckenden Körper zur Abschreckung in die Straßenbäume zu hängen, wo sie langsam ausbluteten, bis ihnen die Totenvögel, die riesigen Zapilotes, das Fleisch von den Knochen rissen.

Benito Juarez

Stumm standen sie sich gegenüber. Lange. Kaum noch ein Atemzug. Lastende Stille, während sie einander mit den Augen prüften. So als wollte einer des anderen Gedanken erraten.

Benito Juarez war nicht größer als Agnes. Aber es ging Macht aus von ihm, sogar Würde, auch wenn er einen längst aus der Mode gekommenen schwarzen Tuchanzug trug, dazu einen unmöglich hohen Kragen, einen sogenannten »Vatermörder«.

Obwohl seine Gestalt mit den breiten Schultern eines Athleten, mit den schmalen Hüften eines knabenhaften Tänzers durchaus von sinnlicher Wirkung war, wurde jeder Besucher allein von der durchdringenden Kraft seiner schwarzen Augen beherrscht. Eine Faszination, die sich noch steigerte durch die breite Narbe eines Säbelhiebs, von dem das dunkelbraune Gesicht beinahe zerschmettert worden war.

Agnes hatte sich für die Audienz beim Präsidenten wie zu einem Fest gekleidet. Sie trug eine pinkfarbene Robe letzten Pariser Geschmacks, deren eng anliegendes Oberteil ihre Mädchenfigur um so mehr betonte, als der Rock mit seinen spitzenunterlegten Volants nicht nur besonders weit geschnitten, sondern auch von gewagter Kürze war. Unter seinem angehobenen Saum waren die schmalen Satinschuhe zu erkennen, die über die schönen Fesseln hinauf von schwarzen Bändern gehalten wurden.

Juarez legte die rechte Hand auf die Brust, verbeugte sich langsam und ausdrucksvoll. »Madame!«

Agnes deutete einen Knicks an. »Señor!«

»Hatten Sie eine gute Reise?« sagte er mit dunkler Stimme in schwerverständlichem Englisch.

»Ich habe mich nicht zu beklagen, Exzellenz.«

Er lächelte. »Mexiko ist noch nicht so friedlich, wie ich es mir wünsche, wie es bald sein wird nach unserem Sieg. Ich bewundere Ihren Mut, die Strapazen dieser Reise auf sich zu nehmen, Señora.«

Er redete sie nicht mit ihrem Titel an. Denn sie war für ihn vor allem eine Amerikanerin, Tochter des Landes im Norden, das ihn mit Waffen und Dollars unterstützte.

»Es war der Mut einer Gefangenen, die weder das Ziel noch die Art und Weise ihrer Reise zu bestimmen hatte, Exzellenz.«

Und wieder Stille.

Mit wachen Augen sahen sie immer noch einander an, und es erkannte einer im anderen das indianische Blut. Hinter dem Lächeln lauerten List, Wachsamkeit, Geduld. Wer würde wen besiegen?

»Sagen Sie mir offen, was Sie an Beschwerden vorzubringen haben, Señora«, begann er abermals, während sein prüfender Blick sie weiterhin wie in Fesseln hielt, »haben Sie Vertrauen zu mir!«

»Gut, Exzellenz.« Herausfordernd warf sie den Kopf auf. »Darf ich fragen, warum Señor Para, der beste Reisebegleiter, den ich je hatte, hier in der Stadt plötzlich durch Oberst Aspirez abgelöst wurde?«

»Das ist ganz einfach, Señora. Durch den mir aufgezwungenen Krieg ist San Luis de Potosi, dazu die ganze Umgebung meines Hauptquartiers, sehr unruhig geworden. Sie brauchen einen Beschützer mit größeren Vollmachten.«

»Einen Bewacher!«

»Ja, einen Bewacher«, wiederholte er scharf, während seine Augen zu schmalen Schlitzen wurden. »Wie mir General Porfirio Diaz mitgeteilt hat, sind Sie eine Agentin dieses Maximilian, der sich Kaiser von Mexiko nennt.«

»Eine Agentin?«

»Allerdings, Señora. Sie haben versucht, mit geheimen Nachrichten für ihn nicht nur nach Mexico City, sondern auch nach Querétaro hineinzugelangen. In wessen Auftrag?«

»In meinem eigenen Auftrag, Exzellenz.«

Er stampfte zornig mit dem Fuß auf. »Ich scherze nicht, Señora.«

»Das weiß ich, Exzellenz«, spottete sie furchtlos, »noch niemand hat Sie lachen sehen. Sie sollten es einmal versuchen, denn . . .«

Wütend trat er auf sie zu. »Beantworten Sie meine Frage, Señora.«

»Im Auftrag meines Herzens, wenn ich die Wahrheit sagen soll.«

»Ja, das sollen Sie, Señora«, sagte er mit einer Entschiedenheit, hinter der sie Verblüffung spürte.

»Ich wollte zu meinem Mann – in Mexico City genauso wie in Querétaro.«

»Sie wollten ihm Nachrichten bringen – er ist kaiserlicher Offizier.«

»Er ist in Gefahr, er ist verwundet – vielleicht schon getötet, ich . . .« Ihre Stimme zerbrach in leises Schluchzen hinein, sie hatte Tränen in den Augen.

Weinte sie wirklich?

Erstaunt sah er sie an, ungläubig, schien sie für eine Schauspielerin zu halten und sagte mürrisch:

»Keine Szenen, bitte, Señora. Prinz Salm befindet sich

bei bester Gesundheit. Wo immer er angreift, werden wir geschlagen.«

»Um so dringender muß ich zu ihm. Er ist so leichtsinnig.« Sie tupfte sich die Tränen aus den Augen. »Lassen Sie mich nach Querétaro, Exzellenz.«

»Sie bei ihm? Das würde ihn ja nur noch übermütiger machen.« Er sah sie unschlüssig an. »Geben Sie mir Zeit. Ich muß mir das überlegen. In ein, zwei Tagen sieht alles anders aus.«

»Ein, zwei Tage noch – nein, das halte ich nicht aus, Exzellenz.«

»Tut mir leid, Sie werden es eben aushalten müssen, Señora.«

Oberst Aspirez brachte sie in geschlossener Kutsche in ihr von Militärpolizei überwachtes Hotel zurück, in dem er das Zimmer neben ihr bewohnte. Wie gewöhnlich saß er ihr nun in der Kutsche stocksteif wieder gegenüber und starrte sie unentwegt aus stumpfen braunen Augen an. In allem das Urbild eines vertrockneten Junggesellen, der es aus Angst vor Frauen nicht zu einer Familie gebracht hatte. Was immer man von seinen Heldentaten an der Front berichtete, wenn Agnes ihn nur ansah, zuckte er zusammen, fing an zu zittern. Und sie dachte, sollte es nun einmal nicht zu vermeiden sein, daß all ihre Bewacher sich in sie verliebten, dann lieber den liebenswürdigen Charme Señor Paras ertragen als die lederne Leidenschaft des Obersten Aspirez.

»Wie oft soll ich Ihnen noch sagen, daß Sie mich nicht immer so anstarren sollen, Oberst.«

»Kein Mann kann Ihnen gegenübersitzen, ohne Sie zu bewundern, Princesa«, sagte er mit weinerlicher Stimme.

»Dann setzen Sie sich neben mich, damit ich Ihr Gesicht nicht sehen muß.«

»Nein, das wag' ich nicht«, sagte er und seufzte kläglich.

Damit waren sie vor dem Diligencias-Hotel angekommen, was sie einer Antwort und seiner unerträglichen Gegenwart enthob.

Kaum war sie in ihrem Zimmer angelangt, meldete sich bei ihr ein Bote des Präsidenten mit wichtigen Nachrichten, die sämtlich aus Reporterberichten über die Kämpfe bei und um Querétaro bestanden. Ein mit rotem Stift bezeichneter Ausschnitt der ›New York Herald Tribune‹ trug den handschriftlichen Vermerk des Präsidenten: »Dieser Bericht wird Sie beruhigen und stolz machen, Señora – Juarez.«

Es handelte sich um eine Reportage über die Straßenkämpfe in Querétaro, die vom Kriegskorrespondenten der Zeitung, H. C. Clark, verfaßt war, den sie noch aus der Zeit kannte, da er die Achtundsechziger unter Salm im Bürgerkrieg begleitet hatte. Ein redlicher Mann, der keine Märchen erzählte, dem jedes Wort zu glauben war. Und sie las mit jagendem Puls, was sie keinesfalls zu beruhigen vermochte:

»Prinz Salm, der die Cazadores führte, trieb mit dem Säbel den in die Stadt eingedrungenen Gegner in ganzen Haufen vor sich her, während seine Leute, eine Rotte von blutdürstigen Wilden, mit Bajonett und Kolben den Rest verarbeiteten. Sie sprangen wie die Tiger vorwärts und waren bei dem Geschütz, ehe der entsetzte Feind sich noch besinnen konnte. Im Nu war die Bedienungsmannschaft erschlagen, ein Dutzend Bajonette drang in den Körper des feindlichen Offiziers ein. Wieviel Leute in den Häusern erschlagen wurden, kann ich nicht angeben, ihre Zahl muß beträchtlich gewesen sein. Es war eine Schlächterei, wie ich sie während der schlimmsten Kämpfe bei Gettysburg, Spottsylvenia oder Chattanooga nicht gesehen habe. Hingerissen von der Erscheinung des Prinzen Salm, der wie ein Kriegsgott auf seinem Pferd saß, schüttelte ich ihm so kräftig die Hand, daß er später behauptete, ich hätte ihn beinahe von seinem Schecken gerissen.«

Agnes fand keinen Schlaf, wälzte sich in Träumen, in denen sie Felix blutüberströmt im wildesten Getümmel sah, wobei er fordernder als je nach ihr rief. Schließlich stand sie auf und ging im Flackerlicht der wenigen Kerzen, die auf ihrem Nachttisch standen, im Zimmer auf und ab. Nah und fern hallten die Glockenschläge der Kirchenuhren in die Nacht hinaus, zeigten den trägen Gang der Stunden an, bis endlich erstes Morgenlicht über San Luis de Potosi heraufstieg. Agnes überlegte, ob sie Benito Juarez nicht gleich noch einmal aufsuchen sollte, um ihm nachdrücklicher noch eine Besuchserlaubnis für Querétaro abzufordern, nachdem ihre Angst um Felix von den Kampfberichten, die der Präsident ihr zugeschickt hatte, ins Unerträgliche gesteigert worden war.
Sie verzichtete auf das Frühstück und begann hastig mit ihrer Toilette, um sich so früh als möglich in die Audienzliste des Präsidenten eintragen zu können, als im gleichen Augenblick das Sturmgeläut sämtlicher Kirchenglocken einsetzte und die um die Stadt versammelten Geschütze Salve um Salve über deren Dächer hindonnerten. So als müsse sich die ganze Garnison gegen einen plötzlichen Überfall feindlicher Armeen verteidigen.
Agnes riß das Fenster auf, ohne da draußen irgendeinen Anlaß für solchen Aufruhr entdecken zu können. Sah nur aus allen Haustüren verstörte Bürger auf die Straße herausstürzen, genauso ratlos, wie sie es selber war. Zu-

gleich rüttelte irgendein Unbekannter immer ungestümer an ihrer Tür. Sie warf sich ihre schwarze Mantilla über und schob den Riegel zurück.

Die Tür flog auf, vor ihr stand Oberst Aspirez mit hochrotem Kopf, einem Herzschlag nahe. »Entschuldigen Sie die Störung, Princesa, aber, aber . . .«

»Warum dies Sturmgeläute, Oberst? Steht Maximilian vor der Stadt?«

»Im Gegenteil, Princesa, ein großer Sieg. Querétaro ist gefallen«, keuchte der Oberst in heiserem Falsett, »das bedeutet das Ende des Krieges, Maximilian ist gefangen.«

»Und mein Mann?«

»Auch gefangen – die ganze kaiserliche Armee.«

»Mein Gott«, stammelte Agnes. »Sie müssen mich sofort zum Präsidenten begleiten.«

Sie dachte an die Erschießungsbefehle für alle kaiserlichen Offiziere, die Benito Juarez gerade erst durch öffentliche Anschläge wieder bekräftigt hatte.

Aspirez schüttelte den Kopf und sagte weinerlich: »Ich kann Sie nicht zum Präsidenten begleiten, Princesa. Mein Dienst bei Ihnen ist beendet. Ab heute wird Gardekapitän Battista für Ihre Sicherheit verantwortlich sein.«

Agnes stampfte mit dem Fuß auf. »Ich will keinen neuen Bewacher. Warum werden Sie abgelöst? Was hat man Ihnen vorzuwerfen, Oberst?«

»Darum geht es nicht, Princesa«, sagte Aspirez in einer Art verlegenem Stolz. »El Presidente hat mich mit einem Sonderauftrag betraut. Ich habe die neuesten Anweisungen für die Behandlung der Gefangenen nach Querétaro zu überbringen.«

Ungläubig starrte sie ihn an. »Sie reisen nach Querétaro?«

Er nickte. »Jawohl, Princesa. In das Hauptquartier General Escobedos.«

»Wann?«

»Heute noch. In einer Stunde holt mich der Kurierwagen hier vom Hotel ab.«

»Gut«, sagte Agnes, »bis dahin bin ich ganz bestimmt fertig.«

»Was soll das heißen?« fragte er erschrocken. »Ich . . .«

». . . daß ich mit Ihnen reise«, unterbrach sie ihn.

»Aber das ist unmöglich.« Er wurde bleich. »Ohne Erlaubnis des Präsidenten kann ich Sie nicht mitnehmen, Princessa.«

»Ich muß zu meinem Mann – sofort.« Sie trat auf ihn zu, sah ihm nah in die Augen. »Sie werden mich mitnehmen, Oberst.«

»Nicht ohne Erlaubnis des Präsidenten, Princesa.«

»Darauf kann ich nicht warten, Oberst.«

Er zitterte am ganzen Körper. »Sie wissen nicht, was das bedeutet, Princesa, wenn ich Sie ohne Erlaubnis des Präsidenten . . .«

Sie legte beide Hände auf seine Schultern. »Sie sind nicht nur Soldat, Oberst, Sie sind auch ein Mann, der eigene Entscheidungen wagt. So schätz' ich Sie jedenfalls ein. Der Präsident kann Ihnen dafür nicht den Kopf abreißen, daß Sie einer Frau behilflich waren, dahin zu gehen, wohin sie gehört, wenn ihr Mann in Gefahr ist – an seine Seite!«

Flehend hob er ihr die Hände entgegen. »Princesa, ich beschwöre Sie . . .«

Sie nickte ihm zu, die Augen tief in seine Augen getaucht. »Danke, Oberst, ich sehe, Sie verstehen mich. Ich werde pünktlich sein.«

Noch einmal bäumte er sich auf. »Princesa, bitte begreifen Sie mich doch, ich . . .«

»Als Mexikaner, als Mann von Ehre können Sie gar nicht anders, Oberst«, fiel sie ihm ins Wort, »ich weiß es, ich danke Ihnen.« Beugte sich vor und berührte flüchtig mit ihren Lippen seine Stirn.

In seinem ganzen Leben war es der erste Anhauch eines Kusses, den Aspirez je von einer Frau empfing. Er brach in die Knie, legte sein Gesicht in ihre Hände. »Princesa ...«

Sie fühlte seine Tränen durch ihre Finger rinnen, wandte sich ab und lief schnell in ihr Zimmer zurück, um den Koffer zu packen und für die Reise ihre amerikanische Kapitänsuniform anzuziehen.

Aspirez sah ihr hilflos nach, wie sie die breite Hoteltreppe hinauflief. Er ahnte das Unheil voraus, das von ihr aus über ihn kommen sollte. Aber er war wehrlos gegen ihre Hexenkraft.

Stunde um Stunde rumpelte der festgebaute Armeewagen, dem vier Maulesel vorgespannt waren, nun schon über die steinerne Einöde der Hochebene dahin. Wie üblich saß der Oberst Agnes gegenüber, sah sie stumm und verzehrend an und schien sich nicht entscheiden zu können, ob er das Glück ihrer Nähe genießen oder nicht besser schon die drohenden Folgen der ersten Disziplinlosigkeit seines Soldatenlebens beklagen sollte.

Agnes erkannte die wachsende Angst auf seinem sauertöpfischen Gesicht und ließ sich endlich herab, ihn mit sanfter Stimme anzureden.

»Sagen Sie, Oberst, weiß man schon Näheres, wie Querétaro von General Escobedo erobert wurde? Hat es ihn viel Verluste gekostet?«

»Dreitausend Unzen in Gold war der Preis«, sagte Aspirez trocken. »Dafür wurden in der Nacht die Stadttore geöffnet und die Barrikaden geschleift. Es war weniger eine Eroberung als vielmehr ein friedlicher Einmarsch.«

»Also Verrat?« sagte Agnes.

Aspirez nickte.

»Und wer war der Verräter?«

»Oberst Lopez.«

Ungläubig sah sie ihn an. »Doch nicht der schöne Miguel Lopez, der Adjutant der Kaiserin?«

»Genau der, Princesa.«

»Wie ist das möglich, Oberst? Der Kaiser hat ihn außer der Reihe befördert, hat ihm ein Haus geschenkt – er kann ihn doch nicht einfach so verraten.«

»Lopez muß an seine Zukunft denken«, sagte Aspirez ohne jede Erregung. »Als Maximilian und Charlotte hier ankamen, hatte er auf die Monarchie gesetzt und war von Juarez zu Maximilian übergelaufen. Jetzt hat er einsehen müssen, daß der Kaiser am Ende ist, und hat mit dem Präsidenten einen Vertrag geschlossen: Übergabe der Stadt gegen dreitausend Unzen Gold und straflose Übernahme im Oberstenrang in die republikanische Armee.«

Agnes riß die Augen auf. »Ein gutes Geschäft, wie mir scheint.«

Aspirez nickte. »Für beide Seiten.«

»Ist das so üblich in Mexiko?«

Der Oberst lächelte und sagte ausweichend: »In der ganzen Welt, Princesa, ist jeder sich selbst der Nächste.«

Agnes legte sich tief in den Sitz zurück und kaute nachdenklich auf ihrer Unterlippe, während der schwere Wagen unter Geschrei und Peitschenknall über Schottergestein und ausgetrocknete Bachbetten hin in die frühe Nacht hineinrumpelte.

Wenn es hier Offiziere gab, die für ein Säckchen Gold zweimal ihre Fahne verrieten, dachte sie, müßte sich

384

doch gewiß auch ein Verräter finden lassen, der gegen noch mehr Gold nicht große Stadttore, sondern kleine Gefängnistüren öffnen würde.

Ihr Herz erwärmte sich, ihr Plan stand fest. Immer heller wurde die Nacht um sie, als ob die nahen Sterne wie tausend Sonnen auf sie herunterleuchteten. Sie konnte es kaum erwarten, endlich in Querétaro anzukommen, Felix und Maximilian wiederzusehen.

»Ich, Agnes, eine freie
Amerikanerin . . .«

General Escobedo, der sich »der Sieger von Querétaro«
nennen ließ, obwohl sein Sieg nur ein 3000-Goldun-
zen-Geschäft gewesen war, hatte sein Hauptquartier in
der Hazienda de Hercules aufgeschlagen, einem der
schönsten Landhäuser im Gartengelände vor Querétaro.
Im üppig grünen, von Wasserspielen belebten Park
wimmelte es von goldbetreßten Offizieren, die sich
pfauenhaft auf den Kieswegen spreizten und neugierig
zusammenliefen, als der schwere Reisewagen mit Agnes
und Oberst Aspirez in das Tor einfuhr.
Sie schienen diese Anku t un lie ihr folgende Szene
erwartet zu haben: Kleines Welttheater in lieblicher
Landschaft.
Die Wache trat ins Gewehr, als Oberst Aspirez den Wagen verließ, um auch Agnes herauszuhelfen – einer jungen Frau in amerikanischer Hauptmannsuniform, wie
die Offiziere staunend erkannten. Diese Prinzessin
Salm, längst schon Legende geworden, zeigte sich plötzlich als schöne Wirklichkeit vor ihnen, Kamerad, wie es
schien, und dennoch unerreichbar. Sie salutierten zugleich und mit nur mühsam unterdrückter Begeisterung.
Agnes dankte lächelnd, indem sie zwei Finger der rechten Hand an den Schirm der blauen Offiziersmütze
legte, unter der die Fülle ihres schwarzen Haares geborgen lag.
Sporenklirrend schritt Aspirez voran, um sie zur Mel-

dung beim General Escobedo zu führen, als ihm unversehens zwei junge Hauptleute zur Seite traten, deren dienstältester den Oberst wie nebenbei um Degen und Pistole bat und spürbar verlegen erklärte: »Es ist ein Befehl des Präsidenten, Herr Oberst.«

Aspirez schien so etwas erwartet zu haben, denn er nickte nur, blieb stehen und entledigte sich seiner Waffen ohne Widerstand.

Überrascht sah ihn Agnes von der Seite an. »Was soll das bedeuten, Oberst? Sind Sie verhaftet?«

»Genau das, Princesa. Sie sollten dem kleinen Zwischenfall keine Bedeutung beimessen.«

»Aber das tu' ich, Oberst«, erregte sie sich, »um so mehr, als ich doch wohl der Grund Ihrer Bestrafung zu sein scheine. Ich habe mich Ihnen aufgedrängt bei dieser Reise.«

Er verbeugte sich. »Es war die glücklichste Reise meines Lebens, Princesa. Ich bereue nichts.«

Sie sah ihm nach, wie er von dem jungen Hauptmann und zwei Soldaten unter Gewehr durch eine Gasse hämisch blickender Offizierskameraden über den Hof in den Wachraum geführt wurde, und hatte das Gefühl, ihm mit ihrer bisherigen Beurteilung unrecht getan zu haben. Sein Lächeln, seine freimütige Haltung im Unglück erschienen ihr nun bewundernswert.

Entschlossen wandte sie sich um und stürmte vor dem älteren Offizier in das weiße Herrenhaus hinein. »Er darf nicht bestraft werden. Ich werde Seiner Exzellenz alles erklären.«

Escobedo war kaum wiederzuerkennen. Der Sieg von Querétaro schien ihn um zwei Köpfe größer gemacht zu haben. Gravitätisch stand er in goldüberladener Phantasieuniform, eingehüllt von einer Wolke unerträglichen Parfüms, unter der republikanischen Fahne im Salon.

Seine beiden Adjutanten, der feinnervig schlanke Oberst Villanueva und der gedrungene Oberst Palacios, ein mürrisch blickender reinrassiger Indio, standen ihm rechts und links höchst dekorativ zur Seite.

Escobedo legte die rechte Hand auf sein Herz und verbeugte sich. »Señora!«

Agnes, die nicht geneigt war, vor dem ehemaligen Maultiertreiber ihren berühmten Hofknicks zu zelebrieren, neigte nur kurz den Kopf. »Exzellenz.«

»Ich hoffe, Sie hatten eine gute Reise, Princesa.«

Agnes warf den Kopf auf. »Jawohl, Exzellenz. Dank meines Begleiters, des Obersten Aspirez, sogar eine höchst bequeme Reise. Allerdings hat man ihn hier in Ihrem Hauptquartier von meiner Seite weg verhaftet.«

»Ich weiß, Princesa. El Presidente hat es befohlen.«

»Wenn ich die Ursache dieser Verhaftung sein sollte, wie ich vermute, bitte ich das Oberst Aspirez zugute zu halten. Die Schuld liegt allein bei mir.«

»Es ehrt Sie, Princesa, wie Sie sich für Oberst Aspirez einsetzen. Aber ein Offizier hat seinen Befehlen und nicht seinen Gefühlen zu folgen.«

Beide sahen einander prüfend an, bis Agnes mit sanfter Stimme fragte: »Wie konnte der Befehl zu seiner Verhaftung schon vor uns hier ankommen?«

Escobedo lächelte über ihre gut gespielte Naivität. »Das Pferd des Kuriers war schneller als Ihre Kutsche, Princesa.«

»Ich verstehe. El Presidente will ein Exempel statuieren.«

»Ja, für die Offiziere, die noch fernerhin mit Ihnen zu tun haben werden, Princesa«, sagte Escobedo vergnügt.

»Eine notwendige Warnung, wie mir scheint.«

Agnes, ohne auf seinen Ton einzugehen, fragte hart: »Was geschieht mit Oberst Aspirez?«

»Er wird sogleich vor ein Kriegsgericht gestellt und verurteilt werden. Zu Degradierung und Arrest wahrscheinlich.«

»Keine Todesstrafe?«

»Aber, Princesa, für wie blutrünstig halten Sie uns? Die höchste Strafe bleibt den Feinden unserer Republik vorbehalten.«

Agnes wurde blaß. Sie wußte, daß er damit Maximilian und seine Generäle meinte.

»Der Tod dem, der ihn verdient hat«, ergänzte Escobedo etwas pathetisch und verneigte sich abermals. »Lassen wir doch dieses unerfreuliche Thema, auf dessen Entwicklung wir beide keinen Einfluß haben. Man hat mir berichtet, daß Sie mir einige persönliche Wünsche vorzutragen hätten. Bitte, wo und wie kann ich Ihnen behilflich sein, Princesa?«

»Mich bewegt nur der einzige Wunsch, Exzellenz, endlich meinen Mann wiedersehen zu dürfen. Ich habe gehört, daß er verwundet ist.«

»In dieser Hinsicht kann ich Sie beruhigen, Princesa. Nach meinen Informationen handelt es sich lediglich um einen leichten Streifschuß.«

»Das festzustellen überlassen Sie bitte mir, Exzellenz. Auch der leichteste Streifschuß nährt meine Angst. Bitte, geben Sie mir die Erlaubnis, Querétaro zu betreten und dort zu wohnen.«

Escobedo lächelte verbindlich. »Nichts steht dem im Wege, Princesa, außer der Tatsache, daß es in der zerstörten Stadt kaum noch ein angemessenes Quartier für Sie gibt.«

Die von ihr erwähnte Verwundung hatte Salm in den täglichen Scharmützeln erlitten, die dem Verrat des Obersten Lopez vorausgegangen waren. Salm, der die Nächte in den vordersten Linien zuzubringen pflegte,

schreibt in seinem Bericht »Querétaro« über die gelegentlichen Frontbesuche Maximilians:
». . . und während ich mir noch schlaftrunken die Augen rieb, sah ich plötzlich den Kaiser vor mir stehen. In dieser Weise, ohne Adjutanten oder Ordonnanz, pflegte er zu den unmöglichsten Nacht- und Tageszeiten die vordersten Gräben zu besuchen. Da er die mexikanischen Offiziere kannte und wußte, daß sie die Soldaten nicht allein mißhandelten, sondern auch an ihrem Sold und an ihren Rationen verkürzten, so pflegte der Kaiser die Leute zu fragen, ob sie ihre Löhnung und ihren ›Rancho‹ richtig erhielten? – Es war dies eine gute Kontrolle für die Offiziere und solche Sorgfalt den Soldaten so neu, daß sie dadurch den Kaiser außerordentlich liebgewannen, besonders da er mit ihnen alle Gefahren und Entbehrungen teilte. – Und es geschah auch während eines Angriffs der Republikaner im Morgengrauen, daß der Kaiser plötzlich auf die Deckung sprang und sich ins Kampfgetümmel warf mit dem Ausruf: ›Jetzt, Salm, eine barmherzige Kugel!‹, denn er wußte Bescheid über seine verzweifelte Lage. Ich hatte viel Mühe, ihn zu dekken, aber die feindlichen Kugeln verschmähten ihn, so als wüßten sie sein bitteres Ende schon voraus.«
Indes hatte Agnes nach langem Suchen in ihren Taschen den Notizzettel gefunden, auf dem ihr Konsul Hube schon in Tacubaya ein gutes Quartier in Querétaro aufgeschrieben hatte.
»Dies ist das Haus, das man mir empfohlen hat, Exzellenz. Ich hoffe, es ist noch unzerstört.«
Der General nahm das zerknitterte Blatt und las laut: »Palacio Vicentis in der Stadt Querétaro mit Empfehlungen an Señora Vicentis von Konsul Hube.«
Escobedo sah lächelnd seine Adjutanten an. »Señora Vicentis, natürlich, wie könnte es anders sein.« Und

wandte sich wieder Agnes zu. »Konsul Hube galt bei uns immer als guter Republikaner und Freund unserer Sache. Wie kann er Ihnen das Haus der fanatischsten Monarchistin von ganz Mexiko empfehlen?«

»Das hat er mir nicht gesagt, Exzellenz. Herr Hube dachte nur an meine Bequemlichkeit.«

»Die werden Sie allerdings dort finden, Princesa. Ich habe nichts dagegen, daß Sie im Palacio Vicentis wohnen, vorausgesetzt, Sie versprechen mir, sich nicht an den Verschwörungen zu beteiligen, die von der alten Dame immer wieder angezettelt werden.«

»Was sind das für Verschwörungen, Exzellenz?«

Er zögerte einen Augenblick, ehe er lächelnd erklärte: »Nun, sagen wir mal, es sind immer neue törichte Versuche, den Kaiser und seine Generäle aus der Gefangenschaft im Kloster La Teresita zu befreien.«

»Aber natürlich werde ich mich an diesen Versuchen beteiligen«, platzte Agnes heraus, »oder erwarten Sie von mir, daß ich die Gefängnistore wieder zuschlage, die sich für den Kaiser öffnen sollten?«

Die drei Herren lachten hell auf, und General Escobedo sagte gutgelaunt: »Ihre Offenheit ist köstlich, Princesa, und das Gegenteil hätte ich Ihnen auch nicht geglaubt. Um Sie aber vor allen Versuchen solcher Art zu bewahren, werd' ich mir erlauben, Ihnen Oberst Villanueva als Schutz gegen sich selbst zu attachieren.«

»Sie meinen, zu meiner Überwachung, General?«

»Ein Streit um Worte wird uns nichts nützen, Princesa. Der Präsident hat es so angeordnet, und ich kann Sie anders auch nicht in die Stadt lassen. Nehmen Sie das Notwendige freiwillig auf sich, und Sie werden es kaum als Belästigung empfinden.«

Inzwischen war Oberst Villanueva mit tiefer Verbeugung auf sie zugetreten. »In bin glücklich über die Ehre dieses Auftrags und bitte höflichst um Ihr Vertrauen, Princesa.«

Sie erkannte den Schimmer der Bewunderung auf seinem Gesicht, den sie in vielen Männeraugen schon hatte leuchten sehen. Mit diesem Villanueva, der ein Gentleman zu sein schien, würde sie leichtes Spiel haben. Sie reichte ihm die Hand. »Sie haben mein Vertrauen, Oberst, mein ganzes Vertrauen.«

Escobedo räusperte sich und sagte mit unüberhörbarer Warnung in der Stimme: »Für besondere Wünsche können Sie sich natürlich auch an Oberst Palacios wenden, Princesa. Er wird sich Ihrer gern annehmen, wovon Sie sich allerdings in Ihrer Freiheit nicht eingeengt fühlen sollten.«

»Danke, Exzellenz«, sagte Agnes und sah Oberst Palacios an, der sich verneigte, ohne sich von der Stelle zu rühren. Hinter seinem verschlossenen Gesicht, seiner düsteren Stirn ahnte sie die Gefahr, die ihr von ihm drohte. Und sie erkannte, was Escobedo plante, da er sie seinen beiden Adjutanten anempfahl. Hier sollte einer den anderen überwachen. Nun, sie würde sich ihrer Haut zu wehren wissen, und wenn der General seine Obersten gegen sie ausspielte, sollte sie wohl einen Weg finden, Villanueva mit Palacios zu täuschen und umgekehrt. Villanuevas, das sah sie seinen bewundernden Blicken an, war sie sicher. Und auch Palacios mußte fallen, dafür würde sie sorgen.

Villanueva wollte sie in seinem Dogcart in den Palacio Vicentis fahren, aber sie gab ihm nur ihre Koffer dorthin mit und die Meldung ihrer baldigen Ankunft, denn ihr Herz drängte der Begegnung mit Felix, ihre Unruhe dem Kaiser entgegen. Villanueva attachierte ihr seinen Adjutanten Hauptmann Montemajor, den er mit Vollmachten versah, nach denen die Prinzessin Salm berechtigt sei, nicht nur Querétaro sondern auch das kaiserliche Gefängnis im Kloster La Teresita zu betreten. Dieser Hauptmann war aus dem Holz des Obersten Aspirez geschnitzt, ein asketisch hagerer Spanier, der Agnes weder anzusehen noch anzureden wagte, während sie auf kleinen mexikanischen Pferden nebeneinander der Stadt entgegengaloppierten. Villanueva schien ihn zu äußerster Wachsamkeit ermahnt zu haben, wie sein grimmiges Gesicht verriet. Und ein Frauenfreund war dieser Montemajor keinesfalls, denn auch über das leiseste Lächeln, mit dem Agnes ihm zu begegnen suchte, sah er verächtlich hinweg. Oder war es Angst vor ihr, die ihn hemmte?

Mit klopfendem Herzen ritt Agnes in den Klosterhof ein, nachdem die Wachen gemäß den barschen Befehlen des Hauptmanns das große Eisentor geöffnet hatten. Eine Wolke unerträglichen Gestanks schlug ihnen entgegen, dazu Lärm und Geschrei in allen Tonlagen. Auf den kotüberschmierten Steinen des Klosterhofs biwakierte eine Kompanie republikanischer Garde, barfüßig und in zerfetzten Uniformen, zusammen mit ihren schreienden Huren, Weibern und Kindern. Ungläubig sahen sie die schöne Frau an, die plötzlich in ihrer Mitte hielt, und verstummten langsam. Stille des Staunens, große Augen von allen Seiten.

Agnes sprang vom Pferd und wandte sich Montemajor zu, der noch im Sattel saß. »Wo ist der Kaiser? Wo ist mein Mann?«

Montemajor deutete auf die Galerie, auf der ein Wachsoldat am anderen stand. »Dort oben, erste und zweite Kammer links.«

Agnes nickte und ging auf die breite Holztreppe zu, die zur Galerie hinaufführte. Mit ihrer Reitpeitsche schob sie die beiden dort postierten Wachen, die keinen Wi-

393

derstand wagten, nach rechts und links zur Seite und wollte schon die unterste Treppenstufe betreten, als plötzlich Hauptmann Montemajor neben ihr war und sie anschrie:

»Sie haben keine Erlaubnis, die Gefangenen in ihren Zimmern zu besuchen. Warten Sie hier, ich werde den Prinzen Salm in den Hof führen lassen!«

Ohne zu antworten, ohne ihn eines Blickes zu würdigen, ging Agnes vorwärts – und ». . . da streckte er die Hand nach mir aus, mich anzufassen. Dies machte mich rasend. Ich fühlte, daß ich leichenblaß und sechs Zoll größer wurde. Blitzschnell zog ich aus der Uniformjacke meinen kleinen Revolver hervor, hielt ihn dem entsetzten Hauptmann auf die Brust und sagte ganz ruhig: ›Hauptmann, berühren Sie mich auch nur mit einem Finger, und Sie sind eine Leiche!‹

Entsetzt starrte er mich an, seine Lippen zitterten, ohne daß er ein Wort hervorbrachte, und er hob langsam beide Arme. An ihm vorbei ging ich die Treppe hinauf, ohne daß auch die Wachen nur den geringsten Versuch noch wagten, mich daran zu hindern.«

Indes hatte sie auf halber Höhe der Treppe noch ein schreckliches Hindernis zu überwinden. Breit über die Stufen hin, mit weit geöffneten Armen, gebrochenen Augen lag dort der Leichnam des kaisertreuen Generals Raoul Mendez, der im Morgengrauen dieses Tages bei einem Fluchtversuch erschossen worden war. Wie ein tollwütiger Hund von Kugeln durchsiebt. Escobedo hatte befohlen, ihn zur Abschreckung zwei Tage lang in seinem Blut liegen zu lassen. Wolken geiler Fliegen stiegen auf, als Agnes vor dem Leichnam stehenblieb. Die ganze Treppe drehte sich vor ihren Augen, sie fühlte sich einer Ohnmacht nahe. Nahm im nächsten Augenblick aber all ihren Mut zusammen, stieg über den toten General hinweg und lief wie gehetzt die letzten Stufen hinauf in Salms Kammer hinein, die ihr Hauptmann Montemajor bezeichnet hatte.

Ein langer schmaler Raum mit spärlichem Licht, das durch eine schießschartenartige Maueröffnung einfiel, ohne den Steinboden zu erreichen, auf dem die enggedrängt liegenden Gefangenen mehr nur zu ahnen als zu sehen waren. »Felix!« rief Agnes, die auf der Schwelle stehengeblieben war, angstvoll in die Dunkelheit hinein. Eine schmale Gestalt erhob sich im hintersten Winkel, taumelte ihr entgegen, langsam über die Kameraden hinwegsteigend, die nur mühsam an den goldschimmernden Resten ihrer zerfetzten Uniformen als kaiserliche Offiziere noch auszumachen waren.

»Ich hatte Mühe, ihn wiederzuerkennen. Er war nicht rasiert, trug einen schmutzigen, drei Tage alten Kragen, einen noch dreckigeren Kopfverband und sah überhaupt aus, als sei er aus der Müllgrube gekommen. Ihn unter solchen Umständen zu sehen, machte mich traurig, ich weinte und wurde in seinen Armen fast ohnmächtig.«

Felix preßte sie an sich, stöhnend in wilder Gier nach Rettung und sinnlicher Nähe. Agnes aber stemmte die Hände gegen seine Brust in einer Art Widerstand, die schon fast Ekel zu sein schien. Dies war nicht mehr der Mann, den sie einmal geliebt hatte. War nur noch ein Wrack, das unbegreiflicherweise seinen Namen trug. Sie riß sich los und stürzte weinend auf den Gang hinaus. »Wo ist der Kaiser?«

Felix folgte ihr, und sie erkannte nun erst, im helleren Licht, in seinen Augen, in seinem bartstoppeligen Gesicht das Ausmaß seiner Verzweiflung. Schon streckte sie die Hand aus, ihn tröstend an sich zu ziehen, als ihr unvermittelt die neuen Generalssterne ins Auge fielen, die notdürftig auf den Achselstücken seiner zerfetzten Feldbluse aufgeheftet waren.

»Felix, was ist das, du bist General?«

Seine Augen leuchteten er richtete sich auf. »Ja, denk nur, Seine Majestät hat mich vor zwei Tagen zum Generaladjutanten ernannt und . . .«

»Nein!« unterbrach sie ihn schreiend, ballte die kleinen Fäuste, stampfte mit dem Fuß. »Bist du verrückt geworden? Begreift ihr denn nicht endlich, ihr beiden Narren, dein Kaiser und du, in welcher Lage ihr seid? Als du ihm ein guter General hättest sein können, hat er dich als Oberst beinahe verhungern lassen, und jetzt, wo es nur noch um das Ende geht, läßt du dich zu seinem General machen. Und hast nichts weiter davon, als neben ihm erschossen zu werden oder in irgendeinem Winkel zu verrecken, so wie General Mendez dort auf den Treppenstufen!«

»Ja, wenn dies mein Schicksal sein soll, dann . . .«

»Ach, hör doch auf mit deiner lächerlichen Treue«, wütete Agnes weiter. »Alle laufen weg, nur du bleibst stehen bei ihm. Wozu? Wofür? Was hat das noch für einen Sinn?«

Fassungslos sah er ihr nach, wie sie die Galerie entlanglief und ihn dabei noch verhöhnte:

»Da du das nicht fertigbringst, werde ich diesem Herrn Habsburg jetzt mal die Wahrheit sagen!«

Doch noch bevor sie Maximilians Kammer erreichte, vor der die Posten erschrocken zur Seite wichen, war Salm bei ihr und hielt sie am Arm fest. »Agnes, bitte kein Wort darüber, daß Mendez heute erschossen wurde. Zu viel bricht auf den Kaiser herein. Er muß noch geschont werden, denn . . .«

Ohne Aufenthalt stürmte sie weiter. »Er wurde sein Leben lang geschont. Das ist seine schlimmste Krankheit.

Euch verdammten Träumern muß man endlich die Augen öffnen, ihm und dir auch!«

Sie riß die Tür auf und stand unvermittelt in des Kaisers armseliger, peinlich aufgeräumter Kammer drei empörten Augenpaaren gegenüber. Maximilian, der seit Tagen an einer schweren Ruhr litt, lag mit schweißnasser Stirn auf seinem erträglich sauberen Bett. Neben ihm stand Blasio, sein spitznasiger Sekretär, dem er täglich unsinnige Erlasse zu diktieren pflegte, und auf der anderen Seite des Bettes der getreue Tüdös, ein grauhäutiger Ungar, der ihm als Koch und Kammerdiener diente. Doch es gab nur Abfälle zu kochen, die Tüdös auf Scherben einstigen imperialen Porzellans servierte. Sie waren beide bemüht, um Maximilian her die Illusion einer Hofhaltung aufrechtzuerhalten, die reine Farce war. Lächerlich, sinnleere Komödie. Maximilian, von seiner Krankheit gezeichnet, hager, hohlwangig, schwach, sah nur Agnes, erhob sich mühsam, taumelte ihr entgegen. »Prinzessin, daß Sie gekommen sind – wie schön!«

Sie sah das goldene Licht seiner Haare, die ihm bis auf die Schultern fielen, im mageren Gesicht »das große Blau seiner Augen, deren Melancholie ich niemals vergessen konnte«. Ihr Zorn war verflogen, während sie in einem tiefen Kicks versank. »Sire!«

Er hob sie auf mit zärtlichen Händen, sah sie lange an und sagte leise: »So viel Schönheit, so viel Jugend, welch ein Geschenk.«

Kaum hörbar ging hinter ihr die Tür. Blasio, Tüdös und auch Felix hatten auf Zehenspitzen das Zimmer verlassen. Sie bemerkte es nicht, sah nur dies leuchtende Blau vor sich, das immer stärker zu werden schien, überwältigend.

In plötzlichem Impuls beugte er sich nieder zu ihr und legte sein Gesicht in ihre Hände. Sanft und wie endgültig. Sie fühlte seinen Atem, den leisen Abdruck seiner Lippen auf ihrer Haut. Ein Schauer noch nie erlebter Erregung den Rücken herab. Sinnlichkeit, die im Entstehen schon wieder Vergehen war. Und fühlte auch die Worte mehr, als sie sie hörte, die er in ihre Hände hauchte:

»Diese Nähe, dieses Licht in meiner Zelle – so viel Hoffnung auf einmal – Dank, Prinzessin, Dank.«

Plötzlich fühlte sie ein Zittern über seinen Körper hin, das ihn schwanken, eine Schwäche, die ihn schon in die Knie brechen ließ. Mit beiden Armen hielt sie ihn, schleppte ihn mehr, als daß sie ihn führte, an sein Bett, auf das er sich keuchend niederfallen ließ. Langsam wollte sie ihm ihre Hand entziehen, aber er klammerte sich daran fest wie ein Ertrinkender. Zugleich atmete sie immer stärker diesen betäubenden Duft ein, der ihn umgab, der ihr schon beim Eintreten entgegengeschlagen war, ohne daß sie ihn beachtet hatte. Diesen Geruch, diese Betäubung kannte sie. Aber woher? Woher? Und plötzlich sah sie sich wieder im Bauch der Lazarettschiffe auf dem Potomac durch die Reihen der Sterbenden gehen. Und sie hörte die Schreie der Amputierten wieder, die unter Dr. Fröhlichs schnellem Messer Arme und Beine verloren hatten. Nach rechts und links Opiumpulver verteilend, immer wieder und mehr als erlaubt war. Opiumduft, süßlich schwer, umgab auch den Kaiser. Er tastete nach einer Schnabeltasse auf seinem Nachttisch, in der Doversches Pulver in starker Dosis aufgelöst war. »Gegen die Ruhr«, sagte er mit mühsamem Lächeln. Aber sie sah seinen hervorquellenden Augen jetzt an, daß er das Mittel nicht nur im Augenblick gegen seine Krankheit, sondern lange schon gegen seine Ängste nahm. Noch einen Schluck und noch einen, und er begann zu träumen, zu sprechen: von seiner neuen Freundschaft zu Felix; von seiner Rettung und Heimkehr nach Österreich, an die er fest wieder glaubte. An künftige gemeinsame glückliche Tage in seinem Schloß Miramar hoch über der Adria.

»Ihr werdet bei mir bleiben, ihr beide. Felix, mein Freund, und Sie, Agnes, mein, meine . . . Sie dürfen mich nie wieder verlassen. Halten Sie mich fest, Agnes. Halten Sie mich.«

Er lag mit geschlossenen Augen, klopfenden Pulsen. Immer leiser sein Stammeln, unhörbar nun. Vorsichtig zog sie ihre Hand aus seiner Umklammerung, ging auf Zehenspitzen zur Tür und schlich sich auf die Galerie hinaus, wo sie, die Treppe hinunterstürmend, mit einem kühnen Satz den toten General Mendez übersprang und beinah hingestürzt wäre, wenn Hauptmann Montemajor, der genau da noch stand, wo sie ihn verlassen hatte, sie nicht mit beiden Armen aufgehalten hätte. Erleichtert, daß sie überhaupt zurückgekehrt war, half er Agnes in den Sattel und ritt ihr im Galopp voran in die Stadt hinein, dem Palacio Vicentis entgegen. Erst dabei fiel ihr ein, und es war wie ein Schlag auf ihr Herz, daß sie es unterlassen hatte, Felix noch einmal aufzusuchen, sich um seinen Verband zu kümmern. Welche Verwirrung, wohin wurde sie getrieben? Sie sah noch immer nur Maximilians melancholische Augen vor sich, fühlte den Druck seiner Lippen in ihren Händen.

Und Maximilian allein war auch das Thema der Señora Vicentis, die schon seit Stunden auf ihren Gast gewartet hatte. Die alte Dame, reich und unabhängig, fühlte sich in ihrer Liebe zum Kaiser von Agnes verstanden, beteuerte immer aufs neue, daß sie bereit sei, sich mit all ihrem Geld und auch ihren Verbindungen für die Freiheit des Kaisers einzusetzen, ihn bei jedem Fluchtversuch zu unterstützen. Agnes könne dazu über ihr Haus, ihr Vermögen und ihre Dienerschaft frei verfügen.

Einziger Dunkelpunkt bei solchem Empfang und solchen Aussichten blieb Hauptmann Montemajor, der hartnäckig darauf bestand, das Zimmer des alten Palastpförtners zu beziehen, da er von Oberst Villanueva verpflichtet worden sei, die Prinzessin Salm nicht aus den Augen zu lassen, jeden ihrer Schritte Tag und Nacht zu überwachen. Sollte sie in ihm einem zweiten Konsul Hube ausgeliefert sein? Señora Vicentis blinzelte Agnes listig zu, als sie dem Hauptmann das Pförtnerzimmer zuwies. Kein Zweifel, es schien Möglichkeiten zu geben, Montemajors Bewachung zu entkommen.

Agnes war gerade dabei, sich mit Hilfe der ihr von Señora Vicentis zugewiesenen Zofe in ihrem salonartigen Schlafzimmer einzurichten, als höchst geheimnisvoll eine Karmeliterin eintrat, die ihr ein Handschreiben Maximilians brachte, versteckt in ihrer weißen, weitflügligen Nonnenhaube. Die Karmeliterinnen waren die einzigen Personen, die, mit der Pflege des Kranken beauftragt, noch einigermaßen unkontrolliert im Kloster La Teresita aus und ein gehen durften.

»Teuerste Prinzessin«, hieß es im kaiserlichen Handschreiben, »Ihr unerwarteter Besuch war ein großes Geschenk für mich, hat mich dem Leben und meinen Pflichten zurückgegeben. Vergessen Sie meine Schwachheit, die mich an feige Flucht und unmännliches Aufgeben denken ließ. Sie haben den Mut zu mir selber und den Glauben an meine Bestimmung in mir wiedererweckt. Ihr Besuch in dieser Zelle war mein schönstes Erlebnis seit langer Zeit. Kommen Sie bald wieder, bleiben Sie zugeneigt

Ihrem Sie verehrenden
Maximilian

PS. Anbei der Entwurf eines Aufrufs an das mexikanische Volk, den ich zu erlassen gedenke, sobald ich aus meiner jetzigen Lage befreit und in meine Hauptstadt zurückgekehrt bin.«

Zwei-, dreimal las Agnes seinen Brief, der ihr wie ein einziger Hilfeschrei erschien, und kopfschüttelnd dann seinen Erlaß nach einem utopischen Sieg, in dem es hieß:

>>Mexikaner,
Ich, Maximilian, durch Gottes Gnade Kaiser von Mexiko, habe mit Gottes Hilfe meinen Thron wieder eingenommen und bin entschlossen, euch nach den blutigen Wirren des Bürgerkriegs Frieden und Freiheit wiederzugeben . . .«

Sie ließ das Blatt sinken. Sie konnte nicht weiterlesen. Begriff dieser Mann seine Lage noch immer nicht? Es ging jetzt nicht mehr um sein Kaisertum, es ging allein noch um Leben und Tod. Ihr Zorn auf die beiden Träumer, auf Maximilian und Felix, flammte wieder auf, sie setzte sich nieder und schrieb, um ihn der Karmeliterin gleich wieder mitzugeben, spontan einen rücksichtslos offenen Brief an den kaiserlichen Phantasten, der ihr Herz verwirrte, ohne daß sie es sich selber eingestehen wollte.

>>Sire,
Ich, Agnes, durch Gottes Gnade eine freie Amerikanerin – fühle mich gedrängt, Ihnen zu sagen, daß Ihre Lage verzweifelt ist, daß Sie keine Armee mehr haben und noch weniger Aussicht, Ihren angemaßten Thron wiederzugewinnen. Das mexikanische Volk will Sie nicht, und schnellste Flucht allein kann Sie vor dem Ihnen von Juarez bestimmten schrecklichen Ende retten. Flucht, die nicht Feigheit wäre, sondern das Gebot der Stunde. Sire, glauben Sie nicht mehr den

Schmeichlern, die Sie immer und überall verraten haben. Stellen Sie sich mutig der bitteren Wahrheit, die Ihnen zu sagen sich gezwungen sieht

Ihre Sie verehrende

Agnes

Prinzessin Salm-Salm

PS. Da sich keine Männer finden, die das jetzt noch Mögliche wagen, bin ich entschlossen, mit Unterstützung der Ihnen treu gesinnten Señora Vicentis, die mir ihren Wagen, bewaffnete Diener und das nötige Geld geben will, heute noch nach San Luis de Potosi zu reisen, um Benito Juarez um Ihr Leben zu bitten. Ich will versuchen, ihn davon zu überzeugen, daß versöhnende Großmut noch immer bessere Früchte trägt als gnadenlose Rache. Ich werde ihm Ihr Versprechen bringen, daß Sie Mexiko nach Ihrer Freilassung sogleich verlassen und den Kaisertitel niederlegen werden. Sire, beten Sie, daß Gott mir beisteht, daß Er auch Ihnen hilft, das Unabänderliche nicht nur zu wagen, sondern auch zu ertragen.«

Keine Gnade

In den drei Reisetagen, die Agnes nach San Luis de Potosi unterwegs war, hatte in Querétaro das Kriegsgericht getagt und über Maximilian und seine Generäle Miramon und Mejia die Todesstrafe verhängt. Das Urteil flog ihrer wilden Reise voraus und wurde in San Luis de Potosi schon auf allen Straßen und in den Wirtschaften diskutiert, als Agnes dort ankam.

Das Volk billigte die Verurteilung des blonden Kaisers, zu dem es nie ein Verhältnis gefunden hatte, hoffte aber auf die Begnadigung der Generäle, die lange Zeit seine Helden gewesen und aus ihm selber aufgestiegen waren.

Ganz Mexiko fühlte sich aufgewühlt von den Ereignissen, vom nahen Ende des Krieges, vom tiefen Fall des Kaisertums, vom neuen Aufstieg der Republik.

Aufregungen, die nicht nur die Menschen, sondern die Elemente selber nun zu ergreifen schienen. Erdbeben schüttelten das Land, Städte brachen zusammen, Flüsse überfluteten die Täler, Regengüsse, Gewitter von nie erlebter Gewalt durchtobten Nächte und Tage eines Sommers, der kein Sommer war.

Agnes hatte es auf ihrer wilden Reise erlebt, was es hieß, das Toben solcher Gewalten auf den steinigen Gebirgsstraßen der Sierra Corda überwinden zu müssen. Da waren Straßen keine Straßen mehr, sondern zum Geröllbett reißender Flüsse geworden. Sie mußte den schweren Reisewagen verlassen, der immer heftiger schwankte und schließlich zu schwimmen schien. Mit

klammen Händen hielt sie sich am Deichselleder fest,
um nicht vom Regen weggeschwemmt, von Sturmböen
weggeweht zu werden. Ihre dünnen Stiefel lösten sich
auf, und scharfes Geröll riß blutig ihre nackten Füße auf.
Im Wind erloschen die Wagenlaternen und schließlich
auch die von den Dienern entzündeten Notfackeln. Allein die Maultiere fanden den Pfad noch und retteten sie
in einen Morgen hinein, der nach fürchterlicher Nacht
mit goldenem Licht die Berge überflammte.

»Ich war todmüde, als wir endlich unser Ziel erreichten,
meine Stiefel waren in Fetzen und meine Füße wund.
Mein Haar verfilzt, Gesicht und Hände schmutzig, die
Augen hatten tiefe Ränder der Erschöpfung, kurz, ich
sah aus wie eine Vogelscheuche. Dennoch war ich glücklich und sogar ein wenig stolz und freute mich nur noch
auf ein paar Stunden Schlaf in meinem Bett im Diligencias-Hotel.«

Dort wurde sie jedoch schon von zwei Offizieren erwartet, die den Auftrag hatten, sie unverzüglich zu Benito Juarez zu bringen, der von ihrer fluchtartigen Abreise aus Querétaro und ihrer entsprechenden Ankunft
in San Luis de Potosi bereits unterrichtet war. Sie weigerte sich, die Offiziere zu begleiten, verlangte wenigstens so viel Zeit, sich waschen und notdürftig ausruhen
zu können, aber die Señores, denen der Wille ihres Cau-
dillo im Nacken saß, ließen nicht mit sich handeln.

»Es war gegen acht Uhr abends, als ich dem Präsidenten
in seinem Arbeitszimmer gegenübertrat. Meinen Versuch, mein fürchterliches Aussehen vor ihm zu entschuldigen, wischte er mit einer Handbewegung zur
Seite. So als wollte er sagen, es käme in diesem Augenblick nicht auf gutes Aussehen, sondern auf die richtige
Entscheidung an. Er selber wirkte blaß und leidend und
sah mich so lange schweigend nur an, bis ich selber das

Gespräch eröffnete, indem ich ihn ohne Floskeln und andere Umschweife mit starken Worten um das Leben des Kaisers bat.

Juarez schüttelte den Kopf und erwiderte kaum hörbar, daß der Wahrspruch des Gerichts erfüllt werden müsse. Die Erschießung des Kaisers und der Generäle Mejia und Miramon sei nicht mehr zurückzunehmen.

Als ich das begriff und mir in allen Einzelheiten vorstellte, war ich einer Ohnmacht nahe. Schluchzend fiel ich auf die Knie und bat Juarez mit aller Kraft meines Herzens um Gnade für Maximilian. Er wollte mich aufheben, aber ich umklammerte seine Knie und wollte sie nicht lassen, ehe er mir nicht des Kaisers Leben versprochen hatte. Er war sehr bewegt und hatte Tränen in den Augen, als er sich zu mir niederbeugte und mit stockender Stimme sagte: ›Stehen Sie auf, Madame, es tut mir weh, Sie so vor mir auf den Knien zu sehen. Ich sage Ihnen aber, auch wenn alle Könige und Königinnen Europas an Ihrer Stelle wären, ich könnte sein Leben nicht schonen. *Ich* bin es nicht, der es ihm nimmt. Es ist das Volk und das Gesetz, die seinen Tod verlangen. Und wollte ich diesem Willen nicht folgen, so würde das Volk nicht nur sein Leben fordern, sondern das meine dazu. Und das mit Recht.‹«

Tränenüberströmt stand Agnes auf und taumelte zur Tür zurück, wobei der Präsident ihr den Arm zu bieten suchte, was sie übersah. Er blieb vor ihr stehen und sagte langsam: »Daß Ihnen das Schicksal dieses Señor Habsburg so nahegeht, vermag ich mir nur mit Ihrer Angst zu erklären, es würde nun auch über General Prinz Salm das gleiche Urteil gesprochen werden . . .«

Agnes warf den Kopf auf, sah ihn mit aufgerissenen Augen an. Daß er in diesem Augenblick Salms Namen nannte, traf sie wie ein Peitschenhieb.

»Ich bewundere Ihre Haltung, Madame, die Sie allein um das Leben Maximilians bitten ließ, obwohl Sie doch das Leben Ihres Gatten meinten, nicht wahr?«

Sie errötete bis unter die Haarwurzeln unter seinen prüfenden Augen. Nein, sie hatte allein an den Kaiser gedacht, nicht einen Augenblick an Felix. Sie hatte ihn vergessen, als wäre er ihr gleichgültig geworden. Heiß fühlte sie die Tränen in ihren Augen. Wohin ging ihr Weg? Wohin?

»Aber in dieser Hinsicht kann ich Sie beruhigen, Madame. Ich habe soeben einen Erlaß unterschrieben, wonach die ausländischen Offiziere unter den Gefangenen, ohne Rücksicht auf ihren Rang und ohne weitere Strafe, allein des Landes verwiesen und in ihre jeweilige Heimat zurückgeschickt werden sollen. Das gilt auch für Prinz Salm.«

»Danke, Exzellenz, danke«, stammelte sie, ohne ihn anzusehen. »Sie sind sehr, sehr gütig.« Aber sie dachte nur an Maximilian, alles war wie Nebel vor ihr. So taumelte sie weiter, hatte die Tür fast schon erreicht, da hielt er sie abermals auf.

»Ich habe Sie noch nicht gefragt, Madame, wie Sie der strengen Bewachung, die ich angeordnet hatte, auch in Querétaro wieder entkommen konnten?«

»Das war ganz einfach, Exzellenz. Während Hauptmann Montemajor im Pförtnerhaus schlief, haben mich die Diener von Señora Vicentis kurz nach Mitternacht aus dem Fenster meines Schlafzimmers gehoben und in den Wagen gesetzt, der reisefertig schon vor dem Haus stand.«

Nachdenklich sah er sie an. »Was soll ich nun mit den Offizieren tun, die es nicht fertigbringen . . .«

»Auf jeden Fall nicht bestrafen«, unterbrach sie ihn, »sie tun ihr Bestes.«

»So wie Sie auch, Madame.«

»Exzellenz, ich gebe Ihnen mein Wort, daß ich von jetzt ab nicht mehr ausbrechen werde. Es ist ja nun doch schon alles verloren.«

»Alles verloren? Wie das, Madame? Ihr Gatte ist gerettet.«

»Ja, er ist gerettet. Das ist wahr«, sagte sie leise.

»Darum verlange ich auch Ihr Wort nicht, selbst keinen Fluchtversuch mehr zu wagen noch bei einem anderen zu helfen. Sie würden so ein Versprechen ja doch nicht halten, wie ich Sie kenne. Und bis das Urteil vollstreckt ist, werd' ich mir einiges einfallen lassen, Ihre Tatenlust zu zähmen.«

Sie sah ihm offen in die Augen. »Wann wird er erschossen?«

»In drei, vier Tagen denke ich. Sobald das Urteil unterschrieben ist.«

»Und Sie werden es unterschreiben?« wagte sie ihn noch einmal zu fragen.

»Ja, ich werde unterschreiben«, sagte er langsam, jedes Wort betonend. »Sie sind Amerikanerin, Madame. An meiner Stelle hätten Sie es auch getan.«

»Nie, Exzellenz.«

»O ja. Sie hatten es getan. Nicht lange mehr, und Sie werden mich begreifen.«

Stumm wandte sie sich ab und ging an ihm vorüber aus der Tür.

»Vor den Augen meiner Seele stand das blasse melancholische Gesicht des Kaisers, welcher mit so dankbarem Blick zu mir aufsah, als ich von ihm Abschied genommen hatte. Ich war von Angst getrieben, daß jeder Augenblick, den ich versäumte, ihn das Leben kosten könne.«

Noch in der gleichen Nacht ließ sie anspannen und wagte die Reise nach Querétaro zurück. Immer gewärtig, von des Präsidenten Häschern eingeholt zu werden. Doch es gab weder Aufenthalt noch Hindernisse in dieser Hinsicht. Juarez schien sie nicht mehr für gefährlich zu halten. Nun, er sollte sich wundern.

In einen Woilach gewickelt, saß sie auf dem Rücksitz des vierspännigen Reisewagens, der von den beiden Kutschern mit wilden Flüchen und Peitschenhieben schmale Gebirgsstraßen hinauf, an tiefen Schluchten vorüber, durch Bäche hindurch, in dunkle Täler hinein, rücksichtslos vorwärts getrieben wurde. Agnes hatte den beiden Caballeros für jede Stunde, die sie der normalen Reisezeit abgewannen, je ein Goldstück versprochen. Noch bevor Maximilian vor den Gewehren seiner Mörder stand, mußte sie wieder in Querétaro sein. Ihr Plan zu seiner Rettung stand in jeder Einzelheit fest. Entweder – oder, Rettung oder Untergang – sie mußte das Äußerste wagen, es gab kein Zurück mehr.

So übermüdet sie auch war, erlösenden Schlaf fand sie nicht. Der über das Geröll hin taumelnde Wagen warf sie von einer Seite auf die andere. In Halbträumen sah sie Benito Juarez wieder vor sich. Sein dunkles Gesicht, die darin glühende Narbe, die schmalen Augen, die aufeinandergepreßten Lippen, die jedes Wort zerquetschten: »Nein, Madame, es gibt kein Zurück. Maximilian muß sterben. *Viva la muerte*!«

Und plötzlich wußte sie den Triumph zu deuten, der im hintersten Grund seiner braunen Augen leuchtete. Ihn, Benito, den Indianerjungen aus der Taglöhnerhütte, hatte die Geschichte ausersehen, sein Vaterland Mexiko an Spanien – Habsburg zu rächen. Der Enkel Karls V. war in seine Hand gegeben. Maximilian mußte zahlen für all das Leid, für Qual und hohnvolle Demütigung,

mit der die Konquistadoren des großen Kaisers und seiner Nachfolger die Völker Südamerikas einst unter ihren
Eisenfüßen zertrampelt hatten. Juarez konnte und
wollte ihn nicht begnadigen. Allein Agnes Salm war
noch frei und fähig, fühlte sich aufgerufen, den blonden
Habsburger dem Fluch der Geschichte zu entreißen.
Und sollte es ihr Leben kosten – sie wollte es wagen.

Der große Plan

Um die Mittagszeit des zweiten Reisetages, nach einer Rekordfahrt ohnegleichen, fuhr Agnes zum zweitenmal an der Hazienda de Hercules vor, um sich von General Escobedo persönlich die für Querétaro nötige Aufenthaltserlaubnis zu erbitten.

Nachdem sie demütigend lange in der Mittagshitze hatte warten müssen, erschien Oberst Villanueva, um ihr mitzuteilen, daß sich die Prinzessin Salm, die sein Chef nicht mehr zu empfangen wünsche, fortan als Gefangene der republikanischen Armee zu betrachten habe. Man werde sie im Palacio Vicentis unterbringen, den zu verlassen ihr, bei Strafe strengster Einschließung, verboten sei. Über ihr künftiges Schicksal werde El Presidente selber erst entscheiden, sobald das Todesurteil an Maximilian von Habsburg und an den Generälen Miramon und Mejia vollzogen sei.

Der Oberst sprach seine strengen Worte hoch über Agnes hinweg, ständig bemüht, ihrem herausfordernden Lächeln auszuweichen, sich von der zarten Schönheit und Schwäche, in der sie nach den Strapazen der Reise zu leuchten schien, keinesfalls rühren zu lassen. Noch immer hatte er Angst vor ihr sie fühlte es durch die Haut hindurch. In seine Eitelkeit, in seinen »machismo« verstrickt, war er ganz in ihre Hand gegeben, wenn sie nur wollte. Bald schon würde er mehr ihr Gefangener als sie seine Gefangene sein. Dessen war sie gewiß. Höchst vergnügt ließ sie sich von der ihr zugeteilten

410

Offizierswache in die Stadt geleiten, wobei sie übermütig nach rechts und links zu flirten begann. Wohl versuchten die vier jungen, von Villanueva instruierten Offiziere eisern geradeaus zu blicken, ihren Augen auszuweichen, huldigten ihr aber schließlich doch, ein jeder mit seinem strahlendsten Lächeln. Agnes hatte keine Angst mehr um ihren großen Plan.

Im Hause Vicentis wurde sie sogleich in den ihr vertrauten großen Salon eingesperrt, vor dessen Tür und Gartenfenster je zwei Gardisten Posten faßten. Dieses Zimmer zu verlassen war ihr genauso verboten wie der Empfang möglicher Besucher, wer immer es sei. Von welchem Verbot lediglich Señora Vicentis und die ihr ergebene Karmeliterschwester Benedicta ausgenommen waren. Da sie aber gerade diesen beiden in ihrem Befreiungsplan für Maximilian wesentliche Aufgaben zugedacht hatte, nahm Agnes das große Besuchsverbot nicht sonderlich ernst.

Kaum hatte sie sich gewaschen, frisiert und umgekleidet, erschien Señora Vicentis schon mit einer Silberschüssel voller Früchte, kaltem Fleisch und gelben Maisbrotschnitten, bei deren Anblick Agnes überhaupt erst zum Bewußtsein kam, wie überhungert sie war.

»Wie schön, Sie wiederzuhaben, liebes Kind«, sagte die alte Dame, strich ihr liebevoll über das dunkle offene Haar und setzte sich zu ihr, um mitzugenießen, wie Agnes sich mit dem Heißhunger der Jugend den Mund vollstopfte. Dazu Glas um Glas vom hellroten Bergwein durstig in sich hineingoß, als wäre es Wasser.

Mit der Sättigung wuchs ihr Behagen, der Wein wärmte ihr Herz und steigerte den Glauben an das Gelingen ihres Befreiungsplans schon beinahe bis zum Übermut. Da war es nur gut, daß die alte Dame sie mit ihrem nüchternen Bericht über die Zustände in der Stadt, in der sich in Agnes' Abwesenheit vieles verändert hatte, wieder in die Wirklichkeit zurückholte.

Danach war die Erschießung auf den morgigen Tag, den 19. Juni 7 Uhr früh, festgesetzt, und man hatte die Todeskandidaten schon aus dem Kloster La Teresita in das halbverfallene Kapuzinerkloster inmitten der Stadt verlegt, das sich nach General Escobedos Ansicht besser bewachen ließ. Das Sicherheitskommando stand unter dem Befehl des Kaiserhassers Oberst Palacios, dessen fanatische Augen Agnes nie mehr vergessen hatte. Mit tränenerstickter Stimme berichtete die alte Dame, was schon die ganze Stadt empörte, daß man dem Kaiser die verdreckte, von Ratten wimmelnde Totenkammer des Klosters als Aufenthalt zugewiesen habe. »Das kann nicht mein Zimmer sein«, solle er ausgerufen und sich geweigert haben, über die Schwelle zu gehen, »das ist ja ein Totengewölbe.« – Aber der Oberst habe ihn hineingestoßen. »Nur vorwärts, Habsburg, hier kannst du dir darüber klarwerden, wohin du morgen gehst – genieße deine letzte Nacht.«

Ohne diesen Hohn zu beachten, habe sich der Kaiser, seine Serape über der Schulter, auf einen Steinsarg gesetzt und beim kärglichen Licht einer einzigen Kerze die Lektüre des kleinen Buches fortgesetzt, das er in der letzten Zeit immer bei sich getragen habe: »Leben und Tod Karls I. von England«, der seinen Kopf auf den Richtblock legen mußte. »Ich habe Karl I. immer bewundert«, hatte Maximilian zu Salm gesagt, »ihm war es vergönnt, wenn auch nicht kräftig zu leben, so doch kräftig zu sterben.« Ob Maximilian wohl wußte in diesem Augenblick, wie sehr das auch der Wahrspruch seines Lebens und Sterbens werden sollte?

»Er wird nicht sterben müssen«, sagte Agnes, erschüttert vom kargen Bericht der alten Frau, nach langem

Schweigen erst und machte Señora Vicentis mit ihrem Fluchtplan für den Kaiser vertraut, der in der kommenden Nacht ausgeführt werden sollte. Obwohl der Plan in allen Einzelheiten auf Oberst Villanueva und seine Schwäche für Agnes zugeschnitten war, gab es nun kein Zurück mehr. Agnes mußte es wagen, auch mit Palacios fertig zu werden. Sie hatte kein Angst davor, mit dem stärkeren Gegner wuchsen nur ihre Kräfte. Auch über Palacios wußte sie genug, um ihn bei seiner Hauptschwäche, seiner Armut, zu packen. Er hatte eine junge ehrgeizige Frau, dazu vier Kinder und ewig zu wenig Geld. Die 6000 Goldunzen, mit denen Agnes Palacios zu bestechen gedachte, sollte Señora Vicentis liefern, die damit sofort einverstanden war. Außerdem sollte der Majordomus des Hauses Vicentis um Mitternacht zehn schnelle Pferde vor dem Kapuzinerkloster bereithalten. Agnes hatte sich ausgerechnet, daß die Fliehenden, vor allem aber Maximilian und Salm, dazu Miramon und Mejia, ausgezeichnete Reiter waren, die bis zum Morgengrauen die Sierra Corda erreichen konnten. In deren unzugänglichen Gebirgsdörfern lebten die Anhänger Mejias, die ihren General und seine Freunde bis zum letzten Blutstropfen verteidigen würden. Juarez konnte nicht hoffen, sie jemals zu überwinden. Was aber die Hauptsache, die Öffnung der Zellentüren und Stadttore betraf, war Agnes überzeugt, daß sie Oberst Palacios, hatte er sich nur erst bestechen lassen – und welcher Mexikaner vermochte solchen Summen zu widerstehen? –, dazu erpressen konnte. Hatte er das Geld einmal genommen, blieb ihm, um nicht erschossen zu werden, nichts weiter übrig, als sich der Flucht Maximilians anzuschließen.

Schon drängte die Zeit, jede Minute trieb der Entscheidung entgegen. Señora Vicentis, im Zimmer hin und her trippelnd, bewunderte die ruhige Kraft, mit der Agnes ihre Anordnungen traf. Da galt es zunächst, Schwester Benedicta, ohne sie eigentlich in den Plan einzuweihen, zur Freiheitsbotin für die Gefangenen zu machen. In den Bündeln frischer Wäsche, die Benedicta täglich aus dem Palacio Vicentis in das Kapuzinerkloster zu tragen hatte, versteckte Agnes je einen Brief an Maximilian und Felix, in denen sie den zeitlichen Ablauf der Befreiung minutiös aufgezeichnet hatte. Benedicta war von den Posten noch niemals kontrolliert worden. Man konnte sicher sein, daß sie auch diesmal ungeschoren davonkommen würde.

Und dann erst, als schon der Vorabend der Hinrichtung seinen dunklen Mantel über die Stadt warf, die im Schrecken solcher Erwartung verstummt zu sein schien, als sie Señora Vicentis und Schwester Benedicta aus ihrem Zimmer entlassen hatte, wandte sich Agnes dem ersten wichtigen Punkt ihres Planes zu, der gewissermaßen die Ouvertüre bildete.
Sie nahm ein ausgedehntes Bad im geliebten Rosenwasser, löste ihr Haar und zog nichts weiter an als ein Hausgewand aus chinesischer Seide, das nur über der linken Schulter von einer Agraffe gehalten wurde, während es die rechte Schulter freiließ, bei jeder Bewegung aber ihren schönen Wuchs mehr hervorhob als verhüllte. Zufrieden mit sich, nachdem sie sich im Spiegel eingehend betrachtet hatte, sehr sicher, kühl und siegesbewußt, bat sie sodann einen der Posten vor ihrer Tür, Oberst Palacios zu benachrichtigen, daß sie ihn in einer wichtigen Angelegenheit dringend zu sprechen wünsche.
Gleich darauf schlüpfte Señora Vicentis noch einmal zu ihr herein, zwei Ledersäckchen voller Goldstücke unter der schwarzen Mantilla verborgen. »Das ist alles, was ich

noch im Haus habe, Kind, nicht ganz sechstausend Unzen.«

»Das ist genug«, entschied Agnes, versteckte das Bestechungsgut unter den Kissen der Ottomane und sah Señora Vicentis lächelnd an. »Nun gibt es kein Zurück mehr, und Gott muß uns helfen. Beten Sie für den Kaiser, Señora. Sie haben im Himmel einen guten Namen.«

Die alte Dame hatte Tränen in den Augen. »Ich werde die ganze Nacht auf den Knien liegen, Princesa.«

Noch eine letzte Umarmung, und Agnes war allein, nachdem sie die Tür hinter Señora Vicentis wieder abgeschlossen hatte, allein mit ihrem Mut, ihrer Entschlossenheit und dieser hintergründigen Angst, deren sie nicht Herr werden konnte.

Kaum hatte sie sich auf der Ottomane ausgestreckt, sich ein wenig zu sammeln, sich selber wiederzufinden, hörte sie den Gang herauf schon die sporenklirrenden Schritte des Obersten, seine dunkle Stimme sodann, mit der er zu den Türwachen sprach, und gleich darauf sein energisches Klopfen.

Das ließ sie ihn dreimal immer fordernder wiederholen, bis sie langsam aufstand, ihm die Tür zu öffnen.

Er war mit einem Schritt im Zimmer, betrachtete ihr Negligé ohne den geringsten Zug von Überraschung oder gar Neugier im eisernen Gesicht und verneigte sich kurz. »Guten Abend, Señora. Sie haben um meinen Besuch gebeten?«

»Um Ihren dringenden Besuch, Oberst, und ich bin Ihnen dankbar, daß Sie so schnell gekommen sind. Uns bleibt nur wenig Zeit in dieser Nacht«, sagte Agnes freundlich, schloß die Tür wieder ab, ging langsam an Palacios vorbei und warf den Schlüssel vor seinen Augen in den dunklen Garten hinaus.

»Was haben Sie vor, Señora? Was soll das bedeuten?«
sagte er ruhig, beinahe mit einem Unterton von Spott.
Agnes lächelte. »Sie sind für einen Augenblick mein Ge-
fangener, Oberst, so wie ich Ihre Gefangene bin.«
»Ich habe keinen Sinn für Komödien, Señora. Am we-
nigsten in diesem Augenblick«, sagte er barsch. »Warum
haben Sie mich kommen lassen? Sagen Sie mir sofort
Ihre Wünsche, oder ich gehe wieder.«
Agnes blickte zur Tür. »So einfach ist das nicht,
Oberst.«
»Die Tür aufzubrechen ist eine Kleinigkeit.«
»Immerhin würde es Aufsehen erregen, nachdem Sie
sich doch zuvor hier mit mir eingeschlossen haben.«
»Ich mich mit Ihnen?« Er schien platzen zu wollen vor
rotgesichtiger Empörung. »Das ist eine ungeheuerliche
Verleumdung von Ihnen, ein Überfall, eine In-
trige . . .«
»Beruhigen Sie sich, Oberst«, unterbrach sie ihn gelas-
sen, »wir haben Wichtigeres zu tun, als hier herumzu-
streiten. Bitte, nehmen Sie Platz, damit ich Ihnen alles
erklären kann.«
»Ich bleibe stehen«, trotzte er.
»Wie Sie wollen«, sagte Agnes und stellte sich so vor die
Kerzen auf dem Tisch, daß in deren Licht die Formen
ihres schlanken Mädchenkörpers durch die fließende
Seide deutlich zu erkennen waren. »Um es kurz und klar
zu sagen, Oberst, ich habe Sie hergebeten, um die Flucht
des Kaisers aus Querétaro in allen Einzelheiten mit Ihnen abzusprechen.«
Er staunte sie an, als sei sie plötzlich wahnsinnig geworden. »Die Flucht des Kaisers, Señora . . .?«
»Ganz recht, Oberst«, fuhr Agnes gelassen fort, »morgen muß er schon in der Sierra Corda sein. Alles ist vorbereitet. Aber ich brauche Ihre Hilfe dazu.«

»Nein!« brüllte er. »Kein Wort weiter, oder ich werde Sie auf der Stelle in Ketten legen lassen.«

Agnes lächelte ihn offen an. Sie hatte ihn richtig eingeschätzt, er war ein echter Soldat mit kurzen Gedanken, mehr zum Gehorsam als zum Nachdenken erzogen, jedem intelligenten Bluff hilflos ausgeliefert. »Brüllen Sie nicht gleich los, Oberst, hören Sie sich erst mal in Ruhe an, was ich Ihnen sagen muß. Ich habe lange mit Benito Juarez gesprochen und glaube zu wissen, daß er inständig auf einen Mann wartet, der ihn von der Entscheidung über den Tod Maximilians befreit. Auf einen Mann, der, indem er dem Kaiser zur Flucht verhilft, zunächst als Verräter erscheinen mag, in Wahrheit aber die geheimsten Wünsche seines Präsidenten erfüllt. Die junge Republik darf vor der Geschichte nicht mit dem Blut Maximilians befleckt werden, der, einmal auf der Flucht, keine Gefahr mehr für Mexiko bilden wird. Oberst, Ihr Vaterland ruft Sie in diesem Augenblick, haben Sie Mut, entscheiden Sie sich.«

»Nein!« brüllte Palacios abermals. »Nein! Nein!« Und er hielt sich die Ohren zu. »Kein Wort weiter, Señora!«

Agnes fühlte seine wachsende Verwirrung, seine Angst vor sich selbst und sprach eindringlich weiter auf ihn ein:

»Ich weiß, Oberst, es ist ein schwerer Entschluß für Sie. Ein, zwei Jahre werden Sie außer Landes gehen müssen, bis man hier erkennt, was Sie für Mexiko getan haben, und Sie im Triumph wieder hereinholt. Aber Sie brauchen diese Zeit nicht zu fürchten.« Sie holte das Gold unter den Kissen hervor und hielt beide prallgefüllte Beutel vor seine Augen. »Das sind sechstausend Goldunzen, Oberst. Damit können Sie in den Staaten mit ihrer jungen Frau und den Kindern vier, fünf Jahre wie ein König leben.«

»Nein«, sagte Palacios, der seine Fassung wiedergewonnen hatte, »ich bin kein Verräter.«

»Ach, Oberst«, fuhr Agnes ungerührt fort, »wie oft schon in der Geschichte sind Verräter später zu Helden geworden. Auf dem Kapuzinerplatz stehen in einer Stunde schon die gesattelten Pferde für die Flucht bereit, eins davon auch für Sie. Von Ihnen wird lediglich der Befehl zur Öffnung der Zellentüren und eines Stadttores verlangt. Schon im Morgengrauen werden Sie mit Maximilian und seinen Generälen in der Sierra Corda in Sicherheit sein.«

Er zog langsam seine Pistole. »Hören Sie auf, Señora, oder ich vergesse, daß Sie eine Frau sind.«

Ohne sich einschüchtern zu lassen, die goldgefüllten Säckchen hoch in den Händen, ging sie auf ihn zu. »Hier ist das Gold, das Ihnen, Ihrer jungen Frau und Ihren Kindern eine sorglose Zukunft sichern wird. Ich kenne Ihre armseligen Verhältnisse zu Hause. Oberst, was überlegen Sie noch?«

Die Waffe in der Hand, starrte er sie unschlüssig an, wie sie da in bebender Schönheit vor ihm stand und lächelnd fortfuhr: »In der republikanischen Friedensarmee haben Sie keine Zukunft mehr, Oberst. Das wissen Sie so gut wie ich, Oberst. Da werden allein die Mestizen und Spanier zu Generälen gemacht, die einen armen Indio wie Palacios, der aus einer Lehmhütte gekommen ist, doch nur verachten.« Mit herausforderndem Lachen wandte sie sich um und ging zum Marmortisch zurück, auf den sie klirrend das Gold warf. »Hier liegt Ihre Freiheit, Ihr Glück, Ihre Zukunft, Oberst. Greifen Sie zu!«

Wie gebannt von ihren Hexenaugen stand Palacios, wo er stand, sah atemlos auf das Gold hinüber.

»Oder ist Ihnen das zu wenig?« begann Agnes nach langem Schweigen abermals, da sie den Gang der Stunden

418

fühlte, um ihren Sieg zu fürchten begann. »Wollen Sie mehr?«

Sein Gesicht blieb unbewegt.

»Nun gut«, sagte sie entschlossen, »da ist das Gold, Oberst Palacios, und hier« – sie griff langsam nach der Spange auf der Schulter, die allein ihr Kleid hielt –, »und hier bin ich.«

Palacios, noch immer die Waffe in der Hand, stand lange regungslos, bis er unvermittelt die Pistole fallen ließ und Schritt um Schritt nun Agnes entgegenging. Nah vor ihr blieb er stehen, und sie erkannte diese Gier am Grund seiner Augen. Zögernd hob er seine linke Hand, legte sie fest auf ihre rechte Brust. Schneller ging sein Atem über ihre Haut hin. Agnes schloß die Augen, schloß sich selber ganz zu, als könne sie noch abwehren, was sie doch selber soeben herausgefordert hatte. Fester fühlte sie den Druck seiner Hand auf ihrer Brust, als sich wie eine Explosion draußen in der Halle drohender Lärm erhob, schwere Schritte stampften heran, und eine Männerstimme brüllte immer näher:

»Palacios! Oberst Palacios!« Kein Zweifel, das war Oberst Villanueva. Mit allen Kräften schüttelte er die Tür. »Palacios, öffne, du Lump! Öffne sofort!«

Palacios war blaß geworden. Doch im nächsten Augenblick flammte dunkle Röte in sein Gesicht zurück. Seine Hand, die noch eben Agnes' Brust umklammert hielt, fiel kraftlos herab.

Ratlos sah er Agnes an. Angst ließ ihn kleiner werden, vor ihren Augen wahrhaftig zusammenschrumpfen.

»Palacios!« schrie Villanueva abermals, Wut lodernder Eifersucht in der Stimme, und warf sich draußen gegen die Tür, die zu brechen drohte. Die Soldaten der Zimmerwache schienen ihn dabei zu unterstützen, so knirschte und brach schon das Holz.

Mit angstvollen Mausaugen sah Palacios seinen Untergang vor sich, lief in zwei, drei Sätzen plötzlich zum Fenster, riß den Vorhang zurück und warf sich in weitem Katzensprung in den Garten hinaus, wo er zwischen den dort postierten Soldaten, die erschrocken zurückwichen, in der Dunkelheit verschwand.

Agnes hatte kaum die Agraffe auf ihrer Schulter wieder geschlossen, als schon die Zimmertür aufbrach und Villanueva hereinstürzte, schnaufend vor ihr stehenblieb, in offener Bewunderung. »Señora, Sie haben Oberst Palacios hier empfangen?«

Agnes lachte. »Empfangen? Wie kommen Sie darauf? Er hat mir überraschend einen Besuch gemacht. Ich konnte ihn nicht abweisen.«

»Wo ist er?« fragte Villanueva drohend, während er Palacios' Pistole vom Boden aufhob.

»Aus dem Fenster gesprungen. Da, im Garten, irgendwo, ein tapferer Mann.« Und sie lachte immer noch. Ein Lachen, das wild aus ihr herausbrach, während zugleich eine Flut von Tränen über ihr Gesicht herunterstürzte.

Sie lachte und weinte und lachte, da ihr dies alles, obwohl es um Tod und Leben ging, wie eine schlechte Komödie erschien.

Alles war verloren.

Sie wartete darauf, im nächsten Augenblick tot umzufallen.

Drei Salven im Morgenlicht

Agnes fand keinen Schlaf in dieser Nacht. Bei der geringsten Bewegung schnitten die Ketten, mit denen sie an Füßen und Händen an ihr Bett gefesselt war, in ihr Fleisch ein.

Draußen vor der zertrümmerten Tür und auf dem Kiesweg im Garten vor ihrem Fenster hörte sie die harten Schritte der Offizierswachen, die Palacios nach der Rückkehr aus Escobedos Hauptquartier persönlich aufgestellt und mit der Instruktion versehen hatte, Agnes nicht aus den Augen zu lassen und jeden Besucher, der sie etwa sprechen wolle, ohne Ansehen der Person sofort zu verhaften. Palacios war noch in der Nacht in die Hazienda de Hercules hinausgeritten, hatte Escobedo wecken lassen und ihn von der geplanten Flucht des Kaisers und seiner Generäle unterrichtet, wobei sich der Oberst den Anschein gab, nur zum Schein auf die Bestechungsversuche der Prinzessin Salm eingegangen zu sein, um auf diese Weise alle Einzelheiten des Fluchtplans von ihr zu erfahren. Villanueva, der wenig später im Hauptquartier ankam, um Palacios bei Escobedo als Verräter anzuklagen, konnte die Angaben des Indios, dessen Schachzug bestaunend, nur in jeder Hinsicht bestätigen.

Escobedo befahl, die Prinzessin Salm sowie Maximilian und seine Generäle Mejia und Miramon sogleich in Ketten zu legen und durch Offizierswachen zu sichern. Jedes Wachvergehen sollte mit dem Tod bedroht und die

Erschießung der Verurteilten am nächsten Morgen um eine Stunde vorverlegt werden.

Die gefangenen ausländischen Offiziere jedoch sollten noch in der Nacht, an die große Kette geschlossen, unter starker Bewachung nach Vera Cruz in Marsch gesetzt werden und von dort in ihre jeweilige Heimat eingeschifft werden.

Felix hatte sich weder von Maximilian noch von Agnes verabschieden können. Auf der Schulter sein Stück der schweren Troßkette, an die sie alle angeschlossen waren, stampfte er in der langen Reihe seiner Mitgefangenen durch die eisige Nacht der Hochebene hin. Nachdem er nun wußte, daß ihr Fluchtplan entdeckt und auch Agnes Escobedos Gefangene war, fürchtete er das Schlimmste für sie. Er war sicher, daß Benito Juarez sie wegen versuchter Gefangenenbefreiung vor Gericht stellen und zu einer längeren Gefängnisstrafe verurteilen lassen würde. Für diesen Fall war er jetzt schon entschlossen, Agnes in einem handstreichartigen Überfall aus Mexiko herauszuholen. Er kannte das Land und seine Mentalität nur zu gut und hatte Freunde genug, um vom sicheren Erfolg einer solchen Unternehmung überzeugt zu sein. Und fast machte es ihm schon wieder Freude, sich diesen Handstreich auf dem Marsch von drei Tagen und drei Nächten, der vor ihnen lag, in allen Einzelheiten auszudenken. Hoffnungsvoller schritt er unter der klirrenden Kette in das Morgenlicht des 19. Juni hinein.

Auch Agnes sah dieses Licht durch die wuchernde Bougainvillea schimmern, die rot ihr Gartenfenster umblühte. Sie dachte nicht an Felix, sondern nur noch an Maximilian, dessen Todessonne langsam schon am Himmel heraufstieg. Von den Kirchenuhren hallten fünf Schläge über die noch schlafende Stadt. Das war die

Stunde, in der Maximilian in schwarzer Kleidung die Zelle seiner Gefährten betrat.

»Meine Herren, ich bin bereit.«

Agnes legte ihre Hände über der Brust ineinander, leise klirrten die Ketten, tief atmend schloß sie die Augen und sah mit ihrer seherischen Kraft die großen Bilder des Todes vor sich, als ginge sie hinter ihm her durch die schweigende Stadt – deren Bürger an solch sinnlosem Sterben keinen Anteil haben wollten.

Sie sah die noch menschenleeren Straßen, die verschlossenen Häuser, aus deren Fenstern riesige Trauerfahnen wehten. Sie sah die schwarzverhangenen Kutschen, in denen die Gefangenen zum Glockenhügel hinaufgefahren wurden, auf dem das Erschießungskommando schon bereitstand. Und sie sah auch, wie General Mejias junge Frau mit zerrauftem Haar, das eben geborene Kind auf dem Arm, hinter der letzten Kutsche, in der ihr Mann saß, schreiend durch die Straßen taumelte und immer wieder versuchte, sich unter die Wagenräder zu werfen. Um immer wieder von den Soldaten zurückgerissen zu werden.

Hauptmann Montemajor, der das Erschießungskommando auf dem Glockenhügel befehligte, empfing die Verurteilten mit eisigem Gesicht und führte sie wortlos vor die Todeswand, eine niedrige Lehmmauer auf dem höchsten Punkt des Hügels, von der aus der Blick weit über die Häuser und Gärten der Stadt hinweg bis zu den Schneegipfeln der fernen Gebirge schweifte.

Die sieben schon vorher bestimmten Todesschützen nahmen Aufstellung und luden ihre Gewehre, Pater Soria, des Kaisers Beichtvater, sprach ein kurzes Gebet, worauf Maximilian, der in der Mitte stand, nach rechts und links seine Gefährten umarmte. Unerwartet trat er sodann auf die Schützen zu und gab jedem von ihnen,

423

bei Hauptmann Montemajor beginnend, mit kurzem Handschlag eine Goldmünze mit seinem Bild. Montemajor, von der Haltung des Kaisers sichtlich bewegt, stammelte einige Worte des Bedauerns, die ihm der Kaiser mit einer Handbewegung abschnitt. »Sie sind Soldat, Hauptmann. Tun Sie Ihre Pflicht!«

Ruhig trat er auf seinen Platz zurück, nahm den schwarzen Sombrero vom Kopf, so daß nur sein volles blondes Haar in der Morgensonne leuchtete, nickte Montemajor zu und richtete sich zu voller Größe auf. Ein kurzes Kommando, Montemajors Degen fuhr blitzend herunter, und sieben Schüsse trafen Maximilians Brust. Stöhnend, in Todeszuckungen wälzte er sich am Boden, bis Montemajor mit einem Soldaten herantrat, dem er befahl, dem schon Bewußtlosen mit dem Bajonett den Gnadenstoß zu geben. Maximilian war 35 Jahre alt, als er, am Ende seiner Hoffnungen und Träume, mit ausgebreiteten Armen den Tod empfing, der ihm nicht unwillkommen war.

Ihm nach starben Miramon und Mejia nicht weniger tapfer mit dem Ruf: »*Eviva Mexico! Viva Independencia!*«

Die ganze Stadt hatte die drei Salven im Morgenlicht gehört. Wie von selbst begannen auf allen Türmen die Glocken zu läuten.

Agnes lag stumm auf ihrem Bett und weinte mit geschlossenen Augen.

Heimkehr

Als in Perth Amboy der Lotse an Bord der ›Eagle‹ kam, stieg auch Agnes mit auf die Brücke.

Den ganzen Tag hindurch, während das Schiff nordwärts stampfte, hatte sie an der Backbordreling gestanden und glücklich zur Küste von New Jersey hinübergestarrt, die als Silberstreifen im Westen der Fahrt der kleinen ›Eagle‹ ständig zur Seite blieb.

Nun aber, da endlich das Schiff, die Narrows und die Lower Bay hinter sich, langsam in die Hudsonmündung hineindampfte, breitete sie dem Wind entgegen die Arme aus. O Heimkehr, o Atem Amerikas! Sie hätte singen können vor Glück.

Wenige Tage nach Maximilians Erschießung war Agnes unter starker Bewachung nach Vera Cruz gebracht worden, um mit dem nächstmöglichen Schiff in die Staaten abgeschoben zu werden. Sie hoffte, in Vera Cruz auf Felix zu treffen, von dessen Schicksal sie inzwischen erfahren hatte, wollte mit ihm zusammen nach New York zurückkehren.

Jedoch die Ereignisse überstürzten sich.

Fast im gleichen Augenblick, da sie an Bord der ›Eagle‹ gebracht werden sollte, die mit Zielhafen New York schon unter Dampf an der Pier lag, erfuhr sie vom amerikanischen Konsul, daß Felix mit seinen Mitgefangenen noch in den Kasematten der vor Vera Cruz liegenden Festungsinsel San Juan d'Ullao festgehalten wurde. Sie weigerte sich, das Schiff zu betreten, verlangte, sofort zu ihm gebracht zu werden, wurde nun aber um so entschiedener – »wie ein verschnürtes Paket« – auf das Schiff gebracht, das sofort die Anker lichtete und den Hafen verließ. Ihr blieb nichts weiter, als im Vorüberfahren zu der grauen Felsenfestung hinüberzuwinken, in der Hoffnung, Felix möge ihr rotes Kopftuch erkennen, das sie lange im Wind der Heimkehr flattern ließ.

Indes belebte sich der Hudson, New York entgegen. Immer mehr Fährboote glitten tuckernd vorüber, Ozeandampfer bahnten sich mit heulenden Sirenen ihren Weg, stolze Segelschiffe, Drei- und Viermastbarken im vollen Zeug, flogen vor dem Wind an ihnen vorüber der offenen See entgegen.

Und plötzlich, unter der rauhen Musik von Sirenen, dumpfer Warnung der Nebelhörner, Gerassel der Ketten, Gekreisch der Ankerwinden, fernen Rufen stromentlang, stand die graue Häuserwand von Manhattan vor ihren Augen auf, Trinity Church und hoch im Wind das riesige Sternenbanner über der Battery. O Heimat, o meine Stadt! Sie war wieder zu Hause.

Und welch ein Gewimmel von Menschen auf der Pier, an die sich die ›Eagle‹ immer näher heranschob.

Agnes riß des Kapitäns Fernglas vor ihre Augen und war überwältigt von dem Bild, das sich ihr bot. Freunde, nur Freunde da unten. Gordon Bennett, dem sie ihre Absicht telegrafiert hatte, für einige Zeit bei ihm zu wohnen, hatte in einem Leitartikel seiner Zeitung Tag und Stunde ihrer Ankunft verkündet, und nun waren wohl alle gekommen, denen sie je die Hand geschüttelt, die je ihren Namen gehört hatten.

Sie erkannte Gordon, wie er grauhaarig und schlank mit großen Bewegungen eine Marschkapelle dirigierte, die den Yankee Doodle spielte, dessen Melodie, vom Wind zerfetzt, an ihren Ohren vorüberwehte. Daneben die

Veteranen des 8. und des 68. Regiments in der alten Uniform mit ihren Fahnen. Und hoch über allen breite Spruchbänder mit der Aufschrift: »Willkommen Agnes Salm!« oder auch: »Welcome, princess Cinderella!« Sie las es mit Tränen in den Augen. Ja, wahrhaftig, als Aschenbrödel war sie damals ausgeritten aus den Wäldern von Vermont und kehrte nun heim als Prinzessin, als eine Prinzessin des großen Abenteuers. Doch das war jetzt vorüber. Nie wieder wollte sie Amerika verlassen.

Sie war entschlossen, so bald als möglich Präsident Johnson aufzusuchen, damit er sich bei Benito Juarez für Salms unverzügliche Freilassung einsetzen sollte, an der sie nicht zweifelte.

Und war Felix endlich heimgekehrt zu ihr – sie hatte schreckliche Sehnsucht nach ihm – und als Friedensgeneral in die Army wiedereingetreten, wollten sie nur noch ihrer Liebe leben. Ganz ohne Abenteuer und nicht mehr so todesnah wie bisher, nur noch ihrer Liebe.

Epilog

Doch wie immer bei Agnes, von heute auf morgen kam alles ganz anders. Noch als sie sich auf der Fahrt nach New York befand, war Felix mit einigen Kameraden auf ein österreichisches Schiff gebracht und nach Deutschland ausgewiesen worden.

Dort wurde er durch einen Gnadenerlaß des Königs mit der Aussicht auf schnellste Beförderung als Major und Bataillonskommandeur wieder in die preußische Armee aufgenommen. In einem sehnsüchtigen Brief forderte er seine Frau auf, zu ihm zu kommen, und Agnes nahm das nächste Schiff.

Drei Jahre später brach der Deutsch-Französische Krieg aus, in dem Felix gegen das Vaterland seiner Mutter kämpfen mußte. Am 1. September 1870 fand er beim Sturm auf Sedan, an der Spitze seines Bataillons, den Soldatentod, den er zeit seines Lebens ersehnt und herausgefordert hatte.

Um über diesen Verlust hinwegzukommen, trat Agnes, die gerade 26 Jahre alt war, in den preußischen Sanitätsdienst ein, in dem sie tollkühn, so als wollte auch sie den Tod herausfordern, die Verwundeten aus den vordersten Linien herauszuholen begann. Ihre Erfahrungen aus dem Bürgerkrieg mit angeborener Zähigkeit einsetzend, trug sie viel dazu bei, das veraltete preußische Sanitätswesen von Grund auf zu erneuern.

Hochdekoriert und bedankt ließ sie sich nach dem Krieg in Karlsruhe nieder, wo ihr, nach anfänglichen wirtschaftlichen Schwierigkeiten, eine größere Erbschaft ein unabhängiges Leben erlaubte.

Unentwegt von provinziellen Klatschereien und Gerüchten verfolgt, vielen helfend, vielgeliebt und vielgeschmäht, ständig auf Reisen, tat sie alles, was ihr gefiel und ihrem freien Geist entsprach.

Sie starb im Jahre 1912 am 25. Dezember, ihrem Geburtstag, der auch ihres Prinzen Geburtstag gewesen war.

Felix Lützkendorf
Die schöne Gräfin Wedel

Roman · 504 Seiten · Leinen DM 32,–

›Die schöne Gräfin Wedel‹, als uneheliches Kind in Berlin geboren, ist eine historische Gestalt aus den ersten Jahren des Zweiten Deutschen Kaiserreichs. Als Schauspielerin von sprichwörtlich atemberaubender Schönheit, als Bürgerkind, das diese Schönheit mit Leidenschaft und erfolgssicherem Instinkt einsetzt, faszinierte sie die Männerwelt.

Der galante, etwas feminin wirkende Prinz Friedrich von Hohenzollern-Sigmaringen, berühmt für seine Soupers und Feste, gestattete ihr den ersten Blick in die Aristokratie.

Hermann Wedel, das ›schwarze Schaf‹ der Familie, macht sie zur Gräfin.

Der österreichische Erzherzog Carl Salvator tritt in Wien in ihr Leben.

Die Generation der Älteren erliegt ihrer von herrlich rotem Haar und grünen Augen unterstützten Ausstrahlungskraft.

Der junge Prinz Wilhelm, der spätere Kaiser, wird ihr liebenswürdig-interessierter Zuhörer. Doch ihre Beziehung ist von kurzer Dauer, wegen der mitleidlosen Überwachung, unter die der junge Prinz gestellt ist.

Graf Waldersee, väterlicher Beschützer Wilhelms, wird der eisig reagierende Widersacher der Gräfin.

Es klingt abenteuerlich, aber: das von Elisabeth nach Berlin gebrachte Repetiergewehr, eine Erfindung des Erzherzogs, wurde schließlich als Karabiner »88« in das deutsche Heer eingeführt.

Lützkendorf beschwört ein Frauenschicksal – eine ganze Epoche, die selbstbewußt antrat und doch den Keim ihres Niedergangs bereits in sich trug. Für ein Jahrzehnt wird sie beleuchtet vom irisierenden Schein einer Persönlichkeit, vor der ein zukünftiger deutscher Kaiser geschützt werden mußte.

Schneekluth

Ellen Bromfield-Geld

Paradies auf dem Vulkan
Roman. Aus dem Amerikanischen von Isabella Nadolny.
384 Seiten. Leinen DM 28,–
Traumland Brasilien! In dieser hinreißend schönen und wilden Welt wird für eine Handvoll Menschen der alte Traum vom neuen Leben Wirklichkeit – mit all ihren Verheißungen und Enttäuschungen, Schrecken und Seligkeiten.

Wildes Land im Mato Grosso
Roman. Aus dem Amerikanischen von Isabella Nadolny.
416 Seiten. Leinen DM 28,–
»Ellen Bromfield hat die Gabe des schwungvollen und detailfreudigen Erzählens von ihrem berühmten Vater geerbt und kennt das Ambiente, das sie verliebt – und kritisch schildert: Brasiliens ungebärdige Urwaldprovinz, die zwischen Viehseuchen, Dürren, Waldbränden, geschürten Rebellionen nur punktuell zu freilich berauschender Blüte kommt.«

Welt am Sonntag

Ein Tal in Ohio
Roman. Aus dem Amerikanischen von Isabella Nadolny.
268 Seiten. Leinen DM 26,–
Dan Fagan hat Tag und Nacht geplant und gespart, um sich dieses Stück Land zu kaufen. Cass Fagan liebt dieses Tal, in dem sie ihr eigenes Leben leben kann. George Porterfield hat die Idee mit dem Millionen-Tourismus. Er will das Land erschließen. Diese Autorin läßt den Leser Zeit und Raum vergessen.

Preisänderungen vorbehalten

Schneekluth

Christmas 1980
given to Emmy from
my Mother